LA NEIGE FOND TOUJOURS
AU PRINTEMPS

GILBERT BORDES

La neige fond toujours au printemps

ROMAN

LE GRAND LIVRE DU MOIS

Première partie

L'HUMILIATION

1.

Le malheur est écrit partout en ce début de mois d'août 1944, sur la poussière de la cour, sur les feuilles du marronnier, sur chaque pierre de la grande maison de la Veyrière. On l'attend, comme le premier coup de tonnerre quand le ciel s'obscurcit, comme la neige au milieu de l'hiver, en s'étonnant qu'il ne soit pas déjà là. Seul monsieur Janvier reste insensible à cette rumeur qui s'enfle, lui crie gare de ses cent bouches. Depuis deux mois, des lettres anonymes arrivent presque tous les jours, des torchons que monsieur Janvier met au feu sans les lire. Une nuit, quelqu'un écrit à la peinture noire sur la porte de l'écurie : « Sale collabo », et, la nuit suivante : « Mort aux salauds de la Veyrière ». Monsieur Janvier fait laver la porte à Jeannot, le jeune berger, puis pense à autre chose.

Depuis quelque temps des bandes d'insoumis rôdent dans le pays, musardent autour du domaine, les chemins et les bois sont pleins d'étrangers prêts à tout. Leurs figures sont aiguisées par la menace, leurs mains cherchent le larcin. Ils parlent de justice et tout le monde en a peur. Les prisons ouvertes ont vomi leurs cohortes de criminels. Les gendarmes se cachent et le dernier mot revient à celui qui tient une arme.

Quand le malheur a décidé quelque chose, rien ne lui résiste et il va souvent plus loin qu'on le redoutait. Madame Hortense l'attend : trop d'Allemands et de miliciens ont fréquenté la Veyrière pendant ces années d'occupation. Les proscrits d'hier se montrent au grand jour, demandent des comptes et ont la gâchette facile.

Jeannot, le jeune berger roux, entre dans la cour en criant comme un forcené. Il gesticule, essoufflé, les yeux pleins de l'horreur qu'il vient de voir. Il tombe dans les bras de Jeanine qui arrive du potager, son panier de légumes à la main.

— Ah, Jeanine ! Ah, Jeanine ! dit-il entre ses lèvres tordues.

Le cœur du jeune homme cogne à éclater sous sa chemise. Le sang a quitté ses joues, il ouvre la bouche pour respirer comme si l'air lui manquait.

— Ah ! Jeanine...

— Voyons, Jeannot, qu'est-ce qui te prend ? Et les vaches ? Tu as laissé le troupeau ? Monsieur Janvier va te raconter quelque chose !

Il se calme enfin un peu. Ses yeux roulent dans leurs orbites, toujours remplis d'effroi. Il dit entre deux sanglots :

— Ils sont là haut... Je les ai vus.

— Mais qui ?

— Monsieur Janvier et monsieur Antoine...

— Et alors, tu les as vus, c'est ce qui te met dans cet état ?

— Ils sont morts ! dit le jeune garçon en tremblant de nouveau et en gémissant comme un chien que l'on a frappé. Morts ! Avec leurs yeux grands ouverts et du sang sur leur chemise, beaucoup de sang.

Un coq chante derrière l'écurie. Jeanine dit : « Mon Dieu », puis s'en va vers la grande maison sans poser d'autres questions à l'adolescent, qui s'assoit en sanglotant sur le rebord d'une charrette. Virginie, qui était au bas de l'escalier, a tout entendu. Elle reste un moment en équilibre entre l'incrédulité et l'espoir, puis bascule dans le gouffre béant. Elle ouvre la bouche, écarte les bras, fait quelques pas, se tourne vers ses deux garçons qui jouent près du gros noyer ; Pascal et Jacques ont aménagé une cabane à l'intérieur du tronc creux de cet arbre antique. Tout à coup, Virginie se détend comme un ressort, pousse un cri strident qui réveille les chiens de monsieur Janvier enfermés dans leur enclos. Elle veut courir vers le jeune berger, mais le sol se dérobe, elle tombe sur les pierres plates de la cour.

Les garçons ont cessé leur jeu et regardent, effarés, leur mère se relever lentement. Paul, le maître valet, qui était dans la grange, se précipite. Au soleil, ses cheveux gris ont des reflets argent.

— Vous ne vous êtes pas fait mal ?

Virginie s'appuie contre l'épaule de l'homme, le corps vide de vie, les bras mous. Les sanglots perçants de l'adolescent la blessent, des coups de poignard.

— Qu'est-ce que tu racontes, toi ? demande Paul au jeune berger.

— Je vous dis qu'ils sont morts !

— C'est pas possible ! fait Paul, qui part en courant.

Médusés, Pascal et Jacques comprennent qu'un événement grave vient de se produire. Ils regardent leur mère, les cheveux défaits, qui pousse des cris de bête blessée. Pascal la rejoint et la prend dans ses bras, un geste d'adulte. C'est un solide garçon de quatorze ans, grand, la tête longue de son grand-père et sa manière de parler brièvement, sans mots inutiles. Jacques, un blondinet de dix ans, plus nonchalant que son frère, plus rêveur, arrive en faisant la moue.

Virginie lève la tête vers ses fils.

— Mes enfants, mes pauvres enfants...

Jacques éclate à son tour en sanglots. Pascal a blêmi, mais ses yeux gris restent secs.

Paul Vacquier revient quelques instants plus tard. Tous les domestiques de la Veyrière sont là et le regardent marcher, la tête basse, écrasé par le fardeau de cette terrible nouvelle.

— C'est pas possible ! dit-il encore entre ses dents, puis, en s'approchant du vieux Baptiste : quel grand malheur !

C'est lui, Paul, qui commande les domestiques de cette maison avec la fermeté de monsieur Janvier, mais aussi une douceur qui le fait apprécier de tous. Il s'approche de Jeannot, qui pleure toujours ; l'adolescent lève sur lui ses yeux cuivrés.

— Qu'est-ce qu'on va faire ?

— Aller les chercher !

— Mais il faut avertir les gendarmes ! Paul, prends ta moto...

Paul hausse les épaules.

— Les gendarmes ? Ça ne servira pas à grand-chose ! J'irai tout à l'heure. Pour l'instant il faut les descendre. On va pas les laisser là-haut comme des bêtes.

Il va sangler le cheval. Baptiste lui donne un coup de main, mais les deux hommes n'ont pas la tête à ce qu'ils font et doivent s'y reprendre à plusieurs fois. Le soleil brûlant qui passe entre les nuages illumine la cour, le toit pointu de la maison, l'étang en contrebas où barbote un troupeau de canards et d'oies. L'orage de la nuit a arraché de lourdes feuilles au marronnier.

Les chiens aboient de nouveau, c'est l'heure où monsieur Janvier leur apporte à manger. Virginie sort de la maison et se dirige en titubant vers l'écurie. Pascal l'accompagne, grave. Jacques est resté à l'intérieur avec sa grand-mère.

Sans un mot, Baptiste passe devant le cheval. Paul, les yeux noyés de larmes, accroche les brancards de la charrette.

— Je viens ! dit Virginie.

— Vous n'y pensez pas, c'est...

— J'ai dit je viens ! répète-t-elle sèchement.

Baptiste est très maigre, un large chapeau de paille cache son visage anguleux, son grand nez rouge, ses yeux un peu bridés toujours mouillés. C'est le plus ancien domestique de la Veyrière. Il s'occupe essentiellement des bêtes ; monsieur Janvier le laisse agir à sa guise et l'emmène avec lui à la chasse. C'est lui qui nourrit les chiens quand le maître n'est pas là ; ce matin, il a oublié, malgré les hurlements de la meute.

Virginie n'essuie pas les larmes qui roulent jusqu'à son menton et tombent sur la poussière du chemin. Elle marche en reniflant à côté de Paul. Elle ne pense pas, son esprit reste bloqué sur une certitude dont elle ne mesure pas encore l'ampleur : Antoine a été tué. La guerre qui jonche de cadavres cette campagne jusque-là paisible, le vent de folie meurtrière qui souffle sur les collines en cet été torride viennent de la frapper.

Dans le champ qui couvre la colline, le sarrasin mûrit. Un peu de vent le fait onduler en vagues lentes, couleur d'ardoise. Le chemin bossu, creusé par les pluies de ces derniers jours, rampe entre ses deux haies d'aubépines et de ronces d'où sortent d'énormes noyers. Le village, en contrebas de la Veyrière, est caché par une antique châtaigneraie. Seul le clocher pointe son coq en tôle rouillée au-dessus des arbres...

La jument attaque le raidillon qui conduit à la chapelle au sommet du puy Blanc, un mamelon sec où poussent des genévriers et quelques charmes rabougris. Les murailles qu'on avait construites pour retenir la terre sont désormais couvertes de ronces. Ce lieu où chaque année se déroule un pèlerinage appartient depuis toujours à la Veyrière, mais monsieur Janvier, respectueux des traditions, comme son père avant lui, en a toujours laissé l'accès libre.

Paul arrête la jument à côté de la chapelle, s'enfonce dans le taillis et s'arrête près d'une grosse aubépine aux rameaux secs. Virginie est restée à quelques pas dans le chemin. L'appréhension dresse un mur devant elle, l'écrase. Maintenant, elle regrette d'être venue et voudrait faire demi-tour, mais ça aussi, c'est trop difficile. Paul a posé son chapeau et baisse la tête. Alors, Virginie pousse un cri qui taille le silence de sa lame aiguë. Elle court ; les fougères s'accrochent à ses mollets, les épines mordent sa peau. Près de Paul, elle titube de nouveau. Les deux corps sont posés côte à côte, les yeux ouverts sur un ciel qu'ils ne reflètent plus. Virginie est prise de tremblements et claque des dents. Baptiste va calmer la jument qui piaffe.

— Mais pourquoi ? demande enfin Virginie d'une voix faible.

Paul reste silencieux, cette question n'attend pas de réponse. Baptiste pleure, un son de marmite rouillée qu'on racle sort de sa gorge. Enfin, il s'essuie le visage, se mouche, s'agenouille et passe la main sur les paupières d'Antoine pour fermer ces yeux qui ont gardé l'effroi du dernier instant. Mais les paupières résistent, refusent de cacher cette peur, ce regard de victime. Alors, le vieil homme étale sa veste sur les visages figés.

— On y va ! dit Paul.

Virginie s'est appuyée contre le tronc noueux d'un poirier sauvage et regarde, comme indifférente, les deux hommes charger d'abord le corps raide de son beau-père, puis celui de son mari. Ils ont été abattus de deux balles dans la nuque ; le crime n'est même pas dissimulé en accident, les meurtriers se savent intouchables.

La jument reprend son pas lent dans le chemin caho-teux. Paul laisse Baptiste conduire la bête et revient vers Virginie.

— Il faut rentrer, maintenant, madame Virginie.

C'est la première fois qu'il appelle ainsi Virginie. D'ordi-naire, le mot « madame » accroche sa gorge quand il s'agit de la bru de monsieur Janvier...

Virginie se laisse emmener. À la Veyrière, les domesti-ques attendent dans la cour, la jeune Alice pleure, son mouchoir devant les yeux, Jeannot, à qui Antoine bottait les fesses de temps en temps, Marcel et Jeanine Courout. Madame Hortense est restée à l'intérieur. Quand elle a appris la nouvelle, elle s'est effondrée dans un fauteuil et n'en a pas bougé. Elle n'a pas eu une larme, son visage large s'est immobilisé, figé. Les yeux fixes, elle est morte à son tour et ne réagit pas quand Jeanine et Alice montent préparer la chambre mortuaire et ouvrent les armoires pour trouver des draps propres.

Virginie arrive. Jacques se précipite dans ses bras en pleurant. Pascal est resté debout au milieu de la pièce ; silen-cieux, le visage grave, il suit des yeux les servantes qui s'activent.

Le curé Vayre, averti par cette rumeur qui va plus vite que le vent, fait sa visite. Son corps flotte dans sa soutane trop grande. Il descend de son antique bicyclette et entre dans la maison.

— Quelle histoire ! dit-il en levant ses bras noirs. Mais qu'est-ce qui s'est passé ?

Comme personne ne lui répond, il se dirige vers la chambre mortuaire, prononce des prières à voix basse. Au bout d'un moment, il revient et demande à Paul :

— Que s'est-il passé ?

Paul soupire, alors, le prêtre s'adresse à madame Hor-tense.

— Je sais que vous êtes forte. Votre foi va vous être d'un très grand secours...

La grosse femme n'a pas un geste, pas un mouvement des cils. Elle fixe toujours le mur, pétrifiée.

La nouvelle fait le tour du pays en quelques heures et suscite une vive émotion, même si certains pensent que les Massenet l'ont bien mérité puisqu'ils recevaient chez eux les gens de la Gestapo et les Allemands de la préfecture. Les voisins, la parenté viennent à la Veyrière, mais personne n'évoque les motifs de ce double règlement de comptes. On se comporte comme si c'était un accident, des morts ordinaires. La peur est telle que beaucoup se contentent d'une visite rapide dont ils se passeraient volontiers.

Les gendarmes arrivent le soir même. Paul les conduit à l'endroit où l'on a trouvé les cadavres. Ils fouillent un instant les taillis voisins.

— Rien, dit l'un d'eux. L'enquête ne sera pas facile.

— Monsieur Janvier avait reçu des menaces, précise Paul. C'était, comment vous dire... Il avait été décoré de la croix de guerre en 1916 et ne cachait pas son admiration pour le maréchal Pétain.

— Vous voulez dire qu'il faisait de la politique ?

— Je ne sais pas, mais il se disait volontiers favorable à l'ordre. Et puis, comme c'était un homme entier, il n'avait renié aucun de ses amis qui ont continué de venir régulièrement à la Veyrière, et, parmi ses amis, il y avait des miliciens.

Ernest et Camille ont été avertis par Jeannot. Leur stupeur passée, ils se rendent à la Veyrière. Ernest ne cesse de répéter « Quel grand malheur ! » Il est petit, rond comme sa mère, madame Hortense. Ses épaisses lunettes lui font un regard fixe de serpent. Camille, sa femme, le dépasse d'une tête. Elle est un peu bossue et ressemble à une cigogne, avec son cou démesuré et son nez long et pointu.

Ernest ne réussit pas à sortir sa mère de son mutisme. Comme une statue, les yeux figés, elle semble ne pas respirer, bloquée sur ce gouffre qui vient de s'ouvrir devant elle, la mort de son mari et de son fils aîné. Le soir, Jeanine lui apporte un peu de bouillon : la vieille, réputée pour son solide appétit, ne tourne pas les yeux.

— Voyons, Madame, il vous faut manger un peu !

— Maman, reprend Ernest, je t'en prie, mange.

Alors, elle prend lentement sa cuiller et aspire le liquide chaud, sans un mot, les yeux toujours rivés au mur. Le curé revient vers neuf heures, mais madame Hortense ne participe pas à la prière. Virginie et Jeanine la conduisent dans une chambre et l'aident à s'allonger sur le lit.

Le lendemain, elle sort enfin de son mutisme. Sa large tête aux joues pendantes se tourne lentement vers la chambre où reposent Janvier et Antoine. Puis elle regarde Virginie, qui verse du lait dans les bols des enfants, Ernest, assis en face d'elle. Jacques a le visage bouffi par le manque de sommeil et les larmes, Pascal reste sérieux et muet. Ses yeux restés secs font mal ; on aimerait le voir pleurer, se libérer de cette peine qu'il contient. Hortense fronce les sourcils.

— Ah, c'est vous ! dit-elle, comme si elle venait de reconnaître sa bru.

De la fenêtre ouverte viennent les bruits familiers de la ferme, une lumière crue entre dans cette pièce où règne déjà l'odeur âcre de la mort. Madame Hortense roule autour d'elle ses gros yeux, qui s'arrêtent sur Ernest.

— Ah, c'est toi ! fait-elle d'une voix détachée.

Les chiens de Janvier n'ont pas cessé de hurler à la mort toute la nuit. Pour les faire taire, Baptiste leur a donné à manger, mais ils continuent leur raffut. Jeannot conduit les vaches au pré ; Baptiste apporte deux seaux de pommes de terre cuites aux porcs : la vie continue, rien n'arrête le temps. Virginie a pleuré toute la nuit ; ses yeux rouges, gonflés, lui font mal. Son corps est parcouru de douleurs vives. Les deux balles qui ont tué Antoine ont aussi arraché sa vie. Désormais, elle ne sera plus qu'une ombre, une vieille avant l'heure, desséchée et sans désir, vivant par devoir, pour ses enfants.

Un homme d'une soixantaine d'années entre sans frapper, comme on le fait dans la maison d'un mort. Son chapeau à la main, le visage fermé, il hésite un instant, traverse la pièce, embrasse sans un mot madame Hortense, Virginie, puis serre la main d'Ernest.

— Vous, Pierre Moriseau ? s'étonne madame Hortense.

— Oui, moi. C'est vrai qu'avec le pauvre Janvier on n'a pas toujours été d'accord, mais je tenais à cette visite.

Pierre Moriseau habite la Chamade, le domaine voisin. Virginie l'accompagne au chevet des morts. Il est petit, trapu, ses cheveux blancs tombent en mèches molles sur ses tempes.

Il s'approche du lit, se signe et reste un moment silencieux, la tête basse. Que pense-t-il, là, devant son ennemi ? Que la guerre a du bon ? Non, ce n'est pas une prière qu'il murmure, ce sont des mots de haine envers Janvier et tous les Massenet, de haine et de triomphe ! Dans son désarroi, Virginie croit comprendre cela et se mord la lèvre pour retenir sa colère. Enfin, il fait un dernier signe de croix et sort de la chambre, salue tout le monde et s'en va. Madame Hortense exprime sa satisfaction.

— Je ne m'attendais pas à ça de la part de Moriseau. Je lui enverrai un mot pour le remercier.

Virginie serre les dents.

— Je l'ai vu rire ! Quel culot d'oser venir ici !

Madame Hortense tourne les yeux vers la fenêtre. Dans la cour, Marcel apporte du fourrage aux bœufs qui resteront à l'étable.

— Voilà maintenant que vous vous permettez de parler comme si vous étiez chez vous ?

Virginie se plante devant sa belle-mère et la fixe droit dans les yeux :

— Mais je suis chez moi !

2.

Depuis deux jours, Virginie a l'impression de flotter, chacun de ses mouvements lui fait mal. Elle n'a pratiquement pas dormi. L'odeur de la mort lui retourne l'estomac et attise le feu qui brûle en elle. Antoine est parti pour toujours, elle ne pourra plus se serrer contre lui, dans sa chaleur, et lever la tête dans ce domaine où personne n'a oublié le passé. La voilà seule avec Pascal et Jacques, face aux monstres qui assaillent la Veyrière et voudront se débarrasser d'elle. Jusque-là, Virginie a vécu heureuse, sans besoin, entre ses enfants et son mari. C'était son seul univers, elle n'en souhaitait pas d'autre. Elle s'imaginait vieillissant à la place de madame Hortense et accueillant ses brus. Le beau rêve a tourné au cauchemar.

Dans leur chambre, Pascal et Jacques dorment d'un sommeil agité. Le petit Jacques ne cesse de se tourner, de se découvrir. Pascal est plus calme. Peut-être ne réalise-t-il pas ce qui se passe : le temps est nécessaire pour mesurer le poids de l'absence ! Virginie reste un moment près d'eux, puis revient dans sa chambre où le moindre objet lui rappelle Antoine. Elle s'allonge un instant sur son lit. Les images du passé défilent devant ses yeux rouges, la première rencontre avec Antoine dans un bal, le refus de Janvier de laisser son fils aîné épouser cette petite couturière sans biens. Mais Antoine n'avait pas cédé. C'était Virginie ou personne, et Janvier avait fini par se résigner. Il s'en était suivi un mariage triste, à la sauvette, les riches propriétaires du plus grand domaine de Saint-Nicolas-sur-Brès cachaient leur honte. Jamais Janvier et Hortense n'avaient pardonné à Virginie.

Elle ne s'est pas assoupie ; en sombrant dans ses souvenirs, elle s'est seulement un peu détachée d'une réalité qui s'impose de nouveau, toujours aussi douloureuse. Elle se lève et revient au salon. Hortense est déjà là. Jeanine s'active dans la cuisine. Après l'enterrement, toute la famille se retrouvera ici pour prendre les bonnes décisions...

Le jour se lève, drape le ciel d'une lumière blanche qui découpe les collines. Les oiseaux chantent, une bergère appelle ses moutons, un moteur pétarade. La campagne vit, insensible à la mort d'Antoine et de Janvier, étrangère à cette fièvre qui s'est emparée des hommes. C'est le temps de l'abondance et des provisions ; l'écureuil garnit son garde-manger de noisettes fraîches ; les paysans moissonnent le sarrasin, arrachent les pommes de terre, cueillent les premiers fruits en attendant de ramasser les noix et les châtaignes... Cette invitation au travail se heurte au silence de la grande maison. Le temps passe pourtant, épais comme un magma, malgré la pendule arrêtée.

Deux voitures arrivent presque en même temps. Auguste Massenet sort de la première, énorme, altier dans son costume sombre, puis Fanchette, minuscule, le visage pâle, triste. Auguste balaie d'un regard conquérant la maison, les bâtiments voisins. La guerre ne l'a pas touché, il a même fait de bonnes affaires dans son épicerie de Meyrignac, et, si son frère est tombé sous les balles pour avoir parlé du « brave maréchal », lui s'est bien gardé de prendre position pour les uns ou les autres.

Ernest gare sa voiture à côté de celle de son oncle. Virginie voit dans ces deux véhicules rapprochés en une seule masse noire une menace qu'elle ne saurait exprimer et qui lui fait peur. Ernest aussi a ce regard circulaire qui va de la maison au bâtiment des domestiques, puis se pose sur les écuries, les étables, la petite maison au bout de la cour qu'occupent Marcel et Jeanine. Son veston boutonné sur sa bedaine, il marche d'un pas sûr vers l'escalier. Peut-être est-il satisfait du malheur qui frappe la Veyrière !

Camille marche à côté de lui. Son visage ingrat est parsemé de taches de rousseur, sa bouche démesurée montre des dents mal plantées. Pourtant, Janvier était certain d'avoir bien marié son deuxième fils. La minoterie de Laroche est une des plus florissantes du département. On dit que le père Gabriel a dans son grenier plusieurs sacs d'or. « La beauté ne se mange pas en salade ! » disait souvent le patron de la Veyrière.

Jeanine leur propose une tasse de café, qu'ils acceptent. Madame Hortense regarde sévèrement sa servante : c'est là une dépense inutile et le café reste rare. Le curé Vayre entre à son tour et Jeanine, qui a compris le reproche de sa patronne, ne l'invite pas à s'asseoir. Le prêtre salue tout le monde et passe se recueillir un instant dans la chambre mortuaire. Virginie réveille les enfants, enfin vaincus par la fatigue de deux nuits blanches. Jacques marmonne puis son visage prend une expression horrifiée : c'est ce matin qu'on enterre son père et son grand-père.

Grave, Pascal s'habille avec des gestes lents. Lui sait ce qui l'attend et, à travers la grande détresse qui le rend lourd comme une boule de fer, il montre sa détermination. Il tourne ses yeux gris — ceux du grand-père Janvier — vers sa mère, qui n'est guère plus grande que lui.

— Je vais retourner au lycée à la rentrée ?

— Bien sûr !

Une fois vêtus, les deux garçons passent dans la salle à manger. Jeanine leur verse un bol de lait. Personne n'a prié le curé de s'asseoir et il va et vient de la table à la porte d'entrée. Les Massenet n'ont pas la réputation d'être des pratiquants très assidus. Ils vont à l'église pour les fêtes religieuses, les mariages, les enterrements, mais le reste du temps ils ont trop à faire dans leurs vastes terres à l'écart du bourg pour perdre du temps en messes et sermons.

Le corbillard arrive dans la cour, et Pottin, le menuisier, monte avec son apprenti pour la mise en bière. C'est le moment que redoute Pascal et auquel il pense depuis hier. Jusque-là, il a refusé d'entrer dans la chambre des morts, ce matin, il ne pourra y échapper. Les grandes personnes lui ont menti : il l'a compris aux paroles pleines de sous-entendus de son oncle et aux propos des domestiques. Son père et son grand-père ne sont pas morts dans un accident, on les a tués et c'est ce qui le terrorise.

Jacques boit son lait en silence. Ses boucles blondes tombent sur son front. L'enfant essaie de penser à autre chose, de fuir en inventant une histoire de loup et de chevalier où il terrasserait la bête cruelle, mais son esprit reste sans imagination.

Pottin et son apprenti entrent en se composant un visage de circonstance, grave et affligé. Ils passent dans la chambre sans un mot. Les cercueils ont été posés de chaque côté du lit. Auguste pousse sa chaise et se lève ; c'est tout le portrait de son frère, Janvier, mais en plus large, en plus massif. Sur son visage plat, les traits sont adoucis par une graisse molle. Toute la famille et les domestiques se rassemblent dans la chambre. On a mis une chaise pour madame Hortense, qui ne peut pas rester debout trop longtemps. Comme il n'y a pas assez de place, Jeannot et Alice se tiennent dans la porte. Le curé bénit les corps, recommande à Dieu les âmes des disparus et se tourne vers Pascal et Jacques.

— Bon, les enfants, dit-il, vous allez venir dire au revoir à votre père et à votre grand-père.

Pascal avale sa salive. Ce dernier baiser le révulse ; il imagine un contact horrible, comme si la mort allait l'emporter par surprise au moment où ses lèvres toucheront cette peau froide et dure. Jacques sanglote. Virginie lui dit :

— Fais un baiser à papa et à grand-père qui vont monter au paradis.

Alors, la morve au nez, Jacques embrasse la joue froide de son père, puis, très rapidement, celle de son grand-père et revient vers sa mère en pleurant très fort.

Ernest, qui ne veut laisser à personne la direction de la cérémonie, pousse Pascal vers le lit.

— À toi !

L'adolescent approche ses lèvres de cette joue repoussante, puis, malgré l'envie qu'il a de s'essuyer, fait le tour du lit et embrasse le front de son grand-père. En revenant près de sa mère, le bref regard qu'il lance à son oncle n'échappe à personne.

Josette, la mère de Virginie, arrive. La grand-mère chiffon reste en retrait et personne ne va saluer cette petite femme vêtue de noir qui tient devant elle son gros sac à main. Seule Virginie et les garçons l'embrassent, les autres ne la considèrent pas plus qu'une servante ordinaire.

Dans la cour, des parents éloignés, les gens de la commune attendent au soleil, leur chapeau à la main. Tous, pourtant, serrent les dents, regardent autour d'eux comme s'ils allaient découvrir les coupables de cet acte affreux. Les amis de la préfecture n'ont pas osé venir. Les fusils qui ont tué Janvier et son fils pourraient encore servir. Le beau Charles Suquet qui se pavanait sous le marronnier en faisant sa cour à Virginie n'est pas là non plus : les collines de Saint-Nicolas-sur-Brès sont devenues dangereuses pour les miliciens...

Virginie reste un long moment devant le visage immobile d'Antoine, puis revient à sa place en sanglotant. Le menuisier et son aide placent enfin les deux corps dans les cercueils. Ernest reste grave. Baptiste laisse couler les larmes sur ses joues maigres et craquelées. Madame Hortense baisse la tête. Les pensées courent dans son esprit... Tant de choses que personne ne sait remontent à sa mémoire. Janvier et elle ne formaient pas un couple modèle, mais ils avaient su sauver les apparences et Janvier l'avait toujours soutenue. Après avoir beaucoup pleuré, Hortense avait accepté bien des choses en échange de sa place souveraine à la Veyrière. Mais qu'en sera-t-il désormais ? Ernest va sûrement vouloir reprendre le domaine, il sera le tuteur des garçons, lui qui n'a pas d'enfant, mais Virginie pourra-t-elle rester seule ? Non, Hortense ne le croit pas : Virginie aura tôt fait de trouver quelqu'un. Il suffit de la voir tourner autour des hommes. Cette femme a le vice dans la peau, il n'y avait que ce pauvre Antoine pour ne s'apercevoir de rien...

Auguste n'écoute pas non plus les prières et la bénédiction du curé. Il sait que ce crime restera impuni, mais ce n'est pas son souci. La guerre sera bientôt finie et la victoire ne fait plus aucun doute. Ce qu'il veut, surtout, c'est sauver la Veyrière de la dérive. Sa belle-sœur est bien incapable de commander les domestiques, Virginie n'est qu'une étrangère, une petite couturière de Brive. Pascal aura peut-être la poigne suffisante pour prendre la relève, mais c'est encore un enfant.

Quand le menuisier et son apprenti posent le couvercle sur le cercueil d'Antoine, Hortense est prise de tremblements et Baptiste vient lui prendre la main. Camille pleure en montrant ses larges dents mal plantées, Virginie s'effondre. Paul se précipite pour la soutenir. « Tiens ! » se dit Ernest en voyant sa belle-sœur dans les bras du domestique.

Les deux cercueils sont chargés sur le corbillard qui se dirige lentement vers l'église. Madame Hortense, qui marche difficilement, est montée dans le véhicule à côté du menuisier. Un cortège silencieux se forme. La chaleur est accablante. Dans le silence de la procession, le bruit des pas sur le gravier monte comme une protestation. Les Massenet ne sont pas aimés, ils sont trop riches ; Janvier parlait avec hauteur, mais ce n'était pas une raison pour le fusiller au coin d'un bois avec son fils. Vivement que les gendarmes remettent de l'ordre et renvoient chez eux ces étrangers aux têtes bizarres !

Jacques renifle et traîne les pieds, Pascal soutient sa mère. Ce premier contact avec la mort le met en face de sa propre survie et il serre les dents. Tout le monde admire son courage et sa détermination. Virginie n'entend rien, ne voit rien. La douleur remplit son corps, triture ses viscères. Le sol se dérobe sous ses pieds, l'air manque à ses poumons. Dans sa tête, une encre épaisse englue ses pensées. Elle avance au fond d'une nuit de cauchemars. Quand les fossoyeurs poussent le cercueil de son mari dans le caveau, elle perd l'équilibre, Ernest la retient.

Enfin, l'oncle Auguste, à la tête de la famille, s'éloigne du caveau devant lequel la foule défile. La grand-mère chiffon embrasse furtivement Virginie et ses deux petits-enfants, puis s'en va vers l'arrêt du car. C'est fini, la page est tournée, il faut maintenant réapprendre à vivre avec le souvenir des disparus. À la Veyrière, les chiens de Janvier hurlent toujours dans leur enclos, les cochons qui n'ont pas mangé grognent. Auguste rentre à la maison tandis qu'Ernest aide sa mère à monter l'escalier de pierre. Quand ils arrivent à l'ombre du vestibule, elle dit :

— Comme tu me sembles fatigué ! L'air des bas-fonds ne te vaut rien, La farine, ça n'a jamais été bon pour la santé.

— T'en fais pas, je crois que je vais souvent revenir ici.

— Ça nous rendra bien service. On va avoir besoin de toi avec ces deux petits orphelins et personne pour leur montrer le droit chemin.

Virginie, qui ne lâche toujours pas la main des deux garçons, a entendu. Elle passe devant sa belle-mère la tête haute. La vieille souffle à son fils :

— C'est pas leur mère qui pourra en faire des gens de notre monde.

Le repas est prêt ; Jeanine active le feu sous le bouillon et le ragoût. Les assiettes sont déjà disposées sur la longue table de la salle à manger. Auguste s'assoit à un bout, à la place de Janvier, Ernest à l'autre. Les deux hommes se regardent un instant, puis Auguste, d'un geste de la main, invite tout le monde à prendre place. Cette manière de se comporter comme s'il était chez lui ne plaît pas à madame Hortense, qui ne fait pourtant aucune remarque. Virginie se place entre ses deux enfants.

— Maintenant, il faut que chacun fasse son devoir. Je ferai le mien ! dit Ernest.

Il regarde tour à tour Camille, qui n'a pas été capable de lui donner un enfant — on murmure d'ailleurs qu'il ne fait rien pour ça —, et Virginie, son visage fin et régulier, ses beaux cheveux qu'elle a attachés sur sa nuque, ses grands yeux noirs, ses mains délicates.

— Il va falloir régler les affaires..., continue Auguste. Vous savez que mon commerce me prend beaucoup de temps.

Hortense saute sur l'occasion pour enfoncer le clou :

— Ernest est déjà au courant de la manière dont Janvier et Antoine menaient le domaine. Ils en parlaient assez souvent. Il me donnera un coup de main. Ne vous tracassez pas, Auguste, tout ira bien.

— Et puis ces deux pauvres enfants doivent avoir un tuteur.

Virginie sursaute. Sous la table elle prend de nouveau les mains de Pascal et de Jacques, les serre à les broyer. Auguste et Ernest se mesurent du regard, puis Ernest se tourne vers Virginie.

— Camille et moi n'avons pas d'enfant. Je veux bien les adopter comme mes propres fils.

— Ce ne sont pas vos fils ! s'écrie tout à coup Virginie. Ce sont les fils d'Antoine et les miens.

Madame Hortense a un geste d'impatience. Ernest lui impose le silence.

— Je comprends votre douleur et le sentiment d'injustice que vous éprouvez, belle-sœur, dit-il, mais ces deux enfants doivent être élevés comme des Massenet.

— Et ne l'ont-ils pas été jusque-là ?

— De toute façon, reprend Ernest d'une voix qui se veut douce, l'usage et la loi prévoient qu'ils aient un tuteur choisi parmi les plus proches parents.

— Ernest, veux-tu cesser de tourner autour du pot, s'écrie tout à coup Hortense, agacée. Tu dois être le tuteur de ces enfants, point final !

Virginie regarde tour à tour Ernest et sa belle-mère, énorme, son double menton étalé sur le col blanc de son corsage, son nez légèrement aquilin et ses yeux saillants aux lourdes paupières. La jeune femme a l'impression d'être volée, souillée dans sa dignité. Un élan de colère la pousse à s'écrier :

— Si je comprends bien, il ne me reste plus qu'à prendre une chambre dans la dépendance des domestiques.

Fanchette fait la moue en guise de protestation. La vieille Hortense ne mâche pas ses mots :

— Et pourquoi pas ? Avez-vous oublié que vous êtes une ouvrière en couture sans dot qui a su accrocher un fils de famille ?

Alors, Virginie se dresse d'un bond et sort. Jacques se lance à sa poursuite.

— Maman, attends-moi, je viens avec toi.

Pascal, qui n'a pas bronché pendant toute l'altercation, pose ses couverts à côté de son assiette, se lève à son tour, sans un mot, et sort.

— Depuis quand les enfants quittent la table sans permission ? crie madame Hortense.

Mais Pascal ne revient pas à sa place. Il a choisi son camp et ce n'est pas sa grand-mère qui y changera quelque chose.

3.

Le double assassinat de Saint-Nicolas-sur-Brès a soulevé de vives protestations dans la région et dans les milieux de la Résistance. Le capitaine Régis, qui commande tous les groupes de maquis répartis dans la vallée de la Brès, a même publié un communiqué distribué à Saint-Nicolas et dans les communes voisines en précisant que les résistants ne sont pour rien dans cette affaire. « Il faut chercher parmi ces bandes de malfrats qui profitent de l'anarchie pour piller, racketter et assassiner. J'ai demandé à mes hommes de collaborer avec la police afin de démasquer les coupables. »

Désormais, les maquis se sont organisés en une armée qui ne se contente plus d'opérations ponctuelles de sabotage. Ils osent défier ouvertement l'ennemi : le 7 août, une compagnie allemande est anéantie entre Tulle et Cornil. Le 8, un train de munitions est enlevé aux occupants à Brive, mais ceux-ci ne s'avouent pas vaincus et multiplient à leur tour les attaques surprises.

Au matin du 10 août, Marcel et Paul sont en train de lier les bœufs pour aller chercher le sarrasin moissonné la veille : Baptiste a vu les traînées blanches dans le ciel et redoute un orage avant la nuit. Un homme arrive du village en courant, un étranger qui s'est retiré ici depuis le printemps et travaille chez Émile Forest, le forgeron.

— Les maquis de Lorgeat... Ils en ont tué trois !

Essoufflé, ruisselant de sueur, le jeune homme regarde derrière lui, comme s'il redoutait qu'on le poursuive.

— Ils les ont surpris pendant qu'ils dormaient. Quelqu'un leur avait indiqué le camp...

Il part en courant sur la route. Cette nouvelle escarmouche sème l'effroi dans le village. Les gens se terrent chez eux, évitent de parler. La tension est telle d'un côté comme de l'autre qu'un mot de trop peut entraîner la catastrophe. Les visites sont rares et brèves à la Veyrière ; ceux qui ont tué monsieur Janvier et Antoine pourraient encore avoir quelques balles dans leurs fusils !

Mme Hortense passe ses journées dans son grand fauteuil. Paul vient lui rendre compte du travail tous les midis. Le reste du temps, elle rouspète, s'en prend à tout le monde et surtout à Virginie.

— Que lisez-vous encore ? Un de ces romans d'amour qui n'a ni queue ni tête. Vous feriez mieux d'aller donner un coup de main à Jeanine au jardin.

Désormais, le midi et le soir, Virginie doit aider à la vaisselle, et voilà que maintenant sa belle-mère l'envoie au jardin ! Elle se cabre :

— J'ai appris la couture, pas le jardinage.

— Quand on doit gagner son pain, on apprend très vite toutes sortes de travaux.

— Je n'en suis pas là.

La vieille braque sur elle ses gros yeux aux lourdes paupières.

— Puisqu'il faut parler franc, faisons-le. Qu'espérez-vous, ici ?

— Je suis la mère de vos petits-enfants. Je veux m'occuper d'eux jusqu'à ce qu'ils soient grands. Après, on verra.

— Vous occuper d'eux ? Et c'est ce que vous faites en lisant ! Vos enfants sont des Massenet. Ernest remplacera leur pauvre père.

— Ils ont aussi besoin de leur mère.

— Pour en faire des chiffes molles ? Les Massenet ne sont pas des demi-portions.

Excédée, Virginie bat en retraite et rejoint Jeanine au potager. La servante voit les larmes couler sur son visage.

— Mme Hortense a toujours eu besoin d'un souffre-douleur.

— Elle ne rate pas une occasion de m'humilier ! dit Virginie. Quand la guerre sera complètement finie, je prendrai mes enfants et je partirai.

— Surtout ne faites pas ça !

Jeanine donne un coup de binette entre deux laitues que le soleil fane. La chaleur est lourde, orageuse.

— Vous savez, je les connais bien, continue-t-elle sans s'arrêter de travailler. Monsieur Ernest n'a jamais accepté de quitter la Veyrière et surtout d'épouser Camille. La minoterie de Laroche est une bonne affaire, mais le père Gabriel est tellement difficile à vivre !

Virginie s'est assise au pied d'un poirier où pendent des fruits jaunes qu'il faudra bientôt cueillir. Jeanine s'essuie le front et vient s'asseoir à côté d'elle.

— La vie est longue, et vous êtes encore jeune. Il peut s'en passer des choses !

— J'ai peur, voilà la vérité !

Elles restent un moment silencieuses. Dans l'air chaud, les bruits s'amplifient. Quatre heures sonnent au clocher de Saint-Nicolas.

Jeanine se remet au travail. Virginie s'éloigne le long du chemin creux qui passe sous l'ombre d'énormes noyers. Une source coule entre des herbes grasses ; un filet d'eau claire s'échappe dans le fossé... Virginie ne s'est jamais sentie chez elle à la Veyrière. La fille de la ville éprouve l'angoisse des collines trop grandes, des forêts trop silencieuses et de ce soleil trop chaud. La haute stature d'Antoine, sa protection de chaque instant rendaient moins dur son exil, mais, ce soir, elle rêve de trottoirs lisses et gris, du petit appartement de sa mère, du bruit strident des trains sur la voie ferrée proche...

Elle soupçonne Pierre Moriseau d'être à l'origine de la tuerie. Le propriétaire de la Chamade et monsieur Janvier se haïssaient. Les deux hommes se disputaient depuis plus de vingt ans la propriété d'une petite rivière, limite entre la Veyrière et la Chamade. Avant la guerre, Janvier faisait venir son géomètre qui, après une journée de mesures, plantait une borne de l'autre côté de la rivière. Il s'ensuivait un procès, de nouvelles mesures d'un autre géomètre...

Au village, ces escarmouches faisaient rire. Tout le monde savait bien que la véritable raison de la querelle, c'était la mairie que Janvier n'avait jamais pu ravir à Moriseau.

Et puis il y eut l'histoire avec Antoine en 1928. Moriseau vint trouver Janvier dans le champ des Places. Il commença par dire que ces disputes incessantes étaient la pire manière de « voisiner ». Janvier ne répondit rien et Moriseau ajouta : « J'ai ma Jeannette, tu as ton Antoine, si on les mariait, nos deux domaines n'en feraient plus qu'un ! » Janvier se dressa sur ses jambes courtes et, les yeux dans ceux de Moriseau, répondit : « Jamais, tu entends, jamais le sang des Massenet qui sont ici depuis trois siècles ne se mélangera à celui des Moriseau qui étaient des chiffonniers avant d'acheter la Chamade. » Moriseau repartit chez lui, gonflé de colère comme un pétard.

Plus tard, quand Antoine ramena Virginie, Janvier regretta amèrement d'avoir refusé ce mariage, mais c'était trop tard et il devait se contenter de cette bru sans dot.

Les jours passent dans une chaleur accablante. Les nouvelles arrivent, apportées par le facteur, des inconnus qui s'arrêtent à Saint-Nicolas-sur-Brès ou tout simplement la rumeur. Le 15 août, Brive est libéré, le 17, c'est au tour de Tulle. Le 19, enfin, Ussel est repris par les F.F.I. Le département est débarrassé des nazis, de nouveaux maîtres remplacent les anciens et demandent des comptes...

Comme Virginie ne supporte plus la présence de sa belle-mère, elle va avec les hommes dans les champs ou fait de longues promenades qui la conduisent presque toujours au même endroit, sur le puy Blanc, à côté de la chapelle. Elle s'agenouille sur les brindilles à la place même où la vie d'Antoine s'est arrêtée et reste ainsi de longs moments repliée sur sa douleur.

Cet après-midi, la chaleur lourde annonce l'orage. Déjà des colonnes de nuages se forment sur les collines. Virginie fuit une fois de plus la Veyrière. Elle regarde de loin Pierre Moriseau qui charge ses gerbes avec son gendre et un domestique. Le chien se met à aboyer, alors la jeune femme s'éloigne très vite. Au sommet du puy Blanc, elle marche entre les fougères quand un bruit métallique la fait sursauter. Un homme qui tient un fusil-mitrailleur se détache du tronc d'arbre derrière lequel il se dissimulait. Virginie s'étonne :

— Charles ! Mais qu'est-ce que vous faites là ?

Le jeune homme s'approche de Virginie. Il est beau, son visage est fin, régulier, ses yeux d'un bleu profond.

— Les chemins sont dangereux pour moi ! dit-il. J'ai quelqu'un à voir, alors je passe par les bois...

Charles Suquet se sait recherché par le comité de Libération qui veut le capturer vivant pour le juger. Jusqu'à une date récente, il achetait des porcs, des volailles, un veau à monsieur Janvier et en profitait pour faire la cour à Virginie.

— Nous avons perdu, j'ai choisi le mauvais camp. J'aurais dû méditer cette parole de la Bible : « Les premiers seront les derniers ! »

— Antoine et son père avaient-ils aussi choisi le mauvais camp ? Charles, dites-moi ce que vous savez.

Il hésite un moment, fait un pas de plus vers Virginie. Le voilà tout près d'elle.

— Je ne peux pas vous le dire.

— Moriseau ?

— Non, il n'y est pour rien. Questionnez Paul, il sait beaucoup de choses...

Le jeune homme laisse tomber son fusil-mitrailleur sur les fougères et veut prendre Virginie dans ses bras.

— Vous savez pourquoi je venais à la Veyrière ? C'était pour vous ! Et pourquoi, à cette heure, je risque ma vie en restant ici ? C'est encore pour vous !

La confusion de Virginie ne lui échappe pas. Il en profite pour la presser contre lui, elle le repousse.

— Charles, vous êtes fou ?

— Non, je vous aime, c'est tout !

— Vous n'y pensez pas ! Dites-moi pourquoi ils les ont tués ? Antoine me cachait quelque chose, j'en suis sûre !

L'homme reprend son fusil-mitrailleur.

— À demain, Virginie. Je vous attendrai ici à la même heure.

— Je ne viendrai pas.

— Je vous attendrai quand même. Et puis, écoutez-moi...

Elle se tourne.

— Méfiez-vous de votre beau-frère, il parle trop !

Elle part en courant. Cette rencontre la trouble beaucoup plus qu'elle ne le montre, le feu qui la ronge en est plus vif. À la Veyrière, elle croise Baptiste et Jacques qui conduisent des génisses au pré. Depuis que le malheur a frappé la famille, le jeune garçon ne joue plus et s'accroche aux pas du vieil homme.

À côté de la grange, Paul décharge une charrette de sarrasin que Marcel et Jeannot rangent en une meule ronde. C'est un homme costaud, aux épaules larges. Son visage carré, ses yeux sous des sourcils un peu épais marquent une détermination qui rassure. Il a trente-cinq ans, comme Virginie, et vit à la Veyrière depuis l'âge de seize ans, raison pour laquelle Janvier le considérait un peu comme son fils.

La charrette enfin vide, Marcel passe devant les bœufs, agacés par les mouches, et repart sans prendre le temps de se désaltérer : l'orage noircit le ciel à l'ouest. Paul va boire une rasade d'eau à la fontaine qui coule au bord de l'étang.

— Vous saviez, Paul ?

Il se dresse, le menton ruisselant d'une eau pleine de lumière qui coule sur sa chemise.

Le regard de Virginie est étrangement fixe.

— Je savais quoi ?

— Que les maquis allaient tuer Antoine et mon beau-père ?

Paul a un regard circulaire plein de crainte.

— Venez ! dit-il.

Elle l'accompagne jusqu'à l'étable. Les vaches sont au pré et des places vides monte une forte odeur de cuir souillé et de purin. Paul ferme la porte. Virginie lui fait face dans la pénombre.

— Non, je ne savais pas, dit-il. Pourquoi ?

Il fait quelques pas dans la travée centrale.

— Vous étiez dans le maquis ! affirme Virginie.

Paul se rapproche, étonné.

— Qui vous a dit ça ?

— Répondez-moi.

— Je leur ai rendu quelques services.

— Pourquoi ils les ont tués ?

Paul marque un silence.

— L'orage ne va pas tarder ! dit-il enfin. Il faut que j'y aille.

Il sort sans rien ajouter.

L'orage éclate en effet et il pleut toute la nuit et une partie de la matinée. Les travaux sont suspendus et les hommes restent à la maison en surveillant le ciel. Baptiste est confiant : le soleil brillera cet après-midi, puisque les poules sont restées au poulailler. Paul en profite pour réparer les échelles du chariot. Virginie donne un coup de main à la cuisine. Mme Hortense ne quitte pas son fauteuil d'où tombent les ordres.

Baptiste avait raison : vers onze heures, la pluie s'arrête, les nuages se déchirent et le soleil a tôt fait de pomper l'humidité. Virginie avait décidé de ne pas aller au puy Blanc, mais ses pas la conduisent malgré elle près de la petite chapelle blanche : Charles Suquet sait pourquoi Antoine et son père ont été tués et Virginie voudrait tant connaître la vérité. Elle trouve le milicien à l'orée du bois.

— Je vous remercie d'être venue. Je vous attends depuis des heures.

— Qu'est-ce que vous savez sur Paul Vacquier ?

— Je sais qu'il est amoureux de vous. Cela se voit à sa manière de vous regarder. Les événements de la Veyrière l'arrangent bien.

— Ah bon, et pourquoi ?

— Parce que vous êtes libre et qu'il se voit déjà le patron !

— Ce que vous dites là est ridicule.

Suquet n'est pas tranquille. Il tient son arme et ne cesse de regarder autour de lui, de scruter les taillis.

— Ils veulent ma peau, et peut-être qu'ils l'auront !

Un bruit de branches cassées le fait se tourner vivement, son fusil-mitrailleur pointé vers le chemin. Rien ne bouge, il revient vers Virginie.

— Je vais devoir partir le plus loin possible. Virginie, je vous demande pardon de parler aussi brutalement, mais le temps presse. Je vous aime.

— Répondez-moi, maintenant. Pourquoi ont-ils tué Antoine ?

Virginie regarde entre les feuilles un champignon blanc, très fragile.

— Nous n'avons pas le temps de parler de ça ! dit Suquet. J'ai vraiment envie de vous ! Si vous êtes venue, c'est que vous êtes d'accord.

— Je suis venue pour connaître la vérité.

— Asseyez-vous à côté de moi.

Ils s'assoient. Suquet pose son fusil.

— Je veux savoir, Charles...

Elle le regarde de ses grands yeux noirs pleins de lumière. Du bout des doigts, il caresse cette joue offerte.

— Je ne sais rien.

Il veut la prendre dans ses bras, Virginie le repousse : il la renverse sur la mousse humide, lui plaque une main sur la bouche pour l'empêcher de crier.

— On a assez palabré, dit-il. Cela fait bien longtemps que j'attendais ce moment !

Ils roulent entre les fougères. Virginie se débat et réussit enfin à se dégager la tête, elle mord l'homme à l'épaule. Un bruit venu du taillis le fait se dresser.

— Vous êtes fou ! crie-t-elle.

Suquet se saisit vivement de son arme. Virginie s'éloigne en courant. En arrivant à la Veyrière, elle voit une Traction noire garée sur la route de Saint-Nicolas-sur-Brès mais n'y prête pas attention. Elle court se cacher dans la petite maison de Jeanine. Celle-ci ne s'étonne pas du comportement de Suquet.

— Moi, je ne lui ai jamais fait confiance. Il n'a pas le regard franc et je le sais capable de tout pour sauver sa peau !

4.

L'enquête piétine. Le capitaine Régis, qui voulait retrouver les meurtriers de monsieur Janvier et d'Antoine pour laver ses troupes de tout soupçon, n'a pu apporter aucun élément nouveau.

— Il faudra beaucoup de chance pour découvrir la vérité ! dit le brigadier de gendarmerie à madame Hortense.

— Et les lettres anonymes, les menaces qui arrivaient ici tous les jours, quelqu'un les a bien écrites !

— Certes, mais ça n'apporte rien à l'enquête !

— Moi je crois surtout qu'on ne cherche pas beaucoup !

Les affaires urgentes doivent quand même se régler. Le 25 août, maître Rurvat, notaire à Brive, vient dresser un inventaire du domaine dont Jacques et Pascal sont les seuls héritiers. L'oncle Auguste et Ernest sont là. Il est confirmé qu'Ernest sera le tuteur des deux orphelins et que Virginie ne pourra rien décider sans son accord.

— Vous voulez donc tout me prendre ? s'insurge-t-elle.

— Il faudrait d'abord que vous ayez quelque chose ! dit sèchement madame Hortense.

Auguste, avec la hauteur que lui donne son âge, se veut conciliant.

— C'est la règle, on ne peut pas faire autrement. Il s'agit seulement de vous aider dans votre tâche qui consiste à élever ces deux enfants. Ernest, qui n'a pas d'enfant, sera un second père pour eux.

Ernest, fort de son autorité nouvelle, considère d'abord que Jacques a les cheveux trop longs.

— Avec ses bouclettes blondes, on dirait une petite fille !

Puis, se tournant vers Pascal, qui reste toujours sérieux, l'oncle ajoute :

— Quelques années chez les jésuites lui feront le plus grand bien.

— Mais pourquoi quitterait-il le lycée où il travaille bien ? demande Virginie.

— Rien de tel que les jésuites pour une bonne formation ! tranche Ernest.

À la fin de la réunion. Auguste repart aussitôt : sa présence est indispensable au magasin, Fanchette ne sait pas commander les employés et, trop bonne, donnerait toute la marchandise pour peu qu'on vienne crier famine.

Ernest n'est pas pressé, lui. Son beau-père règne sur la minoterie et ne lui laisse que de rares initiatives. Il ne supporte plus Camille, sa mère et la vieille tante bigote alors qu'ici il est chez lui et, désormais, le maître. Il reste pour le déjeuner et s'assoit en bout de table, à la place de son père.

L'après-midi, Paul et quelques journaliers partent moissonner l'avoine. Ernest explique à Paul qu'il ne faudra pas trop secouer les gerbes parce que les épis sont déjà très secs. Pascal et Jacques accompagnent Baptiste. Madame Hortense se repose dans sa chambre. À la cuisine, Virginie donne un coup de main à Jeanine pour la vaisselle. C'est là qu'Ernest vient la trouver.

— Belle-sœur, j'aurais besoin de vous parler...

— Eh bien, parlez !

— Non, en privé. C'est à propos de ce qui s'est dit ce matin...

Virginie pose son torchon et range la pile d'assiettes propres dans le placard en merisier.

— Nous pourrions aller sous le tilleul, poursuit Ernest. L'ombre y est meilleure que partout ailleurs.

Sa voix est mielleuse, monocorde. Il ne sait pas aller droit au but et fait toujours de grands détours avant d'aborder le sujet qui le préoccupe.

Une lumière puissante éclate dans la cour ; quelques poules grattent la poussière sous le vieux noyer. Des pigeons roucoulent sur le toit de l'écurie. Dans leur enclos, les chiens se taisent.

— Il faudra se débarrasser de tout ça ! dit Ernest.

Ils arrivent au tilleul, un arbre antique au feuillage épais. Janvier y avait installé un banc en bois et aimait y fumer sa cigarette le soir en écoutant les bruits de la campagne. Ernest fait signe à Virginie de s'asseoir.

— Voilà, dit-il en prenant place à côté d'elle, vous savez que j'aime Jacques et Pascal comme s'ils étaient mes propres enfants. Pascal gardera la Veyrière et le petit Jacques aura la minoterie.

— Bien difficile, ça. Vous n'êtes pas foncier, à Laroche...

Ernest a un geste de ses bras courts, gratte sa moustache du bout de l'index.

— Certes, mais Camille est fille unique. Il n'y a donc pas de neveux de ce côté... Et puis, vous connaissez Camille !

Le silence retombe entre eux. Un oiseau piaille dans le tilleul.

— Je voudrais être plus souvent à la Veyrière. Je m'ennuie à Laroche. Le père Gabriel n'est pas très amusant... Ici, je pourrais vous aider à diriger le domaine.

— Ce n'est pas moi qui dirige, c'est votre mère.

— Justement, elle ne connaît rien à la terre. Vous et moi, on pourrait être très proches. Ma mère ne contestera plus votre place ici. Vous comprenez ce que je veux dire ?

— Non, je ne comprends pas ! réplique Virginie, qui se dresse et s'éloigne d'un pas rapide.

Ernest reste un moment seul, les lèvres serrées. Il prend enfin son chapeau et revient vers la maison. Au milieu de la cour, il s'arrête, regarde autour de lui en inspirant profondément. Cette lumière de la Veyrière lui est indispensable. Même la poussière qu'un tourbillon de vent soulève a une odeur particulière qui le ravit. Alice, la jeune bergère, ferme la porte des moutons et se dirige vers la cuisine des domestiques.

— Bonjour, monsieur Ernest !

— Sacrée belle fille ! murmure Ernest.

Il sourit à ce rêve déraisonnable qui vient de prendre forme dans son esprit, puis entre dans la maison pour dire au revoir à sa mère.

Virginie ne va plus au puy Blanc par peur d'y trouver Suquet. Le cimetière est devenu son autre lieu de pèlerinage. Jusque-là elle s'y rendait une ou deux fois par semaine, désormais, elle y va tous les après-midi. Elle marche vite, la tête baissée en traversant la châtaigneraie qui surplombe la Brès, et ne se sent soulagée qu'au grand portail de fer. Elle se recueille devant la tombe et Antoine lui parle au fond de son âme, une voix lointaine mais sûre qui lui donne la force de supporter les humiliations de sa belle-mère.

Elle ne se sent en confiance qu'avec Jeanine ou Paul. Souvent, le soir, elle rejoint le maître valet à l'écurie. Les trois chevaux qu'Antoine aimait tant sont magnifiques et, quand Paul fait courir la brosse sur leur poil, ils allongent le museau, les yeux mi-clos pour mieux savourer le plaisir de cette caresse. Virginie fait semblant de s'occuper et leur apporte un seau d'avoine, mais ses yeux ne quittent pas la main de Paul qui court sur les flancs de l'animal.

Un soir, elle pose enfin la question qui lui brûle les lèvres depuis plusieurs jours :

— Vous ne m'avez pas répondu quand je vous ai demandé pourquoi Antoine a été tué.

— Parce qu'il n'y avait rien à répondre.

— Vous savez la vérité, mais vous ne voulez pas me la dire.

— Je ne sais rien, mais si je savais je ne vous en dirais pas plus.

Le silence retombe entre eux. Parfois, Pascal les rejoint. L'adolescent s'assoit sur une botte de paille et regarde lui aussi Paul brosser les chevaux. Son silence en impose aux adultes, qui se taisent. La voix flûtée de Jacques qui bavarde avec Baptiste devant l'étable vient jusqu'à eux, alors, Virginie a un très léger sourire et ses yeux retrouvent un peu de leur éclat.

Le bruit sourd de la batteuse n'a pas cessé de la journée. Les dix journaliers que Paul a embauchés travaillent sans relâche dans la poussière et cette chaleur de plomb qui écrase les collines. Ce matin, Virginie a aidé Jeanine à préparer le repas. Sous l'œil glauque de madame Hortense, les deux femmes ont fait la vaisselle puis apportent à boire aux hommes qui vont vider les sacs dans le silo à grains. Debout, Paul et Marcel poussent les gerbes dans la gueule de la machine. Pascal défait les liens et tient sa place sans rechigner. Jacques va des uns aux autres en babillant.

Ernest arrive en milieu d'après-midi. Il sort de sa voiture, cligne des yeux en se tournant vers la batteuse. La poussière épaisse se répand en lourdes volutes. Il plisse les narines.

— Te voilà enfin ! fait madame Hortense. C'est bien le moment, tout est fini.

Ernest embrasse sa mère et explique qu'il n'a pas pu se libérer plus tôt.

— Et puis tout s'est bien passé ! constate-t-il. Regarde, Paul a su se débrouiller...

— Paul paie trop cher les journaliers ! À force de commander, il va se prendre pour le patron !

Ernest passe à la cuisine boire un grand verre d'eau fraîche. Il salue Jeanine, qui prépare le repas du soir.

— Virginie n'est pas là ?

— Elle est partie porter à boire aux hommes. Elle va revenir dans cinq minutes.

De son fauteuil, madame Hortense ajoute d'une voix pleine de reproches :

— Celle-là, quand elle voit un pantalon...

Ernest sort et croise Virginie dans la cour. Il l'embrasse sur les deux joues puis demande :

— Ça va, Paul ? Le rendement est aussi bon que les autres années ?

Paul s'essuie le front avec la manche de sa chemise. Le bruit de la batteuse est infernal.

— Ça sera même meilleur. Le grain est plus gros.

— Parfait ! dit Ernest, qui s'éloigne, incommodé par la poussière.

Virginie est de nouveau sortie de la maison et traverse la cour en direction du potager, son panier au bras. De son chapeau de paille s'échappent de lourdes boucles noires qui roulent sur sa nuque. Sa robe légère moule son corps bien fait, sa poitrine haute, son ventre plat. Ernest attend qu'elle ait poussé le portail du jardin pour la rejoindre. Il regarde un moment les mains agiles qui trient les feuilles de salade. Virginie dit :

— Pascal me cause du souci. Depuis le malheur, ce garçon se renferme sur lui-même. Il ne dit pas dix mots par jour.

— Les jésuites arrangeront tout ça !

— Je ne veux pas qu'il quitte le lycée.

— Il le faudra, pourtant, dès la rentrée.

Il s'assoit en face d'elle et la regarde toujours avec cette insistance qui la gêne.

— Ma mère n'est vraiment pas gentille avec vous !

Virginie soupire et ne répond pas.

— Vous devez vous sentir bien seule. Moi aussi je suis seul. Acceptez ma présence, je n'ai qu'une envie, vous être agréable.

Virginie lève ses yeux noirs sur Ernest. Elle sait ce qu'il va encore dire et qui lui fait horreur.

— Vous avez tout à y gagner, Virginie. La mort du pauvre Antoine a tout changé dans cette maison. Acceptez ma proposition et vous n'aurez aucun souci à vous faire, sinon...

— Sinon quoi ?

— Votre avenir à la Veyrière est des plus incertains.

Elle se dresse, son panier à la main.

— Je ne vous comprends pas.

Il se plante devant elle, les poings sur les hanches.

— Puisqu'il faut vous parler cru, je vais le faire. Je n'ai nullement l'intention de laisser l'avenir de la Veyrière dépendre des fesses d'une femme !

— Je ne comprends toujours pas.

— Eh bien, moi, je me comprends ! Je ne veux pas qu'un étranger vienne commander ici.

Virginie plante ses yeux dans ceux d'Ernest :

— Quoi qu'il en soit, beau-frère, vous n'aurez jamais rien de moi.

— Vous ne pourrez pas dire que je ne vous ai pas avertie ! lance Ernest d'un ton menaçant.

5.

Le comité de Libération à la tête du département place dans chaque commune un comité de Libération local. Ainsi, Pierre Moriseau a la surprise de voir arriver à la mairie de Saint-Nicolas-sur-Brès un certain Tourret, à l'accent pointu des Parisiens. L'homme, accompagné des maquis du moulin de la Brès, déclare qu'il est là pour administrer le village en attendant que l'ordre soit rétabli. Les Allemands ont quitté le terrain, mais le calme n'est pas revenu : l'heure est à de nouveaux affrontements entre Français qui, au nom de l'épuration ou par idéal politique, n'ont pas envie de déposer les armes.

— Je n'ai pas besoin de vous, s'est écrié Moriseau. Je suis le maire de cette commune depuis vingt ans et vous n'allez pas venir m'expliquer mon travail.

Tourret n'a que faire de ses protestations. Il s'installe dans le bureau du maire où l'accompagne celui qui se fait appeler « La Puce » et qui commande les maquis du moulin de la Brès.

À partir de ce jour, Tourret règne sur la mairie et n'oublie pas qu'il doit trier l'ivraie du bon grain. Retrouver les auteurs du double assassinat de la Veyrière n'est pas sa première préoccupation.

— Écoutez, dit-il au capitaine Régis, on ne va pas remuer ciel et terre pour cette histoire. Les Massenet avaient des amis dans la Milice et la Gestapo ! Entre nous, ils n'ont eu que ce qu'ils méritaient.

— Ce que je ne veux pas, a répliqué Régis, c'est que la Résistance soit salie par des crimes de droit commun !

— Certes, mais il est temps de demander des comptes aux salauds, c'est la meilleure manière d'éviter de nouveaux crimes !

Tourret s'est fixé un premier objectif : attraper vivant Charles Suquet et lui faire cracher les noms de tous ses amis. Jusque-là, le jeune milicien a toujours réussi à échapper aux pièges que les hommes de La Puce lui ont tendus. Tout le monde est persuadé que ce beau parleur bénéficie de complices dans le pays.

Ernest vient tous les jours à la Veyrière et s'y comporte en maître ; il indique à Paul la terre à réserver au blé et celle qui devra produire du fourrage. Paul, qui n'est pas d'accord, conteste, l'autre le remet en place vivement :

— Depuis quand c'est toi qui décides ce qui est le mieux pour le domaine ? Depuis que tu fais les yeux doux à ma belle-sœur ?

Virginie évite de se trouver seule avec son beau-frère, qui multiplie les paroles et les gestes équivoques.

— On pourrait être comme mari et femme, tous les deux, et personne n'en saurait rien !

À la seule pensée qu'Ernest pourrait poser ses mains sur elle, ses lèvres sur sa peau, la chair de poule hérisse les avant-bras de Virginie. Alors, il brandit la menace :

— Vous savez, je peux beaucoup pour vous en ces temps troublés. Souvenez-vous de ça.

— Je ne vous demande rien. Et comme je n'ai aucun reproche à me faire, je ne vois pas ce que vous pouvez pour moi.

— Les gens parlent. Ils disent même que vous continuez de voir Suquet. C'est dangereux !

Onze heures sonnent au clocher. Le vent a viré au nord et pousse des nuages bas. Virginie, après un dernier regard à la rose posée sur la pierre tombale, se signe et s'en va.

Il fait frais. Le ciel pèse sur les arbres. Virginie dépasse les dernières maisons et prend le chemin qui conduit à la Veyrière entre les noyers et les châtaigniers. Un bruit de moteur qui se rapproche l'inquiète, elle accélère le pas. Une voiture arrive à sa hauteur, s'arrête. Tout de suite, elle reconnaît l'homme qui conduit, son visage mince, son museau de renard.

— On revient d'où ? demande-t-il avec un sourire mauvais. D'un rendez-vous avec Suquet ?

Virginie hausse les épaules.

— Je reviens du cimetière.

— Ah, c'est là que vous vous rencontrez, maintenant, ce n'est plus à l'ombre de la chapelle du puy Blanc !

— Laissez-moi tranquille ! dit Virginie en continuant son chemin, la tête baissée.

La voiture la rattrape.

— Pas si vite, la belle ! fait La Puce d'une voix sifflante. On a quelques questions à te poser.

— Je ne sais rien.

— On n'en est pas sûrs !

— Je ne suis coupable de rien. Je ne me suis jamais occupée de la guerre.

— Et Suquet, tu ne l'as pas vu au puy Blanc quand on était près de le coincer ? C'est pas toi qui l'as aidé à se sauver ?

— Non, ce n'est pas moi. J'ai vu Charles Suquet tout à fait par hasard.

— Eh bien, tu nous expliqueras tout ça.

Un deuxième homme sort de la voiture. Virginie veut s'échapper, il la rejoint, la prend fermement par le bras.

— Lâchez-moi ou je crie.

— Tu peux crier, ma belle ! Maintenant, tes amis ne sont plus là pour te défendre.

Il l'entraîne vers la voiture, la pousse sans ménagement sur la banquette arrière. Les portières claquent. Virginie s'insurge :

— C'est comme ça que vous avez fait avec mon mari et mon beau-père ? Comme ça que vous les avez assassinés ?

— Tais-toi !

— Vous pouvez me tuer si vous voulez ! La mort ne me fait plus peur, mais je suis innocente de ce dont vous m'accusez !

— Te tuer ? dit La Puce en souriant. Nous, on ne tue pas les belles femmes. On a beaucoup mieux que ça...

La voiture fait demi-tour, traverse très vite Saint-Nicolas, puis s'enfonce dans la vallée de la Brès. Au bout d'un chemin cahoteux, le véhicule s'arrête dans la cour d'un moulin désaffecté. Une cascade s'échappe d'un étang envasé et tombe sur la roue désormais immobile. Le bois pourri émet un bruit sourd, entêtant. C'est là que les maquis ont installé leur quartier général. La Puce salue ses camarades, puis ouvre la portière arrière.

— Descends.

— Je veux rentrer chez moi. Vous n'avez pas le droit de me retenir sans raison.

— Ici, tu n'as qu'un droit, celui de te taire.

La Puce braque sur elle son pistolet.

— Qu'est-ce que vous attendez pour tirer ? hurle-t-elle.

Des jeunes gens sont assis dans l'herbe sous un chêne et suivent la scène en faisant des remarques obscènes. Leur fusil-mitrailleur posé à côté d'eux, ils fument, mais l'inquiétude se marque dans leurs regards et ils sursautent au moindre bruit inhabituel, même s'ils savent que les Allemands ne reviendront pas.

— Suis-moi.

La Puce conduit Virginie à l'intérieur du moulin. Le grondement sourd de l'eau fait vibrer les cloisons et le plancher. Des hommes jouent aux cartes et boivent du vin autour d'une table sur laquelle se trouve un fusil-mitrailleur. L'un d'eux pousse un sifflement :

— Pas mal, ce que tu nous amènes là. Je suis volontaire pour la conduire au bain, demain matin.

— Personne n'y touche ! clame La Puce.

Il pousse Virginie dans un couloir sombre, ouvre une porte qui donne sur une pièce aux volets clos. La porte claque, la clef tourne dans la serrure. Alors, Virginie pense à ses enfants.

Ses yeux s'habituent lentement à l'obscurité. Des volets fermés vient un peu de lumière qui révèle des formes, une armoire, un lit, et une femme assise qui se tient la tête dans les mains. Ses grands cheveux noirs défaits tombent sur ses épaules et devant sa figure. Virginie s'approche lentement ; la femme lève sur elle ses yeux clairs pleins de cette lumière diffuse.

— Vous aussi ?

— Moi ? Mais quoi ? demande Virginie. Je veux m'en aller.

L'autre secoue la tête.

— Ils ne vous libéreront pas. Ils ne libèrent personne. Ils tuent. Ceux qui étaient hier honnêtes et doux sont devenus des tortionnaires. Vous ne savez rien de la guerre. La folie s'est d'abord emparée des Allemands qui ont tué, torturé, brûlé. Maintenant elle tient les héros d'hier...

La jeune femme propose à Virginie de s'asseoir près d'elle. Celle-ci obéit comme un automate. Dans sa tête s'échafaudent des plans d'évasion, puis elle pense à Paul, qui ne la laissera sûrement pas là. Elle reprend espoir.

— Je m'appelle Isabelle Leroy, dit sa voisine, qui éprouve le besoin de se confier. Je suis institutrice à Gaumont. Je ne m'occupais pas de la guerre. J'étais bien tranquille dans ma classe. Mon mari est prisonnier. Et puis...

Elle se tait un instant. Les voix des hommes qui jouent aux cartes arrivent jusqu'à cette minuscule pièce. Une odeur de linge sale englue la gorge. Le roulement assourdissant du ruisseau pèse sur chaque pensée qu'il paralyse.

— Et puis, continue la jeune femme, il est venu... C'était un milicien, je le savais, un traître sûrement, responsable de l'arrestation d'une famille juive, mais, comment vous dire, c'était plus fort que moi. Quand ces choses-là vous arrivent, il n'y a pas de morale qui compte, il n'y a rien. Voilà, c'est tout simple. Nous avons vécu trois mois de paradis. Je lui ai dit ce que je savais des résistants de Gaumont. Maintenant, ils peuvent me tuer, ça n'a pas d'importance. Certains moments valent une éternité de vie.

Virginie se met à sangloter. L'autre veut la rassurer.

— Si vous n'êtes pas coupable...

Elle ne finit pas sa phrase, consciente que l'innocence de sa compagne ne changera rien à ce qui l'attend.

En ce début septembre 1944, la rumeur va aussi vite qu'un feu de brindilles. Le moindre événement fait spontanément le tour des villages, mais personne ne le commente : une parole en l'air peut conduire plus loin qu'on ne le voudrait...

Paul revient de moissonner du sarrasin quand le fils Bichet, du bistrot de Saint-Nicolas, arrive tout essoufflé sur son vélo qui grince à chaque tour de pédale.

— Ils ont emmené la dame de la Veyrière ! dit-il d'une voix rapide.

Paul crie aux bœufs de s'arrêter et regarde le garçon, incrédule.

— Qu'est-ce que tu racontes ?

— Je dis que ceux du moulin de la Brès ont emmené madame Virginie, de la Veyrière.

— Nom de Dieu ! fait Paul.

Il pique l'attelage. Le gamin repart sur son vélo. À la Veyrière, madame Hortense, qui a fait pousser son fauteuil près de la fenêtre, voit le maître valet laisser à Baptiste le soin des bêtes et courir vers le garage.

— Eh bien, Paul, qu'est-ce qui se passe ? demande-t-elle de sa voix grave, une voix d'homme.

— Ils ont pris Virginie. Je vais la chercher !

— Mais qui ?

— Ceux du moulin de la Brès. Ne vous en faites pas...

— Je ne m'en fais pas.

La moto de Paul est garée à côté de la voiture d'Antoine, que personne n'utilise plus. Il l'enfourche et s'éloigne dans un nuage de poussière. Hortense lève les bras, fataliste :

— Il ne manquait plus que ça !

Le vent a tourné à l'ouest et apporte la pluie. La moto cahote sur les cailloux du chemin creux qui conduit au vieux moulin. Quand Paul arrive, rien n'a changé : des hommes sont toujours assis sur l'herbe au pied du chêne, les fusils posés à côté d'eux. La Puce, alerté par le bruit du moteur, sort de la vieille bâtisse.

— Je t'attendais, dit-il à Paul de sa voix aigre.

— Il faut libérer Virginie. Elle n'a rien fait.

— On connaît le patriotisme des gens de la Veyrière ! dit La Puce en portant une main à son revolver.

Les autres se sont levés et entourent leur chef. L'un d'eux joue avec son pistolet. La Puce dit calmement :

— Écoute, tu ferais mieux de ne pas te mêler de ça. Parce que rien ne prouve que tu n'as pas fait comme tes patrons...

L'homme qui joue avec son pistolet tire en l'air.

— Excusez ! dit-il en riant. Mon doigt a appuyé tout seul.

La Puce a un rire mauvais et se tourne vers les autres.

— Vous vous rendez compte comme il l'aime, sa patronne ! Un vrai roman d'amour ! Moi, ça me met les larmes aux yeux, pas vous ?

Paul serre les poings, mais il ne peut rien. Le pistolet reste braqué sur lui. La Puce menace :

— Fais bien attention à toi !

Paul est déjà sur sa moto qui pétarade dans la côte. À Saint-Nicolas, il va directement à la mairie. Tourret, qui se dit investi par le seul pouvoir légitime, celui des libérateurs de la France, ne cesse de défier Moriseau. Les deux hommes se haïssent, mais se redoutent, alors, ils sont bien obligés de se supporter.

Paul entre en coup de vent dans le bureau de Tourret, qui se dresse, prêt à protester.

— Je vous cherchais ! dit Paul. Ils ont arrêté la bru de la Veyrière.

— Qu'est-ce que vous voulez que j'y fasse ? Si les gars l'ont fait, c'est qu'ils ont leurs raisons.

— Mais nom de Dieu, s'écrie Paul, vous savez bien qu'elle n'a rien fait !

— Écoutez, le climat est plutôt malsain en ce moment. On a la gâchette facile parce que les criminels savent qu'ils ne risquent rien. Moi, je suis là pour arrêter l'anarchie. Les tribunaux du peuple sont en train de se constituer un peu partout. On progresse !

— Mais Virginie n'a rien à voir avec tout ça.

— Je vous promets que tout se fera dans les règles ! La loi aura toujours le dessus.

Tourret se lève et s'approche de Paul, qui le domine d'une bonne tête.

— Je crois que vous feriez mieux de ne pas vous mêler de ça.

Paul n'insiste pas. Il sait qu'il ne tirera rien de cet homme partisan, entièrement dévoué à son parti politique. Que faire pour secourir Virginie ? Il ne peut pourtant pas la laisser à la merci de ces soudards grossiers ! À l'idée que l'un d'eux pourrait porter la main sur elle, tout son être se révolte... Près de l'église, des enfants, insensibles à l'air pourri de cette fin d'été, jouent à se poursuivre.

Paul réfléchit un instant. Sans soutien il ne pourra pas libérer Virginie, et, même s'il réussissait, les hommes de La Puce auraient tôt fait de la reprendre et ce serait en faire une coupable. Il monte sur sa moto et s'éloigne du village. La pluie commence à tomber.

La minoterie de Laroche est noyée dans une épaisse brume qui englue toute la vallée. Paul est accueilli par les aboiements d'un chien noir qui se met à tourner autour de lui. Un employé décharge des sacs de grain d'un camion. Ernest sort d'un bâtiment tout en longueur. Une poussière de farine blanchit son large visage et ses lunettes rondes.

— Tiens, Paul ! Qu'est-ce que tu fais là ? Quelque chose ne va pas à la Veyrière ?

Du pied, Paul repousse le chien, qui lui montre les crocs.

— Ils ont arrêté Virginie, dit-il.

Ernest cligne de ses gros yeux rouges derrière ses carreaux épais mais ne semble pas surpris. Les doigts potelés de sa main droite pianotent sur le dos de sa main gauche. Il finit par demander :

— Elle est où ?

— Au moulin de la Brès.

— Tu as bien fait de m'avertir. J'y vais. Toi, rentre à la Veyrière.

Ernest passe se changer, explique à son beau-père qu'il est obligé de partir et monte dans sa voiture. Quand il arrive au vieux moulin de la Brès, au fond de sa vallée très encaissée, la nuit tombe, épaisse et fraîche. La Puce, qui accourt dès qu'il entend un bruit de moteur, accueille froidement Ernest.

— Je viens d'apprendre que vous avez arrêté ma belle-sœur.

— Oui. Elle a vu Suquet plusieurs fois. Et si on veut mettre la main sur ce salaud...

— Je sais ! dit-il. Les femmes sont si faibles...

Ernest entraîne La Puce à l'écart.

— Écoute, on peut peut-être s'arranger...

La Puce plisse ses petits yeux bridés. Il a compris, mais demande des précisions.

— S'arranger ? Comment veux-tu qu'on s'arrange ?

— Nous verrons ça tout à l'heure, continue Ernest. Il faut que je la voie.

— Tu lui veux quoi ?

— Ça me regarde.

La Puce se gratte les cheveux sous son large chapeau, puis décide :

— D'accord, mais pas plus de dix minutes et tu montres d'abord que tu n'as pas d'arme.

Ernest lève les bras et se laisse fouiller.

— C'est bon, je te fais confiance, dit La Puce, qui crie : La Flûte.

Un homme très brun le rejoint.

— Tu vas aller chercher la belle qu'on a amenée cet après-midi et tu vas la conduire dans le vieux four où tu la laisseras pendant dix minutes avec son beau-frère.

Ernest se dirige vers le four en retrait du moulin, y pénètre par une porte basse. L'intérieur est envahi de vieux cartons, de bois, de fruits desséchés. Quelques instants plus tard, La Flûte, du canon de son arme, pousse Virginie sans ménagement.

— Dépêche-toi ! dit l'homme, dix minutes, ça passe vite.

Virginie entre dans le minuscule bâtiment, La Flûte ferme la porte, qui grince. Un peu de lumière passe par une petite ouverture sur le côté.

— Emmenez-moi ! dit Virginie. Je n'en peux plus.

Ernest veut l'attirer contre lui, mais elle se raidit et recule.

— Je vous avais prévenue, belle-sœur, mais je veux vous donner une deuxième chance. Le chef est véreux, ça se voit à son regard fuyant. Il vous laissera partir pour de l'argent.

— De l'argent ? Mais je n'ai rien fait ! On ne peut pas garder quelqu'un qui n'a rien fait !

— On peut tout ce qu'on veut quand on est le plus fort et sans scrupules. Voici le marché que je vous propose. Avec Camille ça ne marche pas, vous le savez. Entre vous et moi, ça marchera très bien, j'en suis certain, et vous serez la patronne de la Veyrière.

Virginie reste un moment silencieuse. Ce qu'elle vient d'entendre est odieux. Ernest, son beau-frère, lui propose de l'acheter ! Une lueur rouge s'allume devant ses yeux.

— Si j'ai bien compris, c'est vous qui avez manigancé tout ça !

— Acceptez. Je divorcerai d'avec Camille et je vous épouserai...

— Jamais ! crie-t-elle. Jamais je ne ferai ça ! Vous me dégoûtez !

— Alors, je dois croire que vous êtes amoureuse de ce salaud de Suquet !

La porte s'ouvre brusquement. La Flûte demande :

— Voilà que vous vous battez ?

Virginie sort précipitamment. Au milieu de la cour, elle crie à La Puce :

— C'est ça, votre justice ?

Elle crache en direction d'Ernest, qui ne bronche pas. Quand Virginie est entrée dans le moulin, il se dirige vers La Puce et dit :

— Tu as raison, elle a tout fait pour sauver Suquet, qui est son amant depuis plusieurs mois !

6.

Virginie reste prostrée, recroquevillée au bord du lit. Les mots de réconfort de sa compagne d'infortune n'y peuvent rien changer. À la mort d'Antoine, elle croyait avoir atteint le fond du désespoir, mais une lumière lointaine brillait encore dans son esprit ; ce soir, la lumière s'est éteinte ; le pire des cauchemars devient réalité. Ah, mourir le plus vite possible et ne plus entendre ces rires à travers la cloison, ces hommes qui parlent, le bruit métallique des armes dont ils font jouer le mécanisme.

Isabelle Leroy est enfermée ici depuis huit jours ; elle attend qu'on la juge mais ne se fait aucune illusion. Elle cache à Virginie les sévices que ces hommes lui font subir chaque jour, interrogatoires assortis d'humiliations de toutes sortes, les coups, les simulacres de mise à mort.

— L'homme est sans limites dans la générosité comme dans la cruauté.

Virginie renifle, essuie son visage boursouflé.

— Demain, ils te lâcheront, c'est sûr, puisque tu n'as rien à te reprocher.

Il fait frais, le bruit infernal de la cascade remplit la tête d'une douleur épaisse et lourde. Les maquis se préparent à manger, une odeur de viande grillée embaume l'air.

Des pas raclent le plancher, et la porte s'ouvre brutalement, poussée d'un coup de pied.

— Voilà pour les reines. C'est le palace, ici ! dit le soldat en posant une soupière fumante sur une petite table.

Il sort, referme la porte à clef.

— Bouillon avec trois carottes ; c'est ainsi tous les soirs, on ne risque pas l'indigestion ! fait Isabelle.

— Je n'ai pas faim ! dit Virginie. Je veux rentrer chez moi.

Dehors, des éclats de voix transpercent la nuit. De fréquentes bagarres éclatent entre ces jeunes gens désœuvrés que la possession d'armes rend audacieux. Virginie croit reconnaître la voix de Paul, mais non, ce n'est pas lui. À cette heure, Paul est en train de vérifier l'attache des vaches, de brosser les chevaux et de réfléchir au travail du lendemain. Jacques et Pascal sont avec Baptiste aux étables...

Virginie a mal partout, une douleur de plomb qui lui enlève toute force, toute détermination. Elle joint les mains et pense à Dieu : quelle est la faute de ces deux enfants à qui l'on a pris d'abord le père et, maintenant, la mère ?

De nouveau, des pas dans le couloir, lourds, traînants, les pas d'un homme qui a trop bu.

— Ces messieurs ont besoin de distraction, dit Isabelle, résignée.

La porte s'ouvre et La Puce entre dans la pièce. Ses yeux brillent ; il titube, visiblement ivre. Il jauge du regard Virginie, comme un marchand examine une bête avant l'achat. Ses yeux s'arrêtent sur la poitrine puis descendent jusqu'aux mollets.

— Ça ne doit pas être mal, ce qui se trouve là-dessous.

Il s'approche et tâte de la main droite les seins de Virginie, qui recule.

— Tu vas venir avec moi.

— Qu'est-ce que vous me voulez ?

Un sourire en coin lui tord la bouche. Ses yeux se plissent.

— Il n'y pas de raison que ce salaud de Suquet ait eu droit à tout ça et que nous en soyons privés.

— Suquet n'a eu rien du tout. Je suis une femme honnête.

La Puce éclate d'un rire gras.

— C'est pas ce qu'on m'a dit !

Il prend Virginie par le bras, la pousse dans une pièce encore plus petite que la précédente. Un ancien lit en noyer occupe toute la place. Les volets sont fermés. À côté, sans se soucier de ce qui se passe, les autres continuent de jouer aux cartes et de rire.

— Mets-toi à poil, et vite ! dit La Puce. Je suis pressé et les salopes de ton genre ne font pas de manières.

Virginie reste debout, les bras croisés sur la poitrine. Elle ne baisse pas les yeux quand le jeune homme approche, le regard plein de menace.

— Il y a des lois, en France, dit-elle, et vous répondrez de vos actes.

— Tu crois ?

Il rit de nouveau, fait un pas vers Virginie ; son haleine empeste la gnole.

— Si tu es gentille avec moi, je te jure que je te lâcherai demain matin.

— Je ne vous crois pas.

— Alors, tant pis pour toi !

Il veut la saisir, mais Virginie se détend, frappe ce visage maigre aux lèvres dédaigneuses, griffe ces joues creuses et piquées d'une barbe clairsemée. Surpris, La Puce recule, se reprend, mais des cris retentissent dehors, une rafale de mitraillette crépite. Il se dresse, un filet de sang traverse sa joue droite.

— Toi, tu ne perds rien pour attendre ! dit-il en sortant précipitamment.

Après son échec auprès de Virginie, Ernest passe à la Veyrière. Il s'est composé un visage de circonstance, grave, le regard résigné. Paul, qui était à l'écurie, court vers la voiture.

— Ils l'ont vue avec Suquet au puy Blanc ! dit Ernest, fataliste.

Paul reste sans voix. Ernest pince les lèvres puis ajoute :

— Ils se sont vus plusieurs fois. Les maquis surveillaient le coin... Les femmes, c'est comme ça, faut pas chercher à comprendre !

— Admettons, insiste Paul d'une voix étranglée, mais elle n'a pas pu lui raconter quoi que ce soit, elle ne sait rien...

Jacques se tient en retrait, au bas de l'escalier de pierre, et ne perd pas un mot de ce qui se dit.

— Et que vont-ils faire ? demande Paul.

Ernest pousse ses lunettes, passe la main dans ses cheveux courts et frisés.

— Elle sera jugée.

Il monte voir sa mère et s'en prend à Jacques « qui écoute derrière toutes les portes ». Paul retourne à l'écurie. Ce qu'il vient d'apprendre lui fait mal et il ne peut pas le croire. Non, Virginie n'est pas une femme légère ! Et la seule pensée que ces hommes sans moralité vont abuser d'elle le révolte. Il sort, Jacques le rejoint.

— Maman est revenue ? demande le petit garçon.

— Pas encore.

— C'est quand qu'elle va revenir ?

— Je vais la chercher, dit Paul, décidé.

Un ciel laiteux couvre le puy Blanc ; le vent frais vient de tourner au nord. Paul passe dans le hangar prendre sa moto. Un chat qui dormait sur le capot de la voiture d'Antoine détale à toutes jambes. Paul sait que cette nouvelle tentative a peu de chances d'aboutir, mais ne pas le faire serait une lâcheté. Il roule vite dans le chemin rempli de cailloux libres. Quand il arrive au moulin de la Brès, des maquis sont en train de ranger des armes dans une camionnette.

— La guerre est finie, ici. On vient de nous demander de rejoindre Bordeaux pour d'autres opérations.

— Je veux voir La Puce.

— Il est occupé !

— Je veux le voir quand même.

Paul se dirige vers la porte d'entrée. Un homme armé l'arrête.

— Tu ne vas pas plus loin.

— Il faut que je voie La Puce et Virginie. Écarte-toi.

— Pas question.

Le canon du pistolet-mitrailleur se dresse en direction de Paul. Un autre gars, qui n'a probablement pas vingt ans, vient prêter main-forte à son camarade. Il lève sa mitraillette et lâche une salve en l'air.

— Personne ne bouge, maintenant.

Paul insiste :

— Va chercher La Puce !

— C'est pas la peine, me voilà ! dit La Puce en sortant du moulin. Qu'est-ce qui se passe ?

— Je veux voir Virginie ! dit Paul.

La Puce essuie la goutte de sang qui coule sur sa joue droite.

— Elle part demain et sera jugée dans quelques jours.

— Elle n'a rien à voir avec ce que vous lui reprochez. Je le sais, moi. Elle montait presque tous les jours au puy Blanc où a été tué son mari. Elle y a vu Suquet par hasard.

— Et c'est par hasard qu'ils ont roulé dans les fougères...

— Ça, c'est faux, tu mens.

Le visage presque glabre de La Puce blêmit. Sa bouche se tord de dédain.

— Écoute-moi bien, toi. Ne me parle plus jamais comme ça. Tu pourrais aussi t'y retrouver, devant le tribunal populaire ! Alors fous le camp avant que je m'énerve !

Les deux autres tiennent toujours leurs armes braquées sur Paul. Avec la nuit, le bruit de la rivière se fait plus sourd, comme enflé par l'ombre lourde de la vallée.

— Je veux la voir ! insiste Paul.

— Pas question ! Fous le camp, je te dis !

Paul serre les poings, mais que peut-il face à ces hommes armés et déterminés ? Il revient vers sa moto, démarre, un nouveau tir de mitraillette accompagne son départ.

Le jour se lève, brumeux et frais. À l'intérieur du vieux moulin. La Puce s'ébroue sur sa chaise longue et sort uriner au bord du chemin. La prairie scintille de rosée.

Isabelle et Virginie, suivies d'un homme qui tient, braqué sur elles, le canon de son fusil, sortent de la bâtisse. Par un geste instinctif de défense, elles serrent leurs gilets sur leurs poitrines. Isabelle jette autour d'elle un regard apeuré, Virginie, toujours prostrée, baisse la tête, insensible à la fraîcheur. Une moto descend dans le chemin du village. Son phare éclaire un moment le sous-bois et s'arrête à la hauteur de la camionnette. C'est Tourret, qui salue tout le monde, allume une cigarette et se tourne vers La Puce.

— Vous êtes prêts ? Là où on vous envoie, ce ne sera pas une balade de santé.

— On a l'habitude et on a su montrer que le courage nous manque pas.

Se tournant vers les deux femmes debout près de la Traction, Tourret demande :

— Et celles-là ?

La Puce hausse les épaules.

— Que veux-tu qu'on en fasse ? On va les laisser avec les autres.

— Vous êtes certains qu'elles ont quelque chose à se reprocher ? Vous savez que je veux pas d'histoires !

— Les faits les accusent ! Elles seront interrogées par les copains de Vablanche.

— Parfait.

— Bon, c'est l'heure, on y va, dit La Puce.

La camionnette démarre et prend le chemin du village. L'homme à la mitraillette pousse les deux prisonnières sur la banquette arrière de la Traction, garée en retrait. La Puce salue Tourret et s'assoit au volant. Le soleil illumine les collines, laissant près de la rivière un coin de nuit qui refuse de s'effacer. Bientôt, il ne reste du séjour des maquis près de ce moulin en ruine que des sentiers entre les fougères, des traces de roues de voiture, des tisons qui fument encore au milieu de la cour et quelques boîtes de conserve vides.

Ce matin, Paul, insensible au soleil qui pompe l'humidité de la nuit, se dirige vers les étables, la tête basse, le cœur lourd. Que va-t-il faire, maintenant ? Virginie est prisonnière d'une machine à broyer qui ne lui laissera aucun repos et d'où il est impossible de la sortir. Cette impuissance le mine. Il s'arrête à la porte de l'étable. Les coqs chantent ; dans leur enclos, les chiens se taisent. Une buse tourne au-dessus de la basse-cour, aspirée par la lumière de ce jour neuf.

Marcel sort de la petite maison qu'il occupe avec Jeanine puis rejoint Paul aux étables où Baptiste, qui ne dort pas plus de trois heures par nuit, s'occupe des bêtes. Jeanine prépare le « café » d'orge auquel tout le monde s'est assez vite habitué. La jeune Alice allume le feu. Elle n'a pas attaché ses grands cheveux bouclés, qui tombent sur ses épaules nues. Mme Hortense se traîne jusqu'à son fauteuil en se plaignant de l'estomac qui ne lui laisse pas un moment de répit.

— Toujours pareil ? demande-t-elle.

Jeanine replace un peigne dans ses cheveux gris et vide l'eau bouillante sur le « café » moulu.

— Madame Virginie n'est pas près de revenir, hélas, ajoute-t-elle.

La porte du couloir s'ouvre ; c'est Pascal, les yeux rouges, les cheveux en broussaille.

— Tiens, le petit monsieur ! fait Alice. Vous voilà déjà debout alors que rien ne vous presse.

— Maman est revenue ?

C'est une question pour rien. Pendant la nuit, le jeune adolescent a épié tous les bruits de la grande maison. Jeanine tourne vers lui sa figure pâle et maigre.

— Non. Mais elle ne va sûrement pas tarder.

Sans rien ajouter, il sort. Dans la cour, il reste un moment à regarder le soleil illuminer l'étang. Le meuglement d'une vache réveille les hurlements des chiens. Le jeune garçon fait quelques pas en direction de l'étable où il entend Baptiste parler. Non, sa mère ne reviendra pas ; on essaie de lui cacher la vérité, de reculer l'échéance. Désormais, il est orphelin. Son regard dur se pose sur la buse qui tourne encore au-dessus de la maison. Les porcs poussent des cris aigus en attendant que Baptiste leur apporte à manger. Jeannot, à peine réveillé, conduit un troupeau de génisses au pré et passe devant Pascal, toujours immobile au milieu de la cour.

— Bonjour, monsieur Pascal. Il va faire beau ! dit le berger.

— Bonjour !

Jeannot encourage son chien qui tourne autour des bêtes en aboyant. Il va bientôt partir de la Veyrière et c'est tant mieux : le futur patron sera encore plus dur que son grand-père ou son père. Pascal est un Massenet, hautain, froid et distant avec les domestiques. Jeannot n'aime pas cette famille qui ne pense qu'à écraser les petites gens.

7.

La Traction traverse Saint-Nicolas-sur-Brès. Virginie, recroquevillée sur la banquette arrière, la figure cachée dans ses bras, ne voit pas le clocher de l'église où, quinze ans plus tôt, elle s'est mariée avec Antoine Massenet, le plus beau parti de la commune. L'ouvrière en couture de Brive devenait « madame Virginie », même si cela ne plaisait pas à monsieur Janvier. Sa mère, avec le bon sens des humbles, pressentait une catastrophe : les riches et les pauvres ne se mettent pas en ménage ! Mais Josette n'avait pas raison, sans la guerre, Virginie serait restée la plus heureuse des femmes !

Ce matin, tandis que la voiture s'engage sur la route départementale, elle ne pense à rien. Mourir reste la seule issue, car elle ne pourra plus jamais revoir ses enfants après toutes ces salissures subies qui font d'elle un monstre aussi hideux que ses tortionnaires.

La voiture a laissé loin derrière la camionnette surchargée. Les pneus grincent dans les tournants, mais Virginie ne les entend pas. Elle n'est plus qu'une chose informe qui pue l'odeur infâme de ces corps avinés qui se sont repus du sien.

Voilà les premières maisons de Vablanche, blotties contre leur falaise, puis le marché Saint-Luc, sur la hauteur, le foirail, enfin la gendarmerie et l'église avec, sur le côté, un antique cimetière où les tombes sans entretien se couvrent de grandes herbes. Le véhicule s'arrête en contrebas, dans une ruelle qui longe la rivière. La Puce sort et ouvre la portière arrière.

— Dehors, les poules, c'est le terminus !

Isabelle et Virginie obéissent. Elles traversent une cour sombre, entrent dans une maison désaffectée. Les plâtres humides tombent par pans entiers. On marche sur les gravats. Trois maquis, l'arme posée à côté d'eux, cassent la croûte dans ce qui était une cuisine.

— On vous amène deux copines de plus ! dit La Puce.

L'un d'eux siffle entre ses dents.

— C'est de mieux en mieux !

Il se lève et va ouvrir une porte au fond du couloir. Dans la pièce, qui était autrefois une salle à manger dont on a déménagé la table et les chaises, se trouvent cinq femmes assises côte à côte sur un banc disposé près du mur. Des couvertures sont disposées sur le plancher. Une sixième personne y est allongée.

— Vous serez un peu serrées, mais c'est pas grave ! dit l'homme en faisant signe à Virginie et à Isabelle d'entrer.

La porte se ferme. La serrure tourne, précaution inutile puisque aucune de ces pauvres créatures ne penserait à s'évader. Isabelle et Virginie restent un moment debout en regardant autour d'elles. La femme allongée pousse un râle et se tourne. Ça sent la sueur froide, l'urine, une odeur fétide. Une vieille toute recroquevillée s'approche.

— Deux malheureuses de plus ! dit-elle. Venez vous asseoir, ce sera pas plus cher.

Elle montre le banc.

— Je m'appelle Louise et je viens de Nigérac.

Elle reprend sa place. Isabelle s'est assise à côté de Virginie. Le silence retombe, coupé par les éclats de voix des maquis. La jeune femme allongée râle de nouveau. Louise va arranger un coussin sous sa tête.

— T'en fais pas, dit-elle. Ça va aller mieux.

Puis, se tournant vers Isabelle et Virginie, elle ajoute :

— Ils l'ont interrogée ce matin, alors, forcément, ils l'ont un peu secouée.

Vers midi, un des geôliers apporte à manger : des pommes de terre qui flottent dans une bassine d'eau bouillante.

— Voilà pour vous, c'est bon pour les cochons, ça peut pas vous faire de mal !

Il pose la bassine et sort. Aussitôt, une grosse fille dépenaillée se précipite, plonge les mains dans l'eau qui fume, pêche une pomme de terre, la fait sauter dans sa main pour ne pas se brûler, puis l'engloutit.

— Marinette ! crie Louise. Reste à ta place.

La fille s'assoit de nouveau en mastiquant.

— Je vais faire la distribution !

Louise est la seule qui semble ne pas avoir peur. Elle va et vient, dit un mot de réconfort à chacune. Les autres restent silencieuses et, les yeux baissés, prennent sans un merci la pomme de terre qu'elle leur tend.

— Mangez et surtout n'oubliez pas Dieu !

Virginie refuse sa part. Les traces rouges des mains qui l'ont giflée lacèrent encore ses joues.

La porte s'ouvre brutalement. Un jeune homme brun, les épaules carrées, le menton bleu d'une épaisse barbe entre et dévisage les femmes qui tremblent. Enfin, il se décide et tend la main vers Virginie.

— Toi !

Virginie ne bronche pas.

— Alors, tu te dépêches ?

Louise intervient :

— Vous voyez bien qu'elle est encore sous le choc. Et ces traces de doigts... Laissez-la en paix.

— Toi, la vieille, tais-toi ! On sait ce qu'on a à faire.

Il prend vivement Virginie par un bras, la pousse dans le couloir puis dans ce qui devait être une chambre. Près de la fenêtre se trouvent encore une armoire éventrée et un lit couvert de vieux vêtements en guise de matelas. Deux autres hommes sont assis sur des chaises à la paille trouée. L'un d'eux, la tête large couverte d'un béret plat, se lève et dit :

— Interrogatoire. Mets-toi à poil !

Virginie ne bouge pas ; sa détresse la plonge dans un néant sans fin.

— Tu as entendu ce qu'on vient de te dire ?

Elle ne réagit toujours pas, alors, le petit brun déchire sa robe. Virginie pousse un cri strident et trouve encore la force de se débattre, mais elle est bien vite maîtrisée. Le cauchemar de la nuit passée se répète. Des mains triturent ses

seins, fouillent ses cuisses... Elle plante ses dents dans l'avant-
bras qui pèse sur son épaule.

— Salope !

— On s'est assez amusés. Passons aux choses sérieuses.
Ton petit copain Suquet... Parle-nous de lui. Paraît que c'est
un sacré baiseur...

Virginie baisse la tête, les bras repliés sur sa poitrine nue.

— Alors, tu vas parler ? Ce salaud qui a fait tuer quatre
des nôtres, cette ordure qui s'est vendue à l'ennemi, tu l'as
aidé à s'enfuir du puy Blanc ? On vous tenait tous les deux
au bout du fusil, mais on vous voulait vivants ! Maintenant,
où est-il ?

— Je n'en sais rien.

— Tu vas parler, salope !

— J'ai rien à dire.

— Et si je te brûle la pointe des seins avec ma cigarette ?

Il approche son mégot de la peau de Virginie, qui sent
la chaleur intense.

— Alors, tu étais sa maîtresse et tu lui donnais des ren-
seignements sur les gens que tu voyais en allant au cimetière
ou ailleurs !

Virginie grimace. Le tabac incandescent touche son sein
droit. Elle pousse un cri.

— Alors, tu avoues ?

— Arrêtez !

— Avoue d'abord !

— Non, j'étais pas sa maîtresse.

Le bout rouge de la cigarette touche maintenant son
sein gauche. Elle hurle, vaincue, à bout de forces :

— Tout ce que vous voudrez, mais ça fait trop mal !

— Alors, tu étais sa maîtresse, signe ici !

L'homme allume une seconde cigarette en tendant le
stylo à Virginie, qui signe, consciente de sa lâcheté.

— J'ai trop mal ! dit-elle, comme pour se justifier.

— Tu vois, c'était simple.

Tout à coup, elle se reprend, dresse la tête et dit, les
mains croisées sur sa poitrine :

— Ce n'est pas vrai, je n'étais pas sa maîtresse !

Un coup à la nuque lui fait perdre connaissance. Quand
elle se réveille, la nuit est tombée. Elle est nue, seule dans

cette pièce sordide qui pue le moisi. Des hommes bavardent à l'extérieur. Virginie reste longtemps prostrée, incapable de faire le moindre mouvement, la tête remplie de ce dégoût profond qui ne s'effacera jamais. Tout à coup, la porte s'ouvre.

— Habille-toi vite ! Tu seras jugée à la fin de la semaine avec les autres.

Virginie n'a même pas la force de protester. Elle se couvre le corps de sa robe déchirée.

— On te laisse dix minutes pour te faire une beauté.

Mourir serait une délivrance. Virginie voudrait que sa vie s'arrête à cet instant. Ah, sombrer dans le néant, dans l'insensible, ne plus être, ne plus avoir cette envie de vomir, ne plus éprouver ce rejet de sa propre personne !

Le petit brun aux joues bleues la conduit avec les autres, qui baissent la tête ; le moindre regard peut être mal interprété par les geôliers, qui sont parfois de mauvaise humeur.

— Vous avez couché avec ces salauds qui ont souillé l'honneur de ce pays, vous avez dénoncé des braves, ordures, c'est le moment de payer !

Serrées sur leur banc, comme des moutons face à des chiens méchants, elles ne bougent pas, ne parlent pas ; les mêmes pensées roulent dans leur esprit, la même obsession : pourvu qu'on les fusille sans les torturer ! Elles reçoivent sans broncher les injures, les crachats, les coups. Certaines se sont déjà installées dans l'au-delà et prient en demandant à Dieu de pardonner leurs fautes. Seules leurs lèvres bougent. La vieille Louise se dévoue, va de l'une à l'autre, trouve un mot chaleureux. Elle a supporté sans broncher les interrogatoires successifs et garde la tête haute ; la paix règne dans son âme.

— Moi je sais que je n'ai rien fait !

La nuit est tombée ; un homme leur apporte de nouveau une bassine d'eau chaude dans laquelle nagent quelques pommes de terre. La grosse fille se précipite encore, mais Louise intervient à temps, et la gourmande reprend sa place en grognant. Virginie refuse toujours de manger.

Quelques instants plus tard, deux hommes font irruption dans la pièce, fusil-mitrailleur à la main.

— C'est l'heure des petits besoins... Deux par deux pour aller au pipi.

Elles se mettent en rang sans un mot. Virginie se range à côté de Louise, qui la soutient.

— Ils nous emmènent au fond du jardin, c'est pas méchant ! souffle-t-elle.

La colonne se met en marche ; il a plu, une odeur de fumier monte de la terre molle. Au fond du jardin, près du mur, des femmes soulèvent leur jupe et se mettent à uriner les unes à côté des autres. Virginie reste debout.

— Tu pisses pas, toi ? demande un des gardiens.

Elle ne répond pas.

— Comme tu voudras.

Quand c'est fini, la colonne se reforme, les prisonnières rentrent dans le bâtiment, accompagnées des deux surveillants qui plaisantent grassement et rient fort.

La porte se referme de nouveau ; un peu de lumière bleue vient de la fenêtre, dont on a enlevé la poignée. Les détenues s'allongent sur les couvertures trouées.

Louise s'approche de Virginie, toujours assise sur le banc.

— Il faut essayer de dormir. Viens.

Avec des mouvements pleins de douceur, elle aide Virginie à s'allonger, mais celle-ci a trop mal, ses pensées roulent trop d'horreurs pour qu'elle puisse fermer les yeux. Sa deuxième nuit en prison se passe ainsi, sursautant au moindre bruit, tremblante, incapable de se défendre des punaises qui grimpent sur ses jambes nues. Elle pense à sa mère qui lui disait quand, l'hiver, elle se plaignait de l'onglée : « T'en fais pas, le printemps revient toujours ! »

Elle a perdu la notion du temps et ne sait pas combien de jours la séparent de ce fameux procès. L'envie de prier lui fait joindre les mains, mais les mots ne viennent pas. Dieu l'a totalement abandonnée, elle est en enfer, et pour longtemps. L'image de La Puce et de ses autres tortionnaires flotte devant ses yeux. Leur pardonner serait leur donner raison.

— L'être humain, dit la vieille Louise, est un bien curieux animal.

8.

Pascal aide Baptiste et Marcel à enfermer les agneaux dans l'étable du bas. Le jeune adolescent se rend ainsi utile et travaille sans un mot, obstiné. Voilà déjà trois jours qu'on est sans nouvelles de sa mère. Paul a multiplié les tentatives pour la retrouver. Il est allé voir Pierre Moriseau, puis d'autres résistants, mais personne ne sait rien.

— Les hommes sont enragés ! dit Moriseau. Tant d'années à trembler, à ne pas oser sortir le jour, tant de nuits passées en embuscade pour déloger l'ennemi leur ont donné un goût de revanche que rien ne peut arrêter. Il faut les comprendre, trop d'innocents ont déjà payé, torturés par les Allemands ou, pire, par les miliciens...

— Oui, reprend Paul, et pour les venger il faut torturer de nouveaux innocents !

Madame Hortense ne décolère pas et parle d'écrire à de Gaulle lui-même.

— Trois assassinats dans la même maison, ça fait beaucoup, vous ne trouvez pas ?

La vieille femme est sûre que Virginie a été exécutée et ne voit aucune raison pour que ça ne continue pas.

— Je vous le dis, un de ces jours, ils vont venir ici et fusiller tout le monde, et pourquoi ? Simplement parce que ce pauvre Janvier ne cachait pas son admiration pour Pétain.

Ernest vient tous les deux jours. Malgré ses contacts fréquents avec les chefs locaux du maquis, il n'a jamais pu découvrir les raisons qui avaient causé la mort de son père et de son frère.

— Dites-moi, demande-t-il un jour à sa mère, mon père et Antoine ont-ils collaboré ?

— Qu'est-ce que tu me demandes là ? Ton père ne me racontait pas ses affaires, tu le sais. Il a emporté son secret dans la tombe. Seuls ses assassins pourraient parler, mais on ne les trouvera jamais, je suis bien tranquille !

Ernest a pris la direction du domaine, ce qui ne se fait pas sans frictions avec Paul. Sa manière de commander avec autorité, de ne pas accepter les remarques, déplaît au maître valet.

Ce matin, il ne prend pas le temps de répondre au bonjour de la belle Alice qui lave du linge au lavoir, en bordure de l'étang. Il grimpe l'escalier aussi vite que ses jambes courtes le lui permettent. Au salon, il trouve le fauteuil de sa mère vide.

— Où est Madame ? demande-t-il d'un ton sec à Jeanine, qui épluche des légumes dans la cuisine.

— Elle n'était pas bien et se repose.

Allongée, madame Hortense est en train de lire. La peau flasque de ses joues est plus fripée que d'habitude. Ses cheveux blancs défaits transforment son visage.

— Encore cet estomac qui m'a tenue éveillée toute la nuit...

— Voilà, dit Ernest, sans autre préambule. Je sais où ils ont emmené Virginie.

Calmement, Hortense ferme son livre et le pose sur la couverture rouge. Dans la chambre voisine, Pascal, réveillé depuis longtemps, s'est dressé sur les coudes en entendant la voix de son oncle, et, comme il sait qu'on lui cache beaucoup de choses, il colle son oreille à la cloison.

— Oui, elle va être jugée cet après-midi pour avoir eu des relations coupables avec Charles Suquet.

— Mais voyons, elle n'est coupable de rien ! Et jugée par qui ?

— Par un tribunal populaire. C'est ainsi que ça se passe désormais. Vous dites qu'elle n'est pas coupable, je n'en suis pas si sûr !

La vieille se tait un instant, puis inspire profondément.

— C'est vrai qu'elle court derrière tous les hommes qui passent, mais tu ne peux pas laisser faire ça. La honte retombe sur toute la famille. Sa liberté doit pouvoir s'acheter.

Ernest fait quelques pas, s'assied sur le rebord du lit. Pascal, horrifié, ne perd pas un mot de ce qui se dit. Son cœur bat très fort, ses doigts tremblent.

— Écoutez, ajoute son oncle en baissant la voix, l'argent ne fait pas tout dans cette affaire, et puis...

— Et puis quoi ?

— Supposez que Virginie revienne ici, comme c'est son droit avec ses enfants et que, plus tard, elle se remarie...

Le regard aux paupières lourdes d'Hortense se lève sur le visage gras d'Ernest.

— Oui, si elle se remarie... N'oubliez pas que ce nouveau mari deviendrait le tuteur des enfants. Et la Veyrière... Vous comprenez qu'un étranger pourrait être le patron ici et vous mettre dehors, vous, ma mère !

— Qu'est-ce que tu me racontes là ?

— Vous ne savez pas tout. Moi, j'observe. Virginie se remariera, et très vite, avec Paul Vacquier. Il en est amoureux et elle ne le repoussera pas longtemps, ça se voit ! Alors, vous imaginez, un valet patron de la Veyrière !

Hortense réfléchit. Ses sourcils qui se sont épaissis avec l'âge s'abaissent. Elle demande :

— Qu'adviendra-t-il après le jugement ?

Un silence. Ernest lève les bras dans un geste d'impuissance.

— Je n'en sais rien, mais si elle revient nous aurons un argument pour la renvoyer chez sa mère à Brive.

— Et les garçons ?

— Eh bien, ils iront la voir de temps en temps.

Encore un silence pendant lequel Pascal entend le lourd corps de sa grand-mère bouger, le lit craquer.

— Cet estomac ne me laissera pas en paix ! fait-elle entre ses dents. Au fait, elle est où ?

— À Vablanche, parquée avec d'autres dans une vieille maison réquisitionnée à côté de la mairie.

— Tu vas y aller ?

— Sûrement pas ! Je n'ai pas l'intention de me ramasser quelque mauvais coup.

Pascal reste un long moment la tête appuyée contre la cloison. Il tremble comme s'il avait froid et claque des dents. Les terribles paroles qu'il vient d'entendre tournent en lui, sombres, se mêlent à l'image tenace du visage immobile de son père. Il se laisse tomber sur son lit, la tête pleine d'horreurs.

Quelques instants plus tard, le jeune garçon décide de se lever. Il s'habille en silence, sort dans le couloir, hésite un moment avant de pousser la porte. Sa grand-mère est à table, en train de manger, malgré ses douleurs d'estomac. L'adolescent regarde un moment son visage monstrueux à la peau avachie, ses yeux globuleux.

— Mais voilà notre petit monsieur ! dit Jeanine en allant chercher le lait chaud sur le coin de la cuisinière.

Sans un mot, Pascal traverse la pièce et, de la porte ouverte, regarde dehors. Il fait gris. Dans la cour, des poules grattent la poussière, les chiens du grand-père hurlent à la mort, mais, à force, on ne les entend plus. L'oncle Ernest sort de l'écurie en compagnie de Paul.

— Mais voyons, s'écrie madame Hortense, tu ne dis même plus bonjour ?

Le garçon fait demi-tour, retient un haut-le-cœur en embrassant la joue grasse et froide de sa grand-mère. L'oncle arrive ; Pascal le regarde un instant bien en face, dans le blanc des yeux, et c'est l'adulte qui détourne la tête. Cette petite victoire donne au garçon la force de dissimuler ce qui l'agite. Il vient de prendre une décision, et pour la mener à bien personne ne doit se douter de rien, surtout pas son frère, qui répète tout, mais, fort heureusement, Jacques dort encore.

Pascal s'assoit à table à côté de son oncle, se force à avaler une bouchée de pain trempé dans du lait chaud, mais ça ne passe pas, il doit se lever pour aller vomir.

— Voilà que tu nous as encore attrapé quelque chose ! bougonne la grand-mère.

Sans un mot, Pascal traverse la pièce et sort. Madame Hortense l'appelle.

— Laissez-le, dit l'oncle. Quelques années chez les jésuites arrangeront ça. J'ai vu frère Henri, qui a accepté de le prendre à la rentrée.

Pascal attend que Baptiste ait le dos tourné pour se glisser dans le hangar aux outils. Le vélo qu'Alice utilise pour aller voir ses parents à Robeuil est là. Le garçon en fait le tour, s'approche lentement, pose la main sur le guidon froid. Vablanche, c'est loin, à plus de vingt kilomètres, mais Pascal se sent la force d'en faire le double. Il connaît ce gros bourg pour y être allé deux ou trois fois avec son grand-père.

Maintenant son projet lui semble insensé. Comment parcourir ce chemin, avec les maquis et toutes ces personnes qui vont le voir, sûrement le reconnaître ? Et que fera-t-il là-bas ? Sa mère est bien gardée, il ne pourra pas l'approcher. Tant pis, il doit y aller.

Alice, qui a terminé sa lessive, s'en va étendre son linge dans le pré en dessous du potager. Paul doit être déjà parti avec les bœufs, Marcel et Baptiste sont encore dans l'étable d'où ils peuvent sortir à tout moment. Pourvu que l'oncle reste encore quelques minutes dans la maison...

L'adolescent dégage la bicyclette coincée derrière la brouette, appuie sur les pneus pour en vérifier le gonflage et la pousse jusqu'à la porte ouverte. Un coup d'œil dans la cour et aux fenêtres de la maison, la place est libre, alors, retenant son souffle, il enfourche la machine et s'éloigne dans le chemin entre les arbres et les haies. Pascal a l'impression de se libérer d'une tension interne, un ressort tendu à se rompre et qui irrite sa chair à vif. Il fuit un cauchemar pour en trouver un autre, plus terrible encore, mais c'est ainsi, nécessaire, obligatoire. Ne pas le faire l'anéantirait.

Un bruit de moteur se rapproche. Le garçon n'hésite pas : il s'arrête, tire le vélo derrière un châtaignier et se couche à plat ventre entre les fougères. L'occupant de la camionnette qui transporte une énorme truie passe sans le voir.

Il reprend sa course. Un troupeau de moutons conduit par une vieille femme maigre l'oblige à mettre pied à terre.

— Mais vous êtes le petit Massenet, de la Veyrière ? demande la vieille.

— Oui, ma grand-mère m'a envoyé chercher du tabac pour Baptiste.

— Elle vous laisse courir les routes, avec tout ce qui se passe en ce moment ?

Pascal ne répond pas et pédale déjà. Incrédule, la femme le regarde s'éloigner. Il arrive à la route départementale. Le danger d'être reconnu est moindre ; la sueur coule sur son front. À un pont, il descend boire un peu d'eau dans ses mains et repart. Pourvu qu'il ait pris la bonne direction ! Des voyages avec son grand-père, Pascal ne conserve que des souvenirs flous, alors, il fouille dans sa mémoire pour retrouver l'image de cette maison, ces rochers apparents sur la colline, ou bien ce curieux noyer au milieu d'un pré dont les branches basses touchent le sol.

La route n'en finit pas sous ce ciel bas et lourd. Maintenant, la faim le torture. Il s'arrête en bordure d'un pâturage, dissimule son vélo et court dans les grandes herbes jusqu'à un pommier couvert de fruits. Il en choisit un, le mange en faisant la grimace.

Les mollets durs de fatigue, il repart. La campagne est déserte ; les gens se terrent chez eux. Seuls les militaires se déplacent, mais la chance lui sourit. Il traverse plusieurs villages sans être inquiété, la tête baissée sur le guidon. Près d'une ferme isolée, un chien le prend en chasse, il réussit à le semer.

Voici enfin les premières maisons de Vablanche. Pascal pose sa bicyclette et poursuit son chemin à pied ; les jambes lui font mal, son estomac est plein d'aiguilles, sa tête éclate. La ville est libérée depuis un mois, et la vie a repris son cours normal. Dans la rue principale, les commerçants ont de nouveau ouvert leurs magasins mais n'ont pas grand-chose à proposer à leurs clients. L'adolescent marche au hasard des rues. A-t-il eu raison de venir ? Une vieille femme se retourne sur son passage ; un homme le regarde d'un air plein de soupçons. Alors, le garçon baisse la tête et accélère le pas. Il arrive sur une grande place envahie par une foule bruyante, se faufile pour mieux voir ce qui se passe. Des gens crient des menaces, d'autres sifflent. Un haut portail de fer est gardé par des soldats en armes. Inconscient de son audace, Pascal, s'approche.

— Les enfants, ailleurs ! ordonne un militaire.

— Hep !

Sur sa droite, un garçon de son âge lui fait signe, il le rejoint.

— Viens, on peut voir par là !

Ils entrent sous un porche, grimpent un escalier. Sur le palier, une fenêtre aux volets défoncés donne sur la cour de la maison voisine. Debout sur le perron, en face d'une dizaine de personnes, six femmes sont gardées par deux hommes armés de fusils-mitrailleurs. Pascal retient son souffle, un liquide glacé se répand dans son corps. Cette petite silhouette, au premier rang, avec ses grands cheveux noirs qu'elle attachait en chignon, c'est sa mère.

L'adolescent sait qu'il devrait fuir, mais il ne le peut pas. Une force puissante le tient cloué à cette fenêtre, à côté de ce garçon qui jubile.

Plusieurs soldats armés prennent place près des condamnées. Arrive enfin un officier qui tend les mains vers les gens rassemblés au bas de l'escalier.

— Messieurs les jurés du tribunal populaire de Vablanche, commence-t-il, vous avez statué sur le sort de ces six femmes. Vous les avez reconnues coupables de complicités particulières avec l'ennemi ou des miliciens. Elles vont donc recevoir leur châtiment.

Pascal regarde sa mère baisser la tête comme si elle était vraiment coupable, mais elle ne l'est pas, c'est sûr, alors, qu'attend-il pour le crier ?

On apporte six chaises.

— Comme on ne veut rien perdre de ce qui a été donné à l'ennemi, poursuit l'officier en riant, mesdames, vous allez vous mettre nues avant de vous asseoir.

Toutes obéissent sans la moindre résistance. Elles ont subi tellement d'humiliations, reçu tellement de coups que leur volonté s'est brisée ; elles n'existent plus, leur âme s'est envolée. Il ne reste d'elles que ces corps pillés, des charognes insensibles.

— Ouah ! fait le garçon a côté de Pascal, voilà que ça devient intéressant !

Pascal découvre terrifié, sans pouvoir en détacher les yeux, le corps de sa mère, ses seins qu'il a tétés, ce ventre où il a grossi, l'ombre entre les cuisses... Cette vision le pousse dans un retranchement de sa personne, en bordure d'un précipice où il va bientôt sombrer, l'enfer a ouvert ses portes.

Des rires gras fusent dans la cour, des remarques grossières sur l'anatomie des femmes que l'on a fait asseoir. L'officier tend la main.

— Les coiffeurs, s'il vous plaît, pour ces dames.

Des volontaires arrivent, montrent leurs rasoirs et commencent leur travail. Les touffes de cheveux tombent sur les dalles. Cela ne dure que quelques minutes ; les crânes luisent à la lumière, les lames maladroites ont taillé ces cailloux d'où coulent des filets de sang.

— Bien, poursuit l'homme. Autrefois, on marquait les traîtres au fer rouge. Nous serons plus cléments.

Il ne faut pas longtemps à l'homme qui arrive pour tatouer une croix gammée sur les six poitrines, à la naissance des seins. Aucune des condamnées n'a le moindre mot de protestation, le moindre geste de défense. Elle subissent, pauvres choses inertes. Le tatouage terminé, l'officier poursuit :

— Encore un petit détail...

Un nabot au béret de travers apporte un seau et asperge de purin ces ventres, ces cuisses offertes d'une insoutenable indécence. Les éclats de rire se mêlent aux applaudissements.

— Estimez-vous heureuses, mesdames ! Dans certaines villes, on a promené vos collègues dans les rues !

— Qu'on les fusille ! crie une voix.

Le purin dégouline le long de leurs jambes, mais les prisonnières n'y prennent pas garde, ramassent leurs habits puis rentrent dans le bâtiment encadrées par des soldats prêts a tirer. Pascal dévale l'escalier et s'échappe à toutes jambes. Il court droit devant lui, remonte la rue principale et s'arrête enfin, hors d'haleine. Où aller pour effacer ce qu'il vient de voir ? La guerre lui a tout pris, son père, son grand-père et maintenant le souvenir de sa mère. La voix de ce justicier aux galons dorés éclate encore dans sa tête, une bombe. Il doit mourir, c'est la seule solution pour échapper à cette douleur qui l'écrase.

9.

— C'est ignoble ! Plus jamais ça ici !

L'homme qui a crié se fait appeler « capitaine Dubois ». C'est lui qui commande les différents groupes de résistants de la région de Vablanche. Il frappe sur le bureau. En face de lui, celui qui a si brillamment orchestré la tonte des prisonnières et quelques hommes en tenue militaire se taisent.

— Vous êtes des humains ou des bêtes ? Vous avez encore un peu de bon sens ou la guerre a-t-elle fait de vous des monstres ?

— Mon capitaine, dit l'officier, nous n'avons fait qu'obéir aux ordres !

— Aux ordres de qui, nom de Dieu ? Jamais le comité de Libération n'a ordonné cela ! Vous pouviez les fusiller, c'est propre, dans les règles de la guerre, mais cette humiliation, c'est un acte de barbarie.

Ils se taisent comme des enfants qui se sont livrés à un jeu interdit.

— Griffaut et tous ceux qui ont participé à cette exhibition, vous répondrez de vos actes, je m'en porte garant. Et, maintenant, faites laver ces femmes et qu'on m'apporte les dossiers d'accusation s'ils existent.

Une heure plus tard, Virginie est libérée sans savoir à qui elle doit cet acte de clémence. Un homme la conduit au portail, la pousse sur la place et s'en va. Elle se met à courir. Un groupe d'adolescents l'a prise en chasse en criant :

— La putain, la putain ! On veut la tondue !

Ils lancent des pierres dans sa direction ; l'une atteint Virginie à la nuque.

— Par ici !

Elle entre dans un couloir sombre. La porte se ferme vivement. Dehors, la bande de gamins crie, donne des coups de pied dans le battant, puis s'éloigne enfin en proférant des injures.

— Ne vous en faites pas ! Personne ne viendra vous chercher ici.

La voix est sûre, entrecoupée par une respiration bruyante.

— Attendez que je trouve le bouton de la lumière.

Des ongles grattent la cloison de bois, une lumière jaune éclaire alors un couloir humide et un escalier avec une rampe de fer. Une vieille femme au visage carré se tient en face de Virginie. Un minuscule chignon sur sa tête rassemble ses rares cheveux gris, elle est presque chauve.

— Venez à la maison.

Virginie lui emboîte le pas. Elle s'est machinalement nettoyée avant de prendre ses vêtements, mais une forte odeur de purin l'accompagne. La femme semble ne pas la sentir et monte les premières marches de l'escalier qui grincent.

— La place ne manque pas, ici. Il y a même un jardin derrière, mais il est à l'abandon. C'est le domaine des ronces, des orties, des lézards verts et d'une couleuvre qui mesure près de deux mètres. Venez donc.

D'une porte restée ouverte arrive une troupe de chats.

— Ce sont mes amis, certes un peu envahissants. Je vous disais, la place ne manque pas, il y a trois étages de pièces que personne n'habite plus à part ces animaux.

Virginie est absente ; ses grands yeux vides ne voient pas ce qui l'entoure.

— Nous vivons une époque d'anarchie. Et c'est en de tels moments que la véritable nature de chacun se dévoile. Tout le monde tue, viole et croit œuvrer pour le bien de l'humanité. Cela fait longtemps que je n'ai plus d'illusions sur mes semblables, mais je m'en voudrais de laisser une bande de gamins molester une pauvre fille. Comment vous vous appelez ? Moi, c'est Pierrette !

Virginie entend cette voix comme un murmure lointain, un bruit de fond. En elle, tout est mort, l'encre s'est répandue dans sa tête et ne laisse passer aucune pensée, aucun mot.

Pierrette va jusqu'à une cuisinière au fond de cette immense pièce envahie de meubles anciens poussiéreux.

— Et vous ne parlez plus ? On ne vous a pourtant pas arraché la langue. Asseyez-vous.

Elle rapporte une cafetière fumante, dispose deux bols sur la table et pousse doucement Virginie vers la chaise.

— Il est un peu mélangé de chicorée parce que les rations ne sont pas suffisantes ! Mais grâce à Dieu tout va bientôt revenir comme avant jusqu'à la prochaine empoignade. Buvez, cela vous fera du bien.

Virginie ne bouge toujours pas. La vie a déserté ses membres ; le chatouillement encore sensible des aiguilles qui ont tatoué la croix gammée prend, à cette heure, la force d'un tremblement de terre.

— Je vais vous trouver une perruque. Vous allez d'abord vous nettoyer et vous mettre du parfum. Je dois avoir des vêtements qui vous iront.

Virginie reste impassible, sans le moindre mouvement du visage, la plus petite crispation des lèvres. C'est une pierre insensible au temps, un caillou dans une rivière.

— Vous ne voulez toujours pas parler ? Les chocs trop forts peuvent faire ça. Vous avez sûrement une maman ?

Les mains pendantes, Virginie ne répond pas.

— Buvez et ensuite vous irez vous laver.

Les chats rôdent autour de la table en miaulant. Pierrette les chasse du pied.

— Bon, fait-elle, on va se débrouiller autrement. Venez.

Virginie la suit docilement jusqu'à une autre pièce plus petite, une chambre tapissée d'un vieux tissu bleu.

— Posez ces habits qui sentent mauvais. Vous allez changer de peau. Après, ça ira mieux.

Elle sort de la pièce et revient presque aussitôt avec une brassée de vêtements et un broc d'eau chaude.

— Il faut d'abord nettoyer tout ça.

Virginie se laisse déshabiller et laver sans le moindre mouvement de protestation.

— C'est quand même malheureux de mettre quelqu'un dans un tel état !

Une fois Virginie propre et essuyée avec une grande serviette qui sent la lavande, Pierrette lui fait mettre les vêtements qu'elle a apportés puis ajuste sur sa tête une perruque grise.

— C'est vrai, ça vous vieillit un peu, mais c'est la seule que j'ai. Enfin, vous voilà plus présentable. Maintenant, vous allez me dire ce que vous voulez...

Virginie n'a pas plus de réaction qu'un pantin.

— Bon, vous n'arrivez pas à parler ? Ça reviendra avec le temps. Vous pouvez peut-être écrire ?

Pierrette sort de la pièce et revient avec un crayon et une feuille de cahier d'écolier. Virginie s'assoit près d'une petite table et regarde cette feuille sur laquelle est posé le crayon. Des éclairs traversent la nuit de son esprit, des flammèches aussitôt éteintes.

— Bon. On va attendre, tout va sûrement revenir. Restez dans cette chambre, vous y êtes en sécurité. Je vous appellerai pour le dîner. En attendant, si vous réussissez à écrire...

Elle s'en va et ferme la porte. Virginie reste longtemps assise près de la table à tenter de renouer le fil de ses pensées, mais c'est trop difficile, chacune se brise en mille éclats qui se mélangent et qu'elle ne peut remettre en ordre. Elle se trouve dans un tunnel sombre, des visages s'imposent parfois à son esprit et s'envolent aussitôt, insaisissables.

Les heures passent ainsi, émaillées d'étincelles que le néant absorbe. La nuit est tombée. Les pas lourds de la maîtresse de maison s'approchent.

— Comment ça va, maintenant ? Il faut que vous mangiez un peu. Vous allez venir avec moi. Je n'ai pas grand-chose, mais je partagerai de bon cœur.

Elle prend Virginie par le bras et l'oblige à la suivre. Dans la grande salle, la table est mise : deux assiettes sur une nappe blanche que les mites ont trouée.

— Je vous disais que je n'avais pas grand-chose, mais il me restait un lapin de l'année, je l'ai sacrifié. Ça valait bien ça !

Virginie s'assoit à sa place et laisse Pierrette verser du bouillon fumant dans son assiette.

— Il ne va quand même pas falloir que je vous fasse manger ?

Pierrette prend la cuiller qu'elle approche des lèvres fermées de Virginie.

— Il faut manger !

Les lèvres s'entrouvrent, la cuiller glisse entre les dents.

— Eh bien, vous voyez !

L'odeur de la viande rôtie embaume, mais Virginie ne la sent pas. Les chats miaulent et réclament leur part.

— Bon, on verra demain. Mais moi j'ai faim et je ne voudrais pas laisser gâter ce bon lapin !

Pierrette s'installe à sa place et se sert une copieuse part. Tout en mastiquant sa viande, elle raconte son histoire.

— Je vis seule depuis la mort de mon père. Il était épicier sur la grande place de Vablanche. Vous ne l'avez sûrement pas vue. Papa a su faire ses affaires, alors, j'ai de quoi vivre modestement ! Ils me cassent les pieds avec leur guerre. Ce qu'il faudrait c'est reprendre le travail, et qu'il y ait à manger pour tout le monde...

À la fin du repas, Pierrette débarrasse la table et ajoute :

— Vous allez dormir. Rien n'est aussi bon que le sommeil pour reprendre ses esprits.

Elle emmène Virginie dans la chambre, la déshabille et la met au lit, comme un tout petit enfant.

— On devrait peut-être enlever la perruque, ça fait chaud à la tête. Vous ferez comme vous voudrez. À demain.

La porte se ferme et Virginie se trouve de nouveau seule dans un silence terrible ponctué de miaulements, de craquements de charpente et du bruit menaçant des voitures qui passent dans la rue.

À la Veyrière, l'anxiété est à son comble. Madame Hortense en a des bouffées de chaleur et ne cesse de s'en prendre à cette effrontée d'Alice qui a laissé son vélo à la portée des enfants.

— Si vous l'aviez rangé ailleurs, Pascal n'aurait pas été tenté de le prendre.

— C'est vous-même qui m'avez dit de le mettre là !

Paul a parcouru la région avec sa moto ; il a questionné les gens, mais personne n'a rien vu. Il est revenu à la Veyrière sans le moindre indice qui pourrait le mettre sur la trace du garçon.

— Pourvu qu'on l'ait pas enlevé ! dit Jeanine, qui pense à tous ces bandits en liberté dans les collines.

Cet après-midi, Baptiste est descendu à la rivière et a marché le long des berges, inspecté les trous où l'eau noire tourne, prisonnière des rochers. Il est remonté soulagé.

Jacques pleurniche dans son coin. Il voudrait que son frère revienne, mais qu'on s'occupe aussi un peu de lui. Comme il s'approche de sa grand-mère, celle-ci le repousse.

— Il faut toujours que tu sois dans les jambes de tout le monde quand on a autre chose à faire !

Ernest est allé avertir les gendarmes qui ne lui ont pas laissé beaucoup d'espoir à moins que le garçon ne revienne seul. Ernest n'y croit pas : il sait que cette fugue est liée à l'arrestation de Virginie, Pascal n'est pas un garçon à faire n'importe quoi pour attirer l'attention sur lui : il n'attend rien des adultes et reste aussi décidé, aussi têtu que son grand-père.

La nuit est tombée quand les phares d'une voiture réveillent les aboiements de la meute. Madame Hortense, qui surveillait la route de la fenêtre, pousse un cri. Le conducteur sort du véhicule, ouvre la portière arrière, et Pascal descend.

— Le voilà, enfin ! crie madame Hortense. Mais il fait une drôle de tête !

— Je l'ai trouvé dans le fossé ! dit l'homme. Il tremble, je crois bien qu'il a de la fièvre.

— La fièvre ? Qu'est ce qu'il a été encore nous chercher ?

Ernest remercie l'homme et l'accompagne jusqu'à sa voiture. Il se tourne enfin vers l'adolescent.

— Te voilà voleur de vélo, maintenant ! Bravo !

Pascal ne répond pas. Grelottant, il entre dans la maison. Sa grand-mère lui envoie un regard sévère, mais, en le voyant agité de tremblements, elle prend le gilet posé sur ses genoux et couvre ses épaules.

Jeanine apporte un peu de bouillon chaud, mais il ne peut en avaler une cuillerée.

— Fais-lui une bouillotte ! ordonne madame Hortense. On va le mettre au lit. Si, demain, ça ne va pas mieux, Paul ira avertir le médecin. Mais qu'est-ce qu'il a été attraper ?

Jacques regarde son frère de ses grands yeux ronds. Il a peur tout à coup et n'ose pas l'approcher. Il dit à sa grand-mère :

— Peut-être qu'il a été mordu par une vipère ?

Une gifle claque.

— Toi, faut toujours que tu dises des bêtises.

Le petit garçon s'éloigne en retenant ses larmes. Il s'assoit par terre à côté du fauteuil vide de son grand-père et rouspète.

Pascal se laisse déshabiller par Jeanine et se fourre dans son lit en claquant des dents. La bonne remonte l'édredon rouge. Madame Hortense pose le plat de sa main potelée sur le front du malade.

— C'est qu'il a beaucoup de fièvre. Prépare-lui une tisane de queues de cerises.

Ernest repart chez lui vers dix heures. Pascal délire ; des mots sans suite sortent de sa bouche, des mots terribles, comme s'ils étaient soufflés par le diable.

Jeanine s'étonne :

— Il est peut-être envoûté ! Faut en parler à monsieur le curé.

— Envoûté ? Et quoi encore ? fait madame Hortense. C'est la fièvre !

Le soleil qui vient de se lever passe un doigt de lumière pâle à travers les volets fermés. Toute la nuit, Virginie est restée immobile sur ce lit, sans la moindre pensée, absente de son corps. Elle entend Pierrette ronfler dans une pièce voisine. Son regard se pose alors sur l'abat-jour qui pend au milieu du plafond, blanc, en forme d'assiette. Elle le connaît, cet abat-jour, il lui rappelle quelque chose, mais quoi ? Une adresse s'allume tout à coup dans sa tête, mais elle ne saurait dire pourquoi. Elle prend le crayon et la griffonne sur le papier, un acte sans signification, fait machinalement, une lueur de quelques instants, car maintenant elle l'a oubliée et n'arrive pas à lire ces quelques mots sur la feuille blanche, ni même les grosses lettres noires de cette boîte en carton posée sur la chaise.

Pierrette s'est levée et marche de son pas lourd qui fait vibrer le plancher. Elle entre dans la chambre et apporte un peignoir rapiécé.

— Ça va mieux, ce matin ? Vous avez dormi un peu ?

Virginie reste muette. Pierrette aperçoit l'adresse sur le morceau de papier.

— Voilà que la mémoire vous revient ! 17, rue de la Paix à Brive, troisième étage ? C'est chez vous ?

Aucune réponse.

— Et votre nom ? Vous pouvez écrire votre nom ?

Non, Virginie ne connaît pas son nom, elle n'a aucun souvenir du passé et ne sait plus écrire ; sa tête est vide, morte.

— Tant pis, c'est un indice, mais, avant, venez prendre votre petit déjeuner.

Allongée sur le lit, Virginie ne fait aucun mouvement. Seuls les battements de ses paupières indiquent que la vie n'a pas déserté son corps. Pierrette la fait lever, l'habille, la conduit dans la salle à manger. Sur la table est posé un bol avec, à côté, du pain et un pot de confitures.

— Il faut manger un peu, maintenant.

Virginie a un haut-le-cœur. Pierrette s'en aperçoit, hausse les épaules.

— C'est l'adresse de votre maman ?

Toujours pas de réponse.

— Eh bien, nous allons y aller. En route.

Pierrette s'habille rapidement et porte la vaisselle dans l'évier. Une fois prête, elle prend son sac à main, donne le bras à Virginie et ouvre la porte. Virginie se met à trembler ; la terreur se marque dans ses yeux ; c'est sa première réaction depuis qu'elle est là.

— Vous ne risquez rien avec moi.

Dehors, le soleil illumine les toitures mouillées. Le vent du nord s'est levé. Pierrette emmène Virginie à un garage à côté de la maison, ouvre les portes. Une antique voiture, couverte d'une bâche rouge poussiéreuse, occupe toute la place.

— Nous l'avons achetée en 1935. Elle n'était pas neuve ; ce n'est pas la première jeunesse, mais elle marche très bien encore.

Pierrette ôte la bâche, la plie soigneusement, ouvre la portière.

— On embarque.

Elle met le contact, secoue le levier de changement de vitesse et va tourner la manivelle. Le moteur démarre du premier coup.

— Vous voyez que c'était une bonne occasion. En route !

La voiture s'engage dans la rue principale. Pierrette klaxonne les piétons qui ne se poussent pas assez vite, salue les gens avec de grands mouvements des bras.

Le voyage n'en finit pas, la « bonne occasion » grimpe les côtes au pas et ne va guère plus vite dans les descentes. Voilà quand même Brive dans sa cuvette. Pierrette cherche la rue indiquée sur le papier.

— Nous y voilà ! Ça vous dit quelque chose ?

Il semble à Virginie qu'elle vient ici pour la première fois. Ses yeux sans expression vont d'un immeuble à l'autre.

— Restez là, je vais voir qui habite au troisième.

Pierrette entre dans l'immeuble. Une fois seule, Virginie se remet à trembler. Une peur panique s'empare d'elle à la vue des maisons alignées, de ce trottoir où marchent ceux qui l'ont condamnée. Elle claque des dents.

À son retour, Pierrette trouve la voiture vide. Elle fait quelques pas, regarde autour d'elle puis rebrousse chemin.

— Alors ça !

Elle ne peut pas abandonner cette femme incapable de parler et de se diriger. En voiture, elle parcourt les rues voisines, mais la tondue à la perruque grise a disparu. Au bout d'une heure de recherches vaines, Pierrette décide d'avertir la police, qui la reçoit mal.

— Une tondue ? Est-ce que vous croyez qu'on n'a pas autre chose à faire qu'à chercher votre salope ?

Pierrette, qui n'a pas l'habitude de se laisser marcher sur les pieds, réagit violemment.

— Je vous prie de me parler autrement. Cette femme s'est réfugiée chez moi. Je ne sais rien d'elle, sauf qu'elle porte une perruque grise que je lui ai donnée.

— Bon, d'accord, si on la retrouve, on vous fera signe.

Le lendemain, Pierrette va frapper de nouveau à la porte indiquée par Virginie, mais toujours sans succès. Elle trouve au rez-de-chaussée un vieil homme qui tremble de tous ses membres.

— Il n'y a personne au troisième étage ?

— Non ! dit le vieillard. L'appartement est vide depuis le début de la guerre. Pourquoi, vous cherchez quelqu'un ?

— J'avais cette adresse indiquée par quelqu'un qui ne peut pas parler, alors je venais voir à tout hasard...

— Jusqu'au début de la guerre, il y avait les Closmann, mais ils sont partis, c'étaient des juifs. J'espère qu'on ne les a pas arrêtés. De bien braves gens...

— Et avant ?

— Je ne pourrais vous dire, je ne suis ici que depuis cinq ans...

Pierrette remercie et va marcher dans les rues voisines en cherchant parmi les passants quelqu'un qui pourrait porter une perruque grise, elle passe ensuite au commissariat de police, en vain. Alors, elle rentre à Vablanche retrouver sa maison trop grande, ses chats et sa solitude.

Deuxième partie

ANNA, LA POLONAISE

1.

Du ciel cendreux passe un soleil sans lumière, rond comme un ballon sur les toits de Saint-Étienne. Tout est gris, sale en ce printemps 1945. La ville noire s'enlise dans ses brumes de charbon, ses nuages de poussière qui dessèchent la gorge et se posent sur tout. Cours Fauriel, les ouvriers de Manufrance se tassent à l'entrée de l'usine pour pointer. C'est une invention du patron, Étienne Mimart : les cinq mille personnes ne peuvent pas entrer en même temps, alors chacun glisse sa feuille dans une petite machine qui note l'heure d'arrivée. Ici on ne plaisante pas sur le temps de travail dû au temple de l'Industrie.

Le Clapier se trouve entre le puits Chatelus, le puits du Clapier et le puits de la Culatte. Là, dans la zone la plus insalubre de la ville, au milieu des crassiers, des chevalets qui vomissent leur poussière noire, vit un groupe de Polonais, tous mineurs de fond, peu regardants sur la sécurité et toujours appréciés des patrons. Ils sont plusieurs familles dans des cabanes. Après la destruction de leur pays, ils ont trouvé ici la paix et du pain à donner à leurs enfants.

Ils sont arrivés un soir du mois de janvier. Vêtus de lambeaux, ces femmes et ces hommes poussaient devant eux des marmots maigres et pleurnichards. Ils étaient descendus du train qu'ils avaient dû prendre sans billet, mais on les avait laissés poursuivre leur route vers la terre promise. Qui leur avait dit qu'il y avait du travail à Saint-Étienne ? Ces choses-là se devinent quand les femmes n'ont rien à faire cuire, quand les hommes regardent passer les heures, immobiles, leurs grosses mains ouvertes sur le néant et leur inutilité. La pluie glacée avait nettoyé l'air. La nuit tombait sur cette ville qu'ils trouvèrent belle comme le paradis. Assise sur un banc, une silhouette au regard perdu tourna la tête vers eux, comme le ferait un animal dans la crainte d'être chassé. Le groupe passa sans la voir. À la traîne, une vieille femme qui boitait leva sur elle son visage maigre serré dans un foulard d'où s'échappaient des mèches de cheveux blancs. Les deux femmes se regardèrent ainsi un long moment. Et puis la silhouette se leva de son banc et suivit Maria, la Polonaise, comme un chien perdu suit le premier passant. Le groupe s'arrêta sur le terrain vague entre les puits et investit deux vieilles cabanes ; les hommes allèrent chercher du bois et allumèrent du feu en plein air pour faire chauffer ce qui restait de soupe. La femme, avec des cheveux courts qui lui donnaient une tête de petit garçon, recroquevillée dans un coin, prit l'assiette que Maria lui tendait. Muette, elle avait des réactions d'animal battu et se protégeait la tête de ses bras ou plaquait les mains sur sa poitrine quand quelqu'un s'approchait.

Les jours suivants, les Polonais trouvèrent facilement du travail à la mine, mais la femme à la tête de petit garçon resta dans son coin. Maria continua pourtant de lui donner à manger en même temps qu'au chien que Piotr, le simplet, venait d'adopter.

— Tu peux pas me dire ton nom ?

Aucune réaction. Les grands yeux noirs restent vides et ne se fixent sur rien. Le dimanche, Maria ne réussit pas à l'emmener à la messe ; la pauvresse ne quitte jamais sa place sur la paillasse du chien. Elle refuse de se laver et de se dévêtir devant la vieille femme et a toujours ce réflexe de mettre les mains sur sa poitrine, un geste de défense.

— Eh bien, moi, je t'appellerai Anna, Anna Brancsky.

— Qu'est-ce que tu t'embarrasses de ça ? demande Andréa à Maria.

— C'est mon affaire !

Un jour, Piotr, le fils de Maria, qui était saoul, a voulu abuser d'elle. Elle s'est débattue et l'a mordu au sang. Depuis, Piotr et les autres hommes gardent leur distance, d'ailleurs, elle est sale et sent mauvais.

Une année entière passe. C'est finalement court quand on mange à sa faim et qu'on a du charbon pour se chauffer. Anna se terre toujours dans le coin de la cabane, près du chien. Maria lui parle longuement, lui raconte sa vie, son errance dans une Pologne ruinée par la guerre, sa famille détruite.

— Ils m'ont tout pris, ceux-là. Je demande à Dieu de me donner un jour la force de leur pardonner, mais j'ai encore en moi trop de haine...

À force de patience, de jour en jour, Maria apprivoise Anna et réussit à lui faire oublier cette peur instinctive des autres.

— Comme tu as dû être battue pour en arriver là, pauvre Anna ! La misère n'est pas toute du même côté.

Maintenant Anna profite des après-midi où Maria et Piotr sont à la mine pour se laver et changer ses vêtements souillés. Elle trouve la force de faire la lessive et d'aller chercher seule l'eau au puits. Les enfants, qui lui crient des insanités en polonais, ne la terrorisent plus.

— Bon, tu es muette, mais je sais que tu m'entends, je le vois dans tes yeux qui ont retrouvé un peu de lumière. Au fait, tu sais écrire ?

Non, Anna ne sait pas écrire. Le crayon qu'elle tient dans sa main droite dessine des gribouillis comme un enfant de cinq ans.

— Ça n'a pas d'importance. Bientôt tu pourras trier le charbon aussi bien que les autres.

Une deuxième année passe. La Compagnie des mines a donné des logements aux Polonais. Anna dort seule dans une chambre, Maria et Piotr dans l'autre. L'appartement n'est pas grand, mais ils s'en contentent, eux qui ont supporté deux rudes hivers dans des baraquements de planches. Anna ne travaille toujours pas à la mine, mais elle prépare les repas des mineurs, leurs casse-croûte, avec application, en répétant exactement les gestes que Maria lui a appris.

Le miracle s'est produit l'été suivant, en juillet 1948. Piotr, qui a encore trop bu, frappe son chien à coups de pied. L'animal se roule sur le sol et gémit. Le visage d'Anna s'anime et tout à coup elle crie en polonais :

— Mais tu vas le laisser tranquille !

Le simplet n'en croit pas ses oreilles. Il court chercher sa mère. Un grand sourire anime les rides de Maria.

— Qu'est-ce qu'il me dit, Piotr, tu parles ?

Anna sourit. C'est la première fois, son visage en est transformé.

— Un éclair s'est fait dans ma tête, et les mots sont venus sur ma langue.

— Comme je suis heureuse ! dit Maria. Tu ne peux pas savoir comme je suis heureuse. Et puis tu parles le polonais, tu es donc polonaise, comme nous ! Dis-moi qui tu es ? Et cette bague que tu portes, tu es donc mariée ?

Anna baisse la tête.

— J'ai retrouvé les mots, mais ils ne me serviront pas à grand-chose. Je me souviens de ma vie ici depuis le jour où je t'ai suivie, mais, avant, c'est la nuit, une grande nuit glacée...

— Il faut de la patience. Tout reviendra.

— Je sais aussi parler le français, mais je ne sais pas où je l'ai appris. Et puis je connais la couture.

— Beaucoup de Polonaises savent parler le français et cousent les vêtements de la famille ! conclut la vieille Maria, qui sort annoncer la bonne nouvelle aux autres.

Cinq années se sont écoulées depuis l'arrivée d'Anna à Saint-Étienne. La Compagnie a laissé aux Polonais un terrain où ils cultivent leur potager, et, même si les légumes ne poussent pas bien, ils arrivent à force de travail à arracher à cette terre gorgée de charbon de quoi faire une soupe quotidienne, quelques pommes de terre et du trèfle pour nourrir leurs lapins. Anna habite toujours avec Maria et travaille au triage du charbon. L'ingénieur ne veut pas laisser descendre Piotr au fond, mais il l'emploie à pousser les chariots : le simplet a la force d'un cheval. Désormais, Anna n'a qu'à élever la voix pour qu'il se fasse tout petit et demande pardon.

Mais tous n'ont pas peur d'elle. Nicolaï ne se contente pas de lui faire des avances. Parfois, quand il a bu, ses lourdes mains se posent sur l'épaule d'Anna, qui fuit et s'enferme à double tour chez elle.

— Tu n'as pas d'homme, tu vis seule, lui dit Maria. Je ne comprends pas. À ton âge, on ne reste pas ainsi.

Chaque fois, le regard d'Anna se voile. Elle ne sait rien de son passé, mais elle en garde quand même la douleur, le poids, comme un fagot d'épines. Le sens de la croix gammée tatouée à la naissance de ses seins ne lui échappe pas, mais dans quelles circonstances cette marque d'infamie lui a-t-elle été infligée ? Par quel instinct profond et salvateur a-t-elle réussi à la cacher à Maria pendant ces années sombres ?

— Je me sens une très vieille femme, dit-elle. Ne parlons plus de cela.

Maria, avec la discrétion des gens bons, n'insiste pas, mais comprend bien qu'un terrible secret se cache dans la nuit de sa protégée.

— Je ne suis même pas certaine que tu sois polonaise !

Anna rit.

— Et qu'est-ce que tu veux que je sois ? Française ?

— Tu ne parles pas le français comme une Polonaise.

Cette remarque déplaît à Anna, qui se sent alors exclue de cette communauté où elle peut vivre sans être constamment montrée du doigt. Ici, tous reconnaissent son habileté et son opiniâtreté. Elle a appris à lire en quelques mois, le soir, après le travail à la mine. Au-delà du Clapier, elle n'est qu'une étrangère, et les Stéphanois n'aiment pas les Polonais. Anna connaît bien ces regards tournés vers elle, comme un reproche, comme le refus de sa présence. Des bagarres éclatent souvent au bistrot, dans la rue, à la sortie de la mine : les Polonais sont accusés de faire baisser les salaires en acceptant de travailler à des tarifs inférieurs aux autres.

Même les enfants s'en mêlent. Combien de fois Anna a-t-elle fui devant les jets de pierres des petits écoliers qui lui criaient : « Polonaise, naise, paille au cul, cul, cul, Polonaise, naise, naise, j' te chie d'sus, sus, sus ! »

Anna est cassée en deux par un accès de toux. Cela lui arrive parfois, la poussière qu'elle respire à longueur de journée, les courants d'air, le froid de cette ville ne lui conviennent pas. Maria le sait bien et lui prépare une tisane à base d'herbes rapportées de Pologne qui guérissent tous les maux, mais la tisane reste sans effet.

— J'ai du feu dans la poitrine ! dit Anna.

Chaque dimanche après-midi, la jeunesse défile chez elle pour ajuster des vêtements, et ce travail lui plaît. Pendant que ses mains cousent, sa tête oublie les questions sans réponse qui la harcèlent : le vague souvenir de deux morts, un vieil homme austère et son fils... Ces deux visages sont apparus dans son esprit, mais elle ne saurait leur donner un nom ni même savoir la place qu'ils ont occupée dans sa vie.

— C'est comme de la neige qui recouvre la campagne silencieuse ! dit-elle à Maria. Les détails sont dessous, mais tu ne les vois pas.

Les jours de congé se passent tous de la même manière. Le matin, tout le monde va à l'église voisine où officie un prêtre polonais. Après la messe, les hommes restent au bistrot pendant que les femmes préparent le repas. Ils reviennent vers une heure, certains trébuchent déjà. En début d'après-midi, les plus courageux travaillent à leur jardin si la saison le permet, puis vont dépenser les sous qui leur restent en ville où ils se battent contre des Espagnols, les « prifatiers », des Italiens, joueurs de couteau, et, surtout, anciens alliés des Allemands. Les plus jeunes préfèrent provoquer les Français. Les batailles de rue se terminent souvent au commissariat de police.

Les fêtes sont nombreuses, tout anniversaire ou saint polonais devient l'occasion d'un banquet. Andréa prend son accordéon et la communauté se met à chanter et à danser, à évoquer le pays. Anna n'aime pas ces soirées où la vodka rend les hommes téméraires, mais ils savent qu'elle n'hésite pas à se servir de ses ongles et de ses dents et la respectent.

La toux, qui la réveille souvent, la nuit, au bord de l'étouffement, la poitrine en feu, reste sa principale préoccupation. Elle ne pourra en guérir qu'en s'éloignant des tapis de triage du charbon. Aussi, un soir, décide-t-elle de dévoiler son projet à Maria.

— Je ne peux pas rester ici. Le charbon, c'est trop dur pour ma poitrine. Je vais partir dans le centre ville où l'air est meilleur. Je vais ouvrir une boutique de couture. Tu vas venir avec moi. Pour toi aussi, cet air est malsain.

La vieille lève au ciel ses mains noueuses, puis elle s'assied.

— Tu sais bien que ma tête ne peut pas réfléchir quand je suis debout !

Elle se gratte le front. Maria aussi a envie de quitter les immeubles gris de la Compagnie, de retrouver la vie qu'elle a connue autrefois à Varsovie, avant cette guerre qui l'a laissée seule et sans argent.

— Tu sais, ceux d'ici ne sont pas de ma région. Mais ils m'ont quand même gardée avec Piotr, ils ne m'ont pas posé de questions, et quand, à la frontière, une bande de voyous s'en est pris à Piotr, ils l'ont défendu. Et puis cinq années c'est long. On finit par s'habituer aux gens.

— Moi aussi, je suis bien ici, mais l'air ne me va pas. Je serai morte dans deux ans si je reste à la mine.

Elle serre les lèvres. La seule pensée qu'elle pourrait mourir sans avoir retrouvé son passé, sans être redevenue elle-même lui est intolérable.

— Ensuite, continue Maria, je ne peux pas laisser Piotr.

— J'y ai pensé, répond Anna. Ne crois pas que je te parle ainsi d'une histoire en l'air, au contraire, je réfléchis à ça depuis un an déjà, mais je ne pouvais rien faire tant que je n'avais pas un peu d'argent.

— Alors ?

— Alors, il viendra avec nous. Il pourra continuer à la mine. Toi, tu arrêteras, c'est trop difficile. Regarde les autres, ils sont heureux, ici. Ils ont déjà oublié leur pays. Ils vivent entre eux, comme en Pologne, et ne demandent rien de plus. Toi et moi sommes différentes. Toi, tu veux revenir chez toi, à Varsovie, moi, je cherche mon chemin.

Le regard de la vieille s'illumine puis s'assombrit. Elle devait être très belle dans sa jeunesse.

— Tu as les mains trop fines pour continuer de les salir avec le charbon ! poursuit Anna.

Maria soupire. Piotr, qui vient d'entrer, s'assoit près de la table et regarde les deux femmes de ses yeux vides. Il sourit niaisement à Anna.

— Piotr, laisse-nous. Va te promener, ce n'est pas l'heure de manger ! ordonne Maria, et le géant sort sans un mot.

Anna passe dans sa chambre et revient avec une petite boîte qu'elle ouvre devant la vieille.

— Regarde... Un franc par-ci, un franc par-là, ça fait assez pour louer un petit atelier de couture dans le centre ville et acheter une machine à coudre d'occasion. Nos amis continueront de me faire confiance pour les habiller...

— Tu peux faire ça sans moi. Je ne t'en voudrai pas. Tu viendras me voir souvent.

Anna se tait un moment, réfléchit et insiste :

— Non, il faut que tu viennes avec moi. Ici, tu ne gagneras jamais assez pour revenir dans ton pays et y retrouver ta place.

— Ma place, fait la vieille, je ne la retrouverai jamais. La guerre, c'est terrible, tu sais. On reconstruit les maisons, mais on ne rend pas la vie aux morts...

— Écoute, j'ai trouvé un local à louer qui fera un bon atelier. J'ai vu le propriétaire. Il ne reste plus qu'à se décider. C'est dans une rue avec beaucoup de commerces ; chaque jour, les ouvriers de Manufrance passent sur le trottoir. On fera un peu de mercerie, tu verras, je travaillerai dur et tu pourras rentrer chez toi. Je te dois ça !

— Range cet argent, dit Maria. Ne le montre surtout pas à Piotr. Il le volerait pour aller boire.

Anna emporte la petite boîte dans sa chambre. Elle a tant attendu ce moment que la réserve, le peu d'enthousiasme de Maria la mettent de mauvaise humeur. Sa décision est prise :

— Je vais louer ce local ! dit-elle d'une voix ferme.

2.

Pascal Massenet appuie sur les pédales de son vélo. Cette côte, à l'endroit où la route s'éloigne de la Brès, avant d'arriver à Saint-Nicolas, il la connaît pour l'avoir montée tant de fois pendant son enfance ! Le raidillon, juste avant la poste, grimpe comme un véritable mur, mais Pascal ne veut pas poser pied à terre...

Les quatre années passées chez les jésuites n'ont pas changé son caractère et sa détermination. Il a seulement appris à dissimuler un peu plus ses sentiments ou ses projets. La discipline était dure dans cet austère bâtiment aux couloirs sans fin, aux pièces nues et froides. Les frères éducateurs n'étaient pas avares de punitions, mais Pascal s'en est assez bien tiré : bon élève, il a obtenu la mention bien à ses deux bacs.

Depuis qu'il travaille à la banque Lebrun, à Brive, le jeune homme revient de temps en temps à Saint-Nicolas embrasser Marcel et Jeanine, les seuls rescapés de l'antique maison.

Madame Hortense a voulu réhabiliter l'honneur de la famille. Aidée par Ernest, elle a obtenu une réparation devant le tribunal chargé de régler les affaires de la guerre. Faute de témoins, faute de preuves, le juge a conclu que monsieur Janvier et Antoine, malgré leur sympathie pour le régime de Vichy, n'étaient pas des collaborateurs actifs, pourtant, les assassins courent toujours. Virginie aussi a été innocentée. Lors de son jugement, Charles Suquet a précisé qu'il n'avait jamais eu la moindre relation avec la jeune femme. Il a même ajouté : « Ce n'était pas l'envie qui m'en manquait, mais elle a toujours résisté à mes avances. »

Les réhabilitations ne sont que des mots sur du papier et dans les journaux. À Saint-Nicolas-sur-Brès, personne n'a oublié les événements, et la Veyrière reste un lieu maudit. Paul Vacquier, le maître valet, ne l'a pas supporté et a préféré s'en aller plutôt que d'être constamment montré du doigt. Madame Hortense en est morte quelques mois après le procès, en 1949.

À la Veyrière, tout a bien changé. Ce n'est plus une grosse ferme comme autrefois, avec ses poules dans la cour, les canards au bord de l'étang, mais une demeure bourgeoise entourée d'une pelouse, d'un parc d'agrément qu'entretient Marcel, employé par le nouveau propriétaire. L'homme est toujours aussi maigre, sa grande bouche découvre ses dents plates, jaunies par le tabac. Son regard reste franc, net sous le béret qu'il soulève pour saluer Pascal.

— Tiens, monsieur Pascal qui s'ennuie de la Veyrière.

Il lui tend sa main râpeuse.

— Ne m'appelle plus monsieur. Je suis moins riche que toi.

— Pour moi, vous serez toujours monsieur Pascal.

Ils bavardent un moment. Le soleil est chaud en ce mois d'avril. Un geai passe en portant une grosse brindille de bois pour son nid. Jeanine sort. Ses cheveux blancs auréolent son visage à la peau très claire. Elle sourit de ce sourire gracieux propre aux gens généreux.

— Notre Pascal ! dit-elle en embrassant le jeune homme. Quel plaisir de vous voir ici.

Autour de la maison des maîtres, des massifs de fleurs ont remplacé les pommiers et les noyers. Les dépendances ont été rasées. Seules les écuries, transformées en garage, ont été conservées.

— J'ai toujours le cœur qui saigne quand je viens ici, dit Pascal ! Si vous n'étiez pas restés, je ne mettrais plus jamais les pieds à la Veyrière.

— Ernest n'est pas un homme sérieux ! enchaîne Marcel. Vous verrez qu'il vendra aussi la minoterie de Laroche maintenant que le père Gabriel est mort.

Pascal sait tout cela. Depuis la mort de son beau-père, Ernest peut enfin vivre à sa guise et satisfaire ses vices ; le travail ne l'a jamais beaucoup intéressé.

— Je voudrais ne plus jamais le voir ! dit Pascal en baissant le ton.

— Vous rachèterez, un jour, dit Jeanine. La Veyrière se vendra puisque le propriétaire ne vient pas deux fois par an !

Pascal secoue la tête.

— Je ne crois pas. Trop de mauvais souvenirs s'y rattachent. Et vous croyez qu'un Massenet peut revenir à Saint-Nicolas, après ce qui s'est passé ?

— Les gens ont la mémoire courte !

— Les gens peut-être, moi pas.

Il a parlé de cette voix tranchante qui montre un caractère déterminé et fort.

Ils entrent dans la petite maison que Marcel et Jeanine occupaient déjà au temps de monsieur Janvier et qu'ils ont pu acheter lors de la vente du domaine.

— Vous nous restez quelques jours ? demande Marcel.

— Jusqu'à dimanche ! répond Pascal.

Ici, il se sent chez lui, avec des gens qui l'aiment. Jeanine et Marcel sont sa véritable famille. Depuis que la Veyrière est vendue, Ernest se désintéresse de ses neveux. L'argent a servi à combler ses dettes les plus pressantes et il n'est rien resté aux héritiers, placés l'un et l'autre dans des écoles gratuites.

— Dire que j'ai été ici un enfant heureux !

Le visage de Marcel s'assombrit, ses yeux se plissent, il avale sa salive et ajoute d'une voix cassée :

— Si notre pauvre Léon était là, la belle paire que vous feriez !

Léon, c'était leur fils né la même année que Pascal. Les deux enfants jouaient ensemble dans la grande cour de la Veyrière. À huit ans, Léon est mort d'une méningite foudroyante. Les cheveux de Jeanine ont blanchi en une nuit, le dos de Marcel s'est voûté et ils ont continué leur travail sans plus jamais parler du drame.

Ils sont fiers d'avoir pu acheter cette petite maison. Le nouveau propriétaire a bien tenté de récupérer ce modeste bien à cause des deux mille mètres carrés de terrain qui font une enclave dans son parc, mais Marcel a refusé les offres les plus intéressantes.

— Qu'est-ce que je ferais de cet argent ?

— Tu pourrais acheter une maison plus grande.

— Les souvenirs ne se déménagent pas ! dit Marcel.

Pascal évite d'aller au village où les regards lourds des gens le gênent. Il se cache à la Veyrière et passe ses journées avec Marcel. Tous deux arpentent le grand domaine de ses ancêtres, chassent, braconnent un peu, cultivent le potager. Jeanine, qui connaît les goûts du jeune homme, prépare les plats qu'il aime, et le temps passe très vite.

Ils échangent les nouvelles qu'ils ont de Jacques, demeuré, lui aussi, très attaché aux anciens domestiques.

— Aux enfants de troupe, la discipline est dure, mais je pense qu'il s'en tire bien, dit Jeanine.

— Il est assez bon élève ! ajoute Marcel.

Pascal et Jacques ne se voient pas souvent. Enfermé à l'école militaire de Tulle, Jacques préfère rester à la caserne plutôt que d'aller à Laroche, où Camille ne le supporte pas.

— C'est pourtant pas un mauvais garçon ! précise Jeanine. Moi, j'en ai toujours fait ce que j'ai voulu. Seulement, monsieur Ernest a commencé à le buter.

— Il faut reconnaître aussi que tante Camille est toujours de mauvaise humeur. Et s'il n'y avait qu'elle dans cette maison, mais il faut aussi compter sur sa mère et sa bigote de sœur ! Que de sinistres journées j'y ai passées !

Le dimanche après-midi, avant de rentrer chez lui, à Brive, Pascal doit, justement, se rendre chez son oncle, car il ne peut rien décider sans son autorisation. C'est toujours une corvée pour le jeune homme, mineur à vingt ans, d'aller faire signer ses papiers à son tuteur. Il le ressent comme une humiliation et a hâte de couper définitivement ce lien qui lui pèse tant.

À la minoterie de Laroche, les bonnes années sont bien finies. Depuis la mort du vieux Gabriel, qui tenait l'affaire d'une poigne de fer, rien ne va plus. Ernest est presque toujours absent, et les ouvriers sans chef prennent leur temps. Les commandes n'arrivent plus, et personne, surtout pas Ernest, ne s'en préoccupe. Camille n'a pas hérité de l'autorité de son père et les frasques de son mari l'ont rendue invivable. Elle s'en prend à tout le monde, vexe les meilleurs ouvriers, qui vont travailler ailleurs, et les clients, qui ne reviennent pas.

En ce début d'après-midi, le soleil est voilé par un léger tissu de nuages. Un peu de vent serpente au ras du sol. Ce matin, Marcel a dit qu'il pleuvrait avant la nuit.

Pascal se laisse emporter par la descente qui conduit à la rivière et à la minoterie de Laroche. Les portes du grand bâtiment sont fermées. La voiture de l'oncle n'est pas là, la visite sera brève. Pascal pose son vélo. Le chien, qui le reconnaît, vient lui faire la fête. Le jeune homme frappe et entre.

Au salon, Camille s'occupe à broder, assise en face de sa mère et de la tante Valentine. Dans la cuisine, une bonne fait la vaisselle.

— Ah, c'est toi ! dit Camille en se tournant.

Avec les années, sa laideur s'est accrue : ses incisives de cheval ont jauni, son cou démesuré s'est fripé d'une peau de reptile... En la voyant, le jeune homme pense à la beauté de sa mère, à ses grands yeux noirs pailletés d'or, à ses cheveux abondants qu'elle attachait en un chignon plein de fantaisie.

Pascal embrasse les trois femmes et sort de son sac le papier à signer.

— Mon oncle est-il là ?

Camille plante son aiguille dans le tissu puis lève la tête vers le jeune homme.

— À cette heure, un dimanche après-midi ? Voyons, tu plaisantes !

Elle examine son ouvrage puis ajoute :

— Tu sais où le trouver...

Oui, il sait. Ce n'est pas la première fois qu'il va dans cette maison de Saint-Léger où vivent une femme et ses deux filles. Ernest y a ses habitudes et l'argent file entre ses doigts potelés.

Pascal embrasse de nouveau les trois femmes.

— Tu ne veux rien boire ?

— Non, merci. Il faut que je rentre vite à Brive.

Il s'en va, soulagé de quitter cette vallée, ces grands bâtiments déserts et surtout sa tante. Quelques nuages pressés passent d'une colline à l'autre, le coucou chante.

Saint-Léger est un petit village aux maisons frileuses serrées près des ruines d'un ancien château fort. Sur la place devant l'église, des enfants jouent aux billes, un chien aboie. Pascal traverse le bourg puis emprunte un chemin au bout duquel se trouve un bâtiment cossu aux volets bleus à côté d'un hangar qui était autrefois une forge. Maurice Reguet, dont on vantait la force et l'opiniâtreté, travaillait là du matin au soir. Un jour, on l'a trouvé mort près de son enclume. Les médecins ont dit que c'était une crise cardiaque, les mauvaises langues ont ajouté qu'on l'avait peut-être aidé à mourir. Il laissait dans le besoin sa femme, Lucie, et ses deux filles, Jacqueline et Rosalie. Pour survivre, Lucie faisait des ménages, des lessives, du repassage, dans les deux maisons bourgeoises du bourg, puis Ernest se mit à la fréquenter assidûment et la belle veuve arrêta alors ses petits travaux...

Pascal frappe à la grande porte. Une jeune fille d'une vingtaine d'années vient ouvrir. Rosalie est blonde, pulpeuse. Son visage a du charme malgré des traits un peu vulgaires.

— Mais c'est notre petit Pascal qui vient voir son cher tonton ! Entre.

Il suit un couloir, arrive dans une pièce assez vaste. Ernest est assis à table en compagnie de Lucie et de Jacqueline, une jeune fille brune aux cheveux courts et au regard de braise.

— Tiens, le jouvenceau ! fait Lucie. Assieds-toi, tu vas bien boire quelque chose avec nous !

— Non, je n'ai pas le temps. Mon oncle, je vous apporte ce papier à signer.

Ernest a changé depuis la fin de la guerre. Il s'est encore épaissi et à sa figure trop large pendent des joues flasques. Ses yeux de crapaud regardent Pascal sous les épais verres des lunettes.

— Signer ! fait-il d'une voix rauque. Toujours signer, mais quand me laisseras-tu en paix ?

— Je ne demande que ça, mon oncle !

Pascal a parlé d'une voix cassante, son regard s'est allumé d'une lueur froide.

— Voyons, Ernest, dit Lucie, tu ne vas pas faire ta tête de lard, il est gentil, ce garçon, et même beau ! Je parie qu'il est encore puceau...

Ernest prend le papier qu'il signe sans le lire.

— Maintenant, va-t'en.

Pascal sort dans le couloir. Rosalie l'accompagne jusqu'à la porte.

— Tu ne veux vraiment pas boire quelque chose ? Un jour, quand ton oncle ne sera pas là, je serai bien heureuse de bavarder avec toi !

— On verra ! dit-il en s'éloignant.

De temps en temps, Pascal rend visite à sa grand-mère chiffon, à Brive. Josette est de plus en plus menue ; elle trotte dans son petit appartement et va de sa chambre à la cuisine tandis que sa voix de poupée égrène les mots. Avec les années, elle est devenue bigote et passe de longues heures à prier. Elle en a voulu à son petit-fils de ne pas habiter chez elle quand il est entré à la banque Lebrun, qui se trouve à côté : « Il est trop orgueilleux pour habiter chez une ouvrière. Le sang Massenet n'est pas perdu ! » dit-elle avec rancœur.

Pourtant, la vente de la Veyrière les a rapprochés, même si les plaintes incessantes de Josette agacent le jeune homme. Ils ne parlent jamais de Virginie. Ce sujet est soigneusement évité, la page du passé est tournée, même s'ils y pensent. Josette prie tous les jours pour le repos de l'âme de sa fille, dont le corps n'a jamais été retrouvé. Parfois, elle se dit que Virginie n'est pas morte, qu'elle a été déportée en Russie ou plus loin encore, elle reviendra, c'est sûr...

Maintenant que Pascal est un homme avec une belle moustache noire bien fournie, la vieille femme voudrait aborder le sujet avec lui, mais pour dire quoi ? Cette espérance ridicule ne mérite pas de réveiller les vieilles douleurs.

3.

L'été est arrivé. Saint-Étienne étouffe dans une chaleur lourde. La poussière de charbon brûle les poumons. Depuis plusieurs jours, aucune brise n'a renouvelé l'air, un brouillard gris écrase les maisons. En arrivant sur les collines de Saint-Genest-Lerpt, le voyageur aperçoit cette boule sombre, ce couvercle épais qui enferme la ville minière. Pourtant, quand il faut gagner son pain, on n'y fait pas attention.

Depuis deux mois, Anna s'est installée dans le local loué rue Jean-Claude-Tissot, proche du quartier où s'élèvent les hôtels particuliers des industriels, propriétaires miniers, fabricants passementiers. Le travail tant espéré ne vient pas. Seuls les Polonais, quelques Italiens lui apportent un ourlet à faire, une robe à agrandir ; les gens riches, les employés de Manufrance passent devant sa boutique mais ne rentrent pas : une Polonaise installée à la place d'une Française, c'est une provocation impardonnable !

Maria a finalement accepté de la suivre. « Tu es ma seule famille ! » a-t-elle dit en rangeant dans un sac ses quelques affaires. Piotr, qui a laissé son chien au Clapier, part tous les matins à la mine et rentre le soir, mais il s'ennuie le dimanche, seul, loin des bistrots de ses concitoyens. Il ressent chaque regard des passants comme un reproche à son état de Polonais. Alors, il se terre dans le petit appartement au-dessus de l'atelier et devient irritable.

— Moi, mon rêve, dit Maria, c'est de retourner à Varsovie, revoir mon frère, ma jeune sœur et toute leur famille. Je ne reverrai pas mon Yann, ils l'ont tué, ainsi que ma fille, qui était la plus belle de toute la ville.

Quand elle évoque ainsi le passé, Maria s'assoit et reste longtemps le regard perdu dans le vague. Les larmes remplissent les rides de son visage de porcelaine brisée.

— Tu ne peux pas savoir le mal qu'ils ont fait dans mon pays, non, tu ne peux pas savoir !

Alors, Anna insiste :

— Je te promets que tu reviendras chez toi. L'argent qu'on va gagner ici sera pour ça.

— On ne gagnera jamais rien tant que tu me garderas près de toi. Il faut que tu leur dises que tu es française. Tu parles sans le moindre accent...

— Arrête, tu me fais de la peine.

Anna a parlé sans conviction. La nuit est toujours aussi épaisse dans son esprit. Elle ne sait toujours pas qui sont ces deux morts allongés sur le même lit, mais la certitude qu'elle est française s'est imposée petit à petit. Un soir, dans un éclair, elle a vu une rue en pente, un porche, une entrée... Elle a parcouru Saint-Étienne dans tous les sens, mais les rues se ressemblent et ce souvenir fugitif n'a fait qu'accroître son indécision.

Ici, les gens ne l'acceptent pas. M. Hermont, le fabricant passementier, qui lui a loué le local et le petit appartement au-dessus s'est fait prendre à partie par le père Logure, le boucher.

— Vous croyez pas qu'on en a assez de ces étrangers, qu'il vaudrait mieux les laisser dans leurs baraquements ? Bientôt, ils nous délogeront de chez nous !

Hermont est un homme de forte taille ; il a le visage sanguin, le regard et le sourire généreux. Ses épais sourcils gris se soulèvent et il dit en se moquant :

— Une Polonaise qui parle le français mieux que vous, mon pauvre Logure !

L'autre prend la mouche :

— Vous préférez peut-être faire travailler des étrangers, ça vous rapporte plus que les Français !

— Justement, vous feriez mieux de la faire travailler un peu, sinon, vous ne lui vendrez pas de viande.

Les commerçants de la rue l'ignorent. Ils passent devant sa boutique en baissant la tête et préfèrent traverser une partie de la ville pour confier leurs vêtements à d'autres couturières.

Seule la grosse Mauricette Laloue, la boulangère, lui parle gentiment. Cette femme de caractère a une figure large et rouge, des yeux noirs ardents, des lèvres épaisses. Elle mène son monde à la baguette et ne veut surtout pas voir dans la boutique sa fille, qu'elle accuse de faire fuir les clients.

— Elle a fait un bâtard avec un Italien ! déclare-t-elle, horrifiée.

Son fils, Georges, fait le pain. Une tache de vin d'une couleur violacée couvre sa joue droite, de la tempe au menton. Il a une trentaine d'années et son anomalie disgracieuse le condamne à rester seul, caché dans son fournil. C'est cette solitude, cette détresse de ne pas être comme les autres, de savoir que tous les regards se posent sur sa tache qu'Anna a lues dans ses yeux dès leur première rencontre. Depuis, elle lui dit un mot gentil chaque fois qu'elle le croise. Un soir, il est entré dans la boutique, a salué timidement Anna, en tournant la tête de manière à cacher son côté droit, comme il le fait toujours pour parler aux gens.

— Voilà, dit-il, ma sœur va se marier et je voudrais que vous me fassiez un costume.

— Votre sœur se marie ? Mais c'est une bonne nouvelle !

— Pas vraiment. Elle épouse un veuf de cinquante-deux ans qui travaille à Manufrance. Mais quand on a un enfant, on peut pas faire la difficile. Pour le costume...

Anna s'en veut de ne pouvoir s'empêcher de porter son regard sur sa tache de vin, mais elle ne voit que ça.

— Vous n'avez pas peur qu'on vous montre du doigt, avec un costume fabriqué par une Polonaise ?

Georges baisse les yeux et dit doucement :

— Vous savez, j'ai l'habitude qu'on me montre du doigt.

— Eh bien, je vais vous faire un costume dont tout le monde sera jaloux ! ajoute Anna avec une pointe de défi. Faut d'abord choisir le tissu et la couleur.

— Je vous fais confiance, dit l'homme.

Anna lui montre des échantillons de tissu, trie jusqu'à s'arrêter sur un bleu marine.

— Celui-ci vous irait très bien...

— Eh bien, d'accord !

Elle prend les mesures du boulanger et ajoute en souriant :

— Faudra venir l'essayer à la fin de la semaine avec les chaussures qui vont avec.

Anna se met aussitôt au travail, confectionne le patron et mesure la quantité de tissu nécessaire. Elle doit réussir ce travail au plus juste prix. Cette commande vient à point. Elle n'a plus de quoi payer son loyer à la fin du mois et sait bien ce qui l'attend : le retour à la mine et la cité polonaise du Clapier.

Le costume est prêt à temps. Mauricette Laloue traverse la rue de son pas d'oie pour féliciter Anna.

— Franchement, le tailleur de la rue Littré n'aurait pas fait mieux et se serait fait payer plus du double.

— Vous pouvez le dire autour de vous, que je travaille bien.

— Mais je le dirai, soyez-en sûre !

Quelques clients arrivent enfin, mais ne lui commandent que des petits travaux qu'elle fait payer très peu, et cela ne suffit pas. À la fin du mois d'août, elle est obligée d'aller trouver M. Hermont.

— Voilà, dit-elle, je ne peux pas vous payer complètement. Faut me faire crédit.

M. Hermont travaille dans une minuscule pièce aménagée à l'étage de son immense entrepôt où s'affairent des employés au milieu de caisses de rubans, de bobines de soie, de tissus divers. Il se dresse, énorme, dans ce qui ressemble plus à un placard qu'au bureau du puissant commerçant qu'il est.

— Et vous croyez que si je vous fais crédit ça va s'arranger par l'opération du Saint-Esprit ?

Il n'a pas son chapeau et son crâne chauve transforme son visage rouge en agrandissant son front. Ses joues semblent moins larges. Il consulte l'heure à sa montre-gousset, soupire.

— Vous, les petits artisans, vous voulez toujours plus que vous ne pouvez avoir.

— Mais je sais travailler. J'ai fait le costume de Georges Laloue. Sa mère est venue me complimenter. Mais les gens ne veulent pas me faire travailler parce que je suis polonaise.

Hermont s'assoit de nouveau, lève ses gros yeux sans méchanceté sur la femme, qui baisse la tête, comme coupable de sa pauvreté.

— Je le sais. La boulangère ne parle que de ça. Mais quelque chose m'échappe. Des Polonais, j'en ai assez vu, généralement, ils ont la tête dure, et au bout de dix ans ici ils n'arrivent pas à baragouiner notre langue. Or, vous, vous parlez mieux que beaucoup de Français. Et puis vous n'avez pas l'accent stéphanois.

Plusieurs personnes ont déjà fait cette remarque à Anna et cette absence d'accent local ne fait qu'épaissir son mystère. Hermont pose ses larges mains sur son bureau envahi par une montagne de factures, de bons de livraisons, de commandes.

— Vous avez un secret, j'en suis certain. Moi, rien ne m'échappe, et j'ai remarqué votre léger accent du Sud-Ouest. Donc vous êtes française, alors pourquoi gardez-vous cette vieille et son fils idiot ? Tout ceci vous porte tort.

— Parce que cette vieille m'a sauvée.

— Ah bon ! Moi je vais vous dire ce qu'il faut faire pour avoir des clients. À Saint-Étienne, les étrangers sont notre fléau nécessaire, mais on veut rester entre nous. Dites que vous êtes française et que ces deux retournent au Clapier d'où ils n'auraient jamais dû partir. Et vous verrez qu'on se bousculera dans votre boutique. Sinon, allez vous installer à La Garenne, aux Sagnes ou aux Brunandières. Ici, dans le centre ville, vous ne réussirez jamais !

M. Hermont, qui est un homme de cœur, accepte de repousser l'échéance d'un mois. Anna sait qu'il a raison, qu'aucun miracle ne se produira. Elle rentre chez elle avec l'envie de tout arrêter...

Non, elle ne retournera pas au Clapier vivre avec ces Polonais grossiers dont elle se sent de plus en plus différente. Elle se plaît ici, au milieu des Français, même s'ils la rejettent. Parfois, l'après-midi, Georges Laloue lui rend visite. C'est un homme timide qui ne se sent bien que près de son pétrin où personne ne peut voir son odieuse et injuste tache. Avec les jours, il a pris confiance en Anna et lui confie son amertume.

— Moi, j'étais marqué par l'infamie dès la naissance. Les taches de vin sont celles du diable, pourtant je n'ai jamais fait de mal à personne.

Anna veut le rassurer.

— Mais, Georges, quand on a l'habitude, on ne la voit pas ! Ce qu'on retient de vous, c'est votre gentillesse, votre bonté.

— Je suis le brave garçon qu'on ne touche pas parce qu'on a peur de se salir. Pensez-vous qu'une seule femme au monde voudrait de moi ?

— Bien sûr qu'une femme voudrait de vous. Il suffit de vous faire aimer d'elle et...

— Je suis bien tranquille. Mon père m'avait trouvé une veuve avec trois enfants qui habitait Villebœuf-le-Haut. Elle acceptait de m'épouser à condition que je ne partage pas son lit.

Il a un sourire amer. Anna lui prend la main.

— Vous voyez que moi, je n'ai pas peur de toucher votre peau. Et je ne suis pas la seule...

Alors, Georges lève sur elle ses yeux tristes d'un gris pâle. Il est maigre et brun ; son visage est tout en longueur, avec cette tache indélébile d'une peau épaisse et rugueuse de reptile.

— Vous, vous n'êtes pas comme les autres.

— Peut-être parce que j'ai plus souffert ! dit Anna en soupirant.

Chaque soir, Piotr rentre de la mine de plus en plus tard, souvent ivre. Sa mère a beau lui faire des remontrances, le simplet n'en tient pas compte. Les dimanches, après la messe, il reste désormais au Clapier ou va passer la journée dans un bistrot polonais. Piotr n'est pas un méchant garçon, mais son manque de jugement lui fait suivre n'importe qui et sa force le rend redoutable.

— Il ne faudrait pas qu'il fasse une bêtise ! dit Maria. Je vais demander aux autres de le garder au Clapier.

Mais Piotr ne l'entend pas de cette oreille. Il ne veut pas quitter sa mère et surtout Anna, à qui il voue une authentique vénération. Souvent, le soir, il se place en face d'elle et la regarde, ses grosses mains posées sur la table. Anna pince les lèvres et retient son agacement.

Un soir qu'il a bu, il entre dans sa chambre et se met à genoux près du lit. Anna se dresse, prête à se défendre, mais

Piotr n'a pas le moindre geste agressif. Il pleure, les mains devant sa figure. Alors, elle tente de le consoler.

— Je sais bien que tu m'aimes pas ! dit-il.

— Mais si je t'aime, Piotr, la preuve, tu es venu ici avec ta mère. C'est pour vous avoir tous les deux près de moi que j'ai fait ça.

— Non, tu ne m'aimes pas.

Elle lui caresse les cheveux, lui dit d'aller se coucher, ce qu'il fait. Le lendemain, il n'y pense plus.

Le mois d'octobre est doux, cette année. La pluie nettoie l'air de la poussière de charbon qui forme sur les trottoirs une sorte de boue fine, glissante comme de la graisse. Anna a exécuté quelques travaux qui vont lui permettre de payer son loyer en retard, mais pas celui du mois présent. Piotr dépense au bistrot tout ce qu'il gagne à la mine ; sa mère se fâche.

— Tu vas payer un loyer à Anna puisque tu ne veux pas être sérieux. Il n'y a pas de raison !

Mais Piotr ne paie pas et rentre ivre un soir sur deux. Un jour, Maria se décide.

— Nous allons repartir au Clapier. J'ai fait une demande de logement à l'ingénieur, et ma demande a été acceptée. Je vais reprendre le travail de clapeuse.

Anna ne proteste pas. Elle voudrait garder Maria ici, mais la présence de Piotr l'excède.

— Je viendrai te voir souvent...

C'est tout ce qu'elle trouve à dire, et Maria comprend que la femme perdue qu'elle a sauvée n'a plus besoin d'elle.

— C'est la vie, dit-elle avec amertume. Les gens se rencontrent, s'apportent ce qu'ils doivent s'apporter puis se séparent. On n'y peut rien !

— Non, toi, tu es ma mère ! proteste Anna. Mais je sais que Piotr sera mieux parmi les siens.

Finalement, Maria est heureuse de retourner au Clapier. Anna est une Française, cela ne fait plus aucun doute. La vieille femme l'aime comme on aime ceux que l'on a sauvés, mais Anna n'a pas cet esprit polonais, cette manière simple de comprendre les autres sans un mot, ce regard particulier qui va droit au cœur, et cela manque à la vieille femme.

Il ne lui faut pas longtemps pour entasser ses affaires dans son sac. Quand Piotr comprend qu'Anna ne suit pas, il se met à pleurer comme un petit garçon. Anna veut le consoler et lui prend les mains, même si ce contact lui déplaît. Le simplet demande entre deux sanglots :

— C'est que tu ne nous aimes plus ?

— Bien sûr, Piotr, que je vous aime toujours. Et je monterai vous voir souvent, vous viendrez, vous aussi !

Avec effusion, Piotr embrasse la main d'Anna, qui doit faire un gros effort pour ne pas repousser le simplet.

Quelques jours plus tard, Anna rend visite à M. Hermont. Le gros homme, toujours à l'étroit dans son minuscule bureau envahi par des classeurs et des piles de paperasses, se doute bien de ce qu'elle vient demander.

— Si j'ai bien compris, c'est tous les mois qu'il faut repousser l'échéance. On ne retombera jamais sur nos pieds. Une affaire bien menée ne peut pas rester ainsi !

— Maria et Piotr sont partis...

L'autre se lève vivement, comme il a l'habitude de le faire, se balance d'une jambe sur l'autre et se rassoit.

— Peut-être, peut-être... Mais moi, il faut me payer.

— Jusqu'à présent, je vous ai bien payé !

— En effet, mais avec quel retard !

Il déplace quelques papiers. Anna est excédée. Elle fait tous les travaux qu'on lui propose et même du lavage pour des gens de la rue. Les larmes perlent au coin de ses yeux et roulent sur ses joues.

— Vous, les femmes, reprend Hermont, vous ne savez que pleurer. Bon, je vais encore une fois faire quelque chose, mais c'est la dernière.

Anna est prête à le remercier, mais l'autre tend ses grosses mains potelées.

— Je sais que vous travaillez bien. Allez trouver de ma part mon ami Lefranc à Manufrance. C'est le responsable du rayon des vêtements de chasse, de pêche et de sport. Il sous-traite la fabrication de certains articles. Avec un peu de chance, il aura peut-être quelque chose pour vous !

Le visage d'Anna s'éclaire. Elle veut à nouveau remercier son bienfaiteur qui tend encore ses mains. Une chevalière brille à son auriculaire droit.

— Pas de merci ! C'est parce que vous me devez de l'argent et que je voudrais bien le récupérer un jour...

Le soir même, Anna se rend cours Fauriel. L'imposant bâtiment qui abrite les ateliers de Manufrance construit par Étienne Mimart, le « palais de l'industrie », comme on l'appelle ici, lui plaît par son fronton orgueilleux et sa démesure. Quand elle arrive devant le large escalier qui conduit à un imposant balcon, Anna hésite un moment. Elle voudrait se coiffer, s'assurer que sa robe n'a pas de taches. Elle traverse une vaste cour envahie par des camions et se présente à une entrée. Un homme la reçoit.

— Voilà, dit-elle timidement, je suis couturière, je viens de la part de M. Hermont pour demander à M. Lefranc s'il n'a pas des travaux de couture à me confier...

— Vous dites, M... ?

— M. Lefranc, de la part de M. Hermont.

— Attendez un instant.

L'homme s'éloigne dans le couloir, frappe à une porte, entre dans une pièce. Il revient quelques instants plus tard accompagné d'un petit homme aux cheveux blancs et moustache raide. Son cou maigre ne remplit pas le col blanc amidonné. Il marche avec vivacité, comme mû par des ressorts.

— Lefranc, dit-il en s'approchant. Vous dites que vous vous présentez de la part de mon ami Hermont ?

— Oui, monsieur.

Anna a du mal à imaginer que ces deux hommes puissent être amis, l'un puissant, volubile, sanguin, et l'autre minuscule, blême, recroquevillé sur lui-même.

— Bon, continue-t-il de sa voix sèche. Je ne voudrais pas déplaire à mon vieil Hermont. J'ai un lot de vestes à monter. Elles sont coupées chez un sous-traitant. Je vous en ferai porter un chargement demain. Si je suis content du travail, il y en aura d'autres. Ce n'est pas payé cher, mais si vous êtes habile, ça va vite.

Anna veut remercier, mais l'homme a déjà tourné les talons. En poussant la porte de son bureau, il ajoute :

— Billeau, prenez l'adresse de madame.

Cela n'a pas duré dix minutes. Voilà Anna dans la rue, et, pour la première fois depuis son retour à la vie, elle est presque heureuse.

4.

— Massenet, voilà que vous tournez la tête dans la marche et que vous sortez du rang !

Le sergent Paillet, que les élèves ont surnommé Paille au nez, a crié un « halte » tonitruant. Le groupe en habit bleu s'est arrêté sur le trottoir. Les passants ne se détournent même pas tellement ils sont habitués aux manœuvres des enfants de troupe de Marbot.

— À mon commandement, pied droit en avant.

Paillet est un petit homme très strict, « militaire de la tête aux pieds », dit-il lui-même. La voix cassante, il dirige sa section de première d'une main de fer.

Les pieds droits s'avancent dans un froissement de pantalons et une glissade de semelles.

— Quart de tour, droite !

Telles des marionnettes dans un alignement parfait, les bérets bleu marine tournent de quatre-vingt-dix degrés.

— Massenet ! Vous êtes en retard. Trois jours de corvée de lavabos. Qu'est-ce qui vous prend, aujourd'hui ?

Cette nuit, Jacques Massenet a fait un rêve. Il jouait avec son frère à la Veyrière sous le noyer au tronc creux. Marcel remontait de la Brès où il avait posé des filets. Son grand-père, son père et sa mère étaient là, près de lui, vivants au point d'en oublier un instant la discipline militaire...

Paille au nez hurle :

— À mon commandement, un... deux... un...

La troupe traverse le pont de la Barrière, longe la rivière dans un balancement de bras en parfaite harmonie avec le pas. Gaillard, à côté de Massenet, a perdu la cadence ; Paille au nez crie :

— Gaillard, vous ne saurez jamais danser ! C'est pourtant pas difficile !

Le sergent a lui-même un petit retard sur le « un » qui l'oblige à raccourcir son pas. Cela n'a pas échappé aux élèves des derniers rangs, et des sourires à peine visibles illuminent les visages raides.

L'école militaire n'est rien d'autre qu'une caserne, immense, austère. Dans la cour intérieure des arbres s'ennuient, muselés dans des grilles ; les lourdes portes qui donnent sur la rue sont fermées à clef comme les salles de cours après la corvée de balayage, les dortoirs, le réfectoire, les mess des officiers, les casiers des professeurs...

Le caporal Labit, surnommé Beau Poil, surveille les chambres ; le regard plein de soupçons, cet homme, qui en fin de carrière est fier de contribuer à la formation des futurs cadres de l'armée française, vérifie tout. Pas un détail ne lui échappe et la satisfaction éclaire son visage quand, d'un geste ample, il étale dans l'allée la literie mal pliée.

— Dépêchez-vous, dit-il au malheureux élève qui doit tout recommencer. Il y a une corvée de couloir si vous n'êtes pas à l'heure à l'appel.

Les résultats scolaires de l'élève Massenet sont corrects, mais ses professeurs s'accordent à dire qu'il passe beaucoup trop de temps à rêver, ce qui n'est pas considéré comme une qualité chez un militaire.

— Si vous croyez que c'est en regardant la lune que vous gagnerez la prochaine guerre, Massenet, vous vous trompez !

— J'en ai rien à foutre de la prochaine guerre, murmure-t-il.

— Vous dites ?

— Rien, sergent !

— Je préfère. Attention à vos réflexions !

— Bon, dit Gaillard, j'ai recousu ton bouton, mais, putain, essaie de ne pas froisser ton calot !

C'est pendant la revue hebdomadaire avec le commandant Vacherint que sont annoncées les corvées et distribuées les permissions de sortie en ville.

— Ces sorties, a expliqué le lieutenant Doche au tout début de l'année scolaire, sont réservées aux grands, aux élèves de première et de classe terminale afin de leur apprendre un usage modéré de la liberté, l'autonomie, le sens des décisions. Vous aurez donc chaque dimanche la permission de dix-huit heures. En tenue impeccable, car vous êtes les représentants de l'armée française ! Le moindre faux pli sur le pantalon, le moindre bouton qui flotte dans sa boutonnière et vous restez. Vous voilà avertis !

— Nom de Dieu, mais fais gaffe à ton pantalon, regarde, tu as une tache...

Gaillard court aux lavabos et revient avec un gant de toilette humide pour frotter la tache.

— Dis, questionne Massenet, ça se voit, l'accroc sur le coin de mon calot ?

— Non, ça devrait passer, mais attache tes guêtres correctement.

— Faudrait pas qu'on soit en retard au rancard !

Gaillard s'active, son gant de toilette à la main. Il est plus petit que Massenet mais plus trapu. Quelques poils de barbe que toute la classe lui envie bleuissent son menton.

— T'en fais pas, elles attendront !

— Dans deux minutes dans la cour et en rang ! crie le caporal Labit, qui possède la voix la plus puissante de tout l'encadrement et qu'il fait souvent tonner, car il en est fier.

— On y va ! fait Massenet, fébrile.

Les élèves descendent l'escalier en courant. Dans la cour, la revue s'organise, chacun se met à sa place dans les rangs déterminés par des lignes blanches peintes sur le goudron. Les feuilles rousses tombent mollement du marronnier. Le soleil bas illumine les fenêtres sagement alignées, le mur gris. Tout le personnel de l'école assiste à la revue du samedi, les officiers et les professeurs civils. À huit heures précises, le lieutenant Doche fait un pas en avant du groupe des officiers, eux aussi en ordre, et crie :

— À mon commandement... Garde à vous ! Fixe !

Un seul claquement des deux cents chaussures des bidasses de seconde, première et classe terminale. Le menton dressé, le torse en avant, Gaillard et Massenet ne bronchent pas : un regard mal perçu et la permission saute. Massenet se demande si le pli de son pantalon que Gaillard, plus habile que lui, a rattrapé est bien net. Ce genre de pensée le sauve d'une tentation suicidaire : celle de regarder la moustache hérissée de Labit qui devient alors énorme et d'un ridicule irrésistible.

Le commandant Vacherint arrive enfin, très droit ; ses décorations de guerre accrochent un rayon de soleil pâle. Il salue d'abord les officiers, puis les élèves.

— Repos ! dit-il de cette voix tranquille des hommes puissants.

Les poitrines se dégonflent, la raideur des jambes se relâche dans un bruit de tissu froissé, les mentons s'abaissent.

— Sergent, veuillez procéder à l'appel.

Le sergent commence la litanie des noms. Les élèves répondent par un « présent » neutre, sans défi ni lassitude. Le capitaine à droite du commandant, le lieutenant à gauche suivent les opérations d'un œil attentif.

— Marret.

— Présent.

— Massenet.

— Présent.

— Sortez des rangs.

« Merde, qu'est-ce que j'ai fait encore ? se demande Jacques en faisant un pas sur le côté et se mettant au garde-à-vous. Je suis bon pour une semaine de corvée et je vais rater mon rendez-vous avec Marie ! »

— Repos ! fait le sergent. Massenet, vous avez la réputation d'être un élève rêveur, distrait et peu travailleur...

Le sergent marque une pause et se tourne vers le commandant. « C'est foutu, pense Massenet. Mais merde, qu'est-ce que j'ai fait ? »

— Eh bien, poursuit le sergent en s'adressant au commandant, non seulement Massenet a eu les meilleures notes aux trois compositions d'algèbre du mois écoulé, mais il vient en deuxième position en français, en cinquième en histoire et géographie et prend la première place de sa section au classement général. Un progrès inattendu qui méritait d'être signalé...

Massenet est rouge de confusion. Il s'en veut d'avoir poussé la barre si loin. Pourquoi ne s'est-il pas contenté d'un petit effort, histoire de ne pas risquer d'être privé de sortie ?

— Continuez, Massenet ! s'empresse de dire le commandant.

Quand la revue d'appel est terminée, Gaillard dit :

— Mince, toi, alors, tu nous as bien eus !

Broc, un petit gringalet toujours en train de bouder quand il n'a pas la meilleure note, siffle :

— Eh bien, toi !

Tous les élèves ne parlent que de l'événement : Massenet cité en exemple devant le commandant, c'est si rare !

— Toi, quand tu t'y mets...

Massenet se moque bien des félicitations. Ce qu'il attend avec impatience, c'est la sortie de dimanche après-midi, et il sait bien que la moindre distraction peut être fatale. La semaine dernière il a négligé le pliage du lit au carré et a failli se ramasser une corvée. Gaillard, une fois de plus, l'a sauvé in extremis.

— Arrête de déconner ! Tu vas te retrouver coincé pendant un mois !

Dimanche, en début d'après-midi, enfin, le sergent remet les feuilles des permissions signées par le lieutenant et le commandant. Là aussi, le moindre regard de travers, le moindre bouton mal astiqué, et le sergent déchire la feuille devant la porte de la liberté si rarement ouverte. Mais, cette fois encore, le jeune homme a maîtrisé son impatience et il se retrouve sur le trottoir de Tulle avec son inséparable ami, Gaillard. Là, ils prennent leur revanche sur les brimades de la semaine : l'uniforme militaire plaît aux filles !

Un petit vent frais court le long de la rivière. Le ciel est gris. Les rues sont désertes et les deux garçons marchent d'un pas allègre vers le lieu de rendez-vous. Ils arrivent presque essoufflés devant la cathédrale. Deux jeunes filles les attendent sur le parvis. Gaillard embrasse sans manière la blonde et l'entraîne vers une petite rue en côte. Massenet prend la main de la brune aux cheveux courts.

— Bonjour ! dit-il en posant un léger baiser sur les lèvres de Marie.

Ils partent marcher dans une rue déserte et sombre qui grimpe vers un terrain vague couvert de taillis et où poussent quelques noyers sauvages.

— C'est bientôt les vacances de Noël, dit Jacques, je n'aime pas les vacances.

— Tu es bien le premier !

— Je vais chez mon oncle qui me déteste. Ma tante est une horrible bonne femme qui crie tout le temps. L'oncle rentre souvent ivre et c'est ma fête...

Marie connaît les circonstances dans lesquelles les parents de Jacques ont été tués. Un des oncles de la jeune fille a été pendu aux balcons de Tulle et son père se fâcherait s'il savait qu'elle passe ses dimanches après-midi avec un Massenet, ce qui ajoute du plaisir à ces rencontres interdites. Et puis Jacques est si beau, si amusant !

— Je préfère l'école militaire à cette affreuse minoterie. À la caserne, tout est réglé. Si tu fais ce qu'il faut, on te laisse peinard. J'aime bien aussi aller chez ma grand-mère chiffon à Brive, mais c'est trop loin de toi.

Ils s'embrassent avec fougue, pleins de désir et de maladresse.

— Plus tard, on se mariera ! dit Jacques, et on partira d'ici, on ira très loin, dans une autre région...

La jeune fille a un sourire triste.

— Plus tard, c'est dans beaucoup de temps !

— Une chose est sûre. Après mes bacs, je vais demander à rentrer dans l'armée de l'air.

— Et ton oncle, tu l'oublies ? C'est lui qui décidera jusqu'à ta majorité...

— Mon oncle se fout totalement de ce que je ferai plus tard. Il veut surtout que je ne lui cause aucun souci et que je ne lui coûte rien.

Marie sait combien Jacques a souffert du manque de ses parents. Des sentiments contradictoires le maintiennent constamment sur ses gardes, prêt à faire face. L'attitude désinvolte qu'il se donne souvent cache une angoisse qu'il n'a toujours pas apprivoisée.

— Tu as réussi un miracle ! dit-il après un moment de silence. J'ai été félicité à la revue par le lieutenant responsable de niveau.

Elle rit, puis redevient brusquement sérieuse.

— Tu dis que tu veux qu'on se marie... Toi, tu deviendras quelqu'un d'important, et moi, je resterai toujours la petite ouvrière...

— Que veux-tu que je devienne ? Tu dis tout le temps que je vais te laisser tomber, c'est peut-être toi qui reviendras avec ton ancien amoureux !

Il fait allusion à un livreur de l'usine Singer. Elle se serre contre lui.

— Sûrement pas. Tout ça, c'est oublié.

— J'ai reçu une lettre de mon frère, continue Jacques. Quel vieux jeu ! Il me donne tout plein de conseils. Je dois obéir, me taire et surtout travailler. Il me prend pour un enfant !

— Tu ne m'en parles pas souvent...

— On s'écrit, mais on ne se connaît plus. Tout de suite après la mort de maman, nous avons été séparés. Notre oncle s'est dépêché de se débarrasser de nous. Pascal est entré chez les jésuites à Brive, et moi, qui avais une année d'avance, à l'école militaire parce que c'était gratuit. Mon frère a eu son deuxième bac l'année dernière et depuis il travaille à la banque Lebrun à Brive.

— Il a une fiancée ?

— Je sais pas, mais ça m'étonnerait, c'est un garçon trop sérieux pour ça. Je te dis, c'est déjà un vieux !

Ils ont marché jusqu'au bout du terrain vague. Le ciel est si gris qu'il fait presque nuit. Jacques regarde sa montre.

— Il faut faire demi-tour. Je ne veux pas être en retard pour risquer de ne pas sortir dimanche prochain. Ça passe trop vite ! Pendant les vacances de Noël, je prendrai le car et je viendrai te voir. On passera toute la journée ensemble. On ira manger des frites à Laguenne.

La jeune fille pose sa tête sur l'épaule de Jacques.

— Je dirai à ma mère que je vais chez ma tante Alphonsine. On se retrouvera au premier arrêt du car, à l'Oselou...

Cinq heures sonnent à la cathédrale. Gaillard et Massenet quittent à regret les deux jeunes filles et partent en courant.

— Fonce, Massenet, on va être bons pour la corvée des chiottes.

— La corvée des chiottes, je m'en fous. Ce que je veux, c'est sortir dimanche prochain !

5.

Une camionnette sur laquelle était inscrit « Manufrance » en grosses lettres a apporté les ballots de tissu qu'Anna doit coudre pour faire des vestes de chasse. Dans la rue Jean-Claude-Tissot, l'événement a vite fait le tour de toutes les boutiques : l'étrangère travaille pour Mimart, c'est un comble, voilà maintenant qu'elle prend le travail des Français !

— L'ennui, a dit le livreur, c'est que le boulot est pressé. Il faut que ça soit fini avant dix jours.

— Ça sera fini dans huit.

— Il y a trente vestes... Enfin, quand vous êtes prête, vous le faites savoir, je viendrai chercher la marchandise.

Anna s'assoit aussitôt devant sa machine à coudre. Ces cartons pleins de tissus qui s'entassent dans cette pièce sont sa dignité retrouvée. Enfin, elle va se rendre utile en pratiquant le métier qu'elle sait être le sien. Elle pourra payer son loyer sans avoir recours à des expédients, des ménages et de la lessive dans les maisons riches du quartier. Elle travaillera jour et nuit s'il le faut, mais la commande sera prête à temps et impeccable.

En une semaine, les trente vestes sont cousues et soigneusement pliées dans les cartons. Anna se rend à Manufrance. Le soleil sort entre des nuages bas ; un vent froid court le long des rues, mais elle ne le sent pas.

Après être descendue du tramway, elle flâne le long du cours Fauriel, passe devant l'École des mines, se perd un moment dans le marché. Une vieille femme vend des cèpes et des girolles. Anna observe de loin ses joues rondes et ridées, ses cheveux blancs, alors, un visage surgit dans sa mémoire, celui d'une autre vieille femme, aussi menue que cette paysanne du Pilat, et qui est sa mère. Il lui semble tout à coup que le passé va revenir, mais non, le voile blanc un moment déchiré cache de nouveau ces formes mouvantes trop brièvement aperçues pour pouvoir les identifier.

Elle entre dans l'immense cour de Manufrance où l'activité est intense. Des camions livrent de la marchandise ; d'autres emportent les colis à expédier aux quatre coins du monde. Le portier la reconnaît et lui fait un petit sourire.

— C'est prêt, dit-elle. La commande est finie, vous pouvez le dire à M. Lefranc.

À ce moment, M. Lefranc sort de son bureau, l'aperçoit, s'éloigne, puis fait demi-tour.

— C'est vous, la personne recommandée par M. Hermont ?

— Oui, le travail est terminé.

Il siffle.

— Vous n'avez pas lambiné ! Si c'est bien, je penserai de nouveau à vous. On viendra chercher les cartons demain, c'est urgent. Vous pourrez vous faire payer et on verra ce que je peux vous donner.

Au retour, elle passe chez M. Hermont. Comme à son habitude, le gros homme se lève de son fauteuil, danse d'un pied sur l'autre, à l'étroit dans son bureau, puis s'assoit de nouveau. Sa lèvre inférieure épaisse dépasse de sa moustache grise.

— Je pourrai vous payer demain ! dit Anna.

— C'est bien. Sachez que Lefranc, malgré son aspect un peu..., comment dirai-je, un peu sec est un homme de cœur. Si votre travail lui convient, il vous en donnera d'autre.

Anna se tourne vers la porte.

— Je vous remercie pour tout ce que vous avez fait pour moi ! dit-elle.

— Me remercier ? Vous savez, quand on a été traqué pendant la guerre, quand on est passé aussi près de la mort que moi, on fait la part des choses !

Anna rentre chez elle. Les paroles de M. Hermont lui ont fait un bien immense. Elle ne se sent plus complètement seule dans cette grande ville. Georges, qui devait la guetter, frappe aussitôt à sa porte. Anna, qui aime bavarder avec ce garçon doux et triste, l'invite à s'asseoir un moment entre les cartons.

— Si vous travaillez pour Manufrance, dit-il, les gens vont venir de toute la ville.

— N'oubliez pas que je suis polonaise.

— Vous n'en avez pas la tête et ils vont vite l'oublier. Mais comment avez-vous pu avoir cette commande ?

— Ça s'est fait tout seul. M. Hermont m'a conseillé d'aller voir son ami Lefranc. Et puis voilà.

— Vous avez frappé à la bonne porte. Hermont est un franc-maçon important. À Saint-Étienne, ce sont eux les maîtres. Pendant la guerre, ils ont dû s'enfuir, mais depuis ils ont vite retrouvé leur place.

Quand il parle, Georges évite le regard d'Anna, qui se pose toujours sur sa tache de vin et le brûle. À l'école, ses camarades se moquaient continuellement de lui et inventaient les surnoms les plus vexants. Il avait tout essayé pour cacher cette peau rouge ; il la poudrait de talc, la grattait jusqu'au sang avec une lame de couteau, mais elle se reformait, toujours aussi rugueuse.

— Vous étiez dans la Résistance pendant la guerre ? demande Anna tout à coup.

Georges incline sa tête vers la droite.

— J'étais dans ma boulangerie et je faisais du pain quand j'avais de la farine. Et puis, un jour, un voisin est venu me chercher et m'a emmené. Je suis entré dans la Résistance sans le vouloir. Et vous, Anna, vous étiez à Saint-Étienne ?

Elle se tait un moment puis avoue :

— Je ne sais pas où j'étais... Je sais seulement que la guerre m'a tout pris, même la mémoire.

Une larme roule au coin de ses yeux, elle l'essuie avec son mouchoir.

— Je ne voulais pas vous faire de peine. Pardonnez-moi, je ne pouvais pas savoir...

— Depuis, je suis morte ! dit Anna dans un souffle.

Alors Georges ose aller au bout de sa pensée.

— Anna, j'aimerais tant vous voir rire. Vous êtes la seule qui m'avez parlé avec autant de... de gentillesse, de douceur, moi qui suis un monstre. Je ferais n'importe quoi pour vous rendre heureuse.

— Vous avez un cœur en or, Georges, et vous n'êtes pas un monstre. Mais ce passé dont je ne garde que deux souvenirs me tient et il faut que je le retrouve.

Le lendemain, la camionnette de Manufrance vient chercher les vêtements. Le chauffeur propose à Anna de l'emmener cours Fauriel pour se faire payer. Lefranc inspecte le travail, déplie quelques vestes, regarde la forme des boutonnières, la couture des doublures, puis confie la livraison à un ouvrier.

— Suivez-moi, je vous prie.

Il n'ajoute rien. Anna pense alors que son travail ne convient pas, pourtant, elle a fait de son mieux et ne voit pas ce que Lefranc pourrait lui reprocher. Le petit homme s'assoit derrière son immense bureau et lève enfin ses yeux toujours sévères sur elle.

— Eh bien, je ne sais pas où vous avez appris la couture, mais c'est très bien.

Anna sourit, enfin rassurée. Lefranc se frotte la joue droite de la pointe de l'index.

— Ce vieil Hermont a le chic pour dénicher les oiseaux rares. Je ne vous cache pas que nous sommes en pleine progression et que nous avons besoin de gens comme vous. Vous travaillez vite et bien, je peux vous donner de quoi vous occuper !

— Le travail ne me fait pas peur.

— Demain matin, dit Lefranc, je vous donnerai un lot de pantalons. Mais attention, ne faites pas comme ces petits malins qui soignent leur travail pendant l'essai et se laissent aller par la suite. Ici, tout est contrôlé. Prenez ce papier et allez vous faire payer à la caisse centrale.

Elle sort et regarde la somme inscrite en bas de la feuille. Il y a là de quoi rembourser sa dette à M. Hermont, se nourrir et même mettre un peu d'argent de côté. Le cœur léger, elle se dirige vers la caisse centrale. Il pleuvote, un crachin gris qui salit tout, les trottoirs, les murs des maisons, les vêtements. Dans la cour, un homme est en train de décharger des cartons. Anna remarque son visage mince, ses cheveux très bruns, abondants, coiffés avec soin. L'homme lève les yeux sur elle et lui sourit.

— Bonjour ! fait-il.

À ce moment, le colis qu'il tient s'ouvre et des dizaines de bobines de fil roulent dans la cour. Il pousse un juron, Anna éclate de rire.

— Si vous trouvez ça amusant ! dit-il entre ses dents. De la pure soie de grade 5 A.

En rouspétant, il se met à ramasser les bobines.

— Regardez, elles sont sales, je peux pas livrer ça à Manufrance ! Ce serait la honte des moulinages Barthélemy !

— Je peux vous aider ! dit Anna en s'accroupissant.

Quand c'est fini, l'homme la remercie. Ses yeux sont bleus, son menton large et volontaire.

— De la si belle soie ! À vous dégoûter du métier !

— Ma feuille va être trempée ! dit Anna. Faut que je me dépêche si je veux être payée.

— Ah, parce que vous travaillez pour la maison ?

— Oui, enfin, j'ai fait un travail et j'en commence un autre demain.

— Vous êtes dans la soie, vous aussi ?

— Il n'y a pas que la soie dans la couture...

— En tout cas, il n'y a rien d'aussi noble ! Et si vous aviez connu les soies de Lyon...

Anna s'éloigne, troublée malgré elle par cette rencontre. Quand elle ressort du bâtiment annexe de l'administration où une foule de comptables alignent des colonnes de chiffres, à côté d'une immense salle où plus de cent dactylos, assises à des petits bureaux comme des élèves dans une classe, tapent les milliers de lettres qui partent chaque jour du « palais de l'industrie », Anna se sent légère. L'argent est dans sa poche, elle va payer M. Hermont dès ce soir et le remercier encore.

Dans la cour, l'homme a fini sa livraison et s'apprête à remonter dans sa camionnette sur laquelle est écrit en grosses lettres noires : « Moulinages Barthélemy, Pélussin, Loire ». Le crachin tombe toujours.

— Elle n'a pas de parapluie, la petite dame, alors un service en vaut bien un autre...

— Et quel service ?

— Celui de vous ramener chez vous.

— Eh bien, d'accord !

L'homme ouvre la portière à Anna, s'installe au volant puis se tourne vers sa passagère.

— Antoine Barthélemy, des moulinages Barthélemy.

Anna se trouble tout à coup. Antoine, ce nom lui rappelle quelque chose.

— Je m'appelle Anna Brancsky ! dit-elle.

— Vous êtes polonaise ? On ne le dirait pas, vous n'avez pas le moindre accent.

— Disons que je suis née en France !

— Donc vous êtes française, et vous avez épousé un Polonais ! Où allons-nous ?

— Non, je n'ai pas épousé un Polonais.

Antoine Barthélemy ne comprend pas mais ne cherche pas à en savoir plus.

— Cette maudite ville noire ! Il faut y être né pour s'y plaire !

— Je la trouve très agréable, au contraire, fait Anna.

Elle a parlé pour contredire l'homme et relancer la conversation. Elle aime sa voix, fraîche et en même temps pleine d'intonations, comme une musique de violon. Elle se sent tout à coup légère, libérée de ce fardeau qui l'écrase depuis tant d'années. Volubile, Antoine Barthélemy continue :

— Vous connaissez Pélussin ? C'est un village superbe, loin de cette grisaille qui rend triste. C'est proche du Rhône, là-bas, le soleil n'a pas la même couleur qu'ici. Et le vin de Saint-Joseph ? Et le condrieu ? Ils vous mettent la joie au cœur, même quand vous avez beaucoup de peine !

— Vous travaillez avec Manufrance ? demande Anna.

— Je fabrique des petites bobines de fil de soie pour leur mercerie. Mais ce n'est pas mon client le plus important. Je travaille pour les façonniers de Lyon et pour l'étranger. En ce moment, le métier n'est pas facile.

Ils sont déjà arrivés. La camionnette s'arrête au bas de l'immeuble. Anna ouvre la portière.

— Merci ! dit-elle.

— Tout le plaisir a été pour moi ! répond Antoine, et la camionnette s'éloigne.

Anna rentre chez elle, en proie à un vertige qui l'oblige à s'asseoir. Ses doigts tremblent ; son cœur bat fort, le sang cogne à ses tempes. Antoine ! Ce nom tourne dans sa tête, brûlant, un tison surgi de sa nuit. Antoine ! L'émotion ressentie près de cet homme n'était pas seulement due à son charme, mais au sentiment que ce nom est rattaché à son passé. Elle a pourtant beau toucher entre le pouce et l'index l'alliance de son auriculaire gauche, seul vestige de sa vie antérieure, l'écran reste opaque, éblouissant comme la neige la plus épaisse.

On frappe. C'est Georges qui apporte un pain au chocolat.

— Vous n'avez sûrement pas pris le temps de manger ! dit-il, comme pour s'excuser de cette attention.

Anna remercie. Georges voit les yeux rouges de sa voisine. Cette peine dont il est souvent le témoin blesse le boulanger, qui ne sait pourtant pas trouver les mots du réconfort. Alors, il pose le pain au chocolat sur la table et sort. Anna ne le retient pas ; ce soir, elle a besoin de solitude, pour échapper à ses contradictions et laisser retomber au fond de sa mémoire ce qu'une rencontre pourtant banale a remué. Le repos n'existera jamais tant qu'elle ne saura pas qui elle est et d'où elle vient. Son avenir passe obligatoirement par ce retour sur le passé.

Elle mange le pain au chocolat et va se coucher, mais elle ne réussit pas à s'endormir. Comme souvent, les deux morts couchés dans le même lit s'imposent à ses pensées. « S'ils m'avaient été très proches, je me souviendrais de leur nom... » Tandis qu'elle essaie de discerner les détails de la chambre mortuaire dans l'image floue qui lui reste, un autre visage fait surface, celui d'une très grosse femme, presque impotente, aux larges joues, aux sourcils épais et à la voix dure et cassante. « Celle-là, je l'ai bien connue, mais quel rapport avec les deux morts ? Il y en a un, c'est certain, mais je l'ignore. Antoine ! Antoine, viens à mon secours ! »

Une autre certitude la hante durant cette longue nuit d'insomnie, où il lui semble qu'un détail infime suffirait pour écrouler d'un coup le mur qui la sépare de sa mémoire, c'est qu'elle a été mère. Combien de fois ? Impossible de le dire, mais les vergetures sur son ventre prouvent au moins une grossesse...

« Antoine était mon mari, donc le père de mes enfants. Si c'était vrai, la lumière se ferait aussitôt ! Mais la lumière ne se fait pas. Je suis perdue dans une ville qui n'est pas la mienne. M. Hermont dit que j'ai un petit accent du Sud-Ouest, voilà un indice bien faible... »

Elle se lève, épuisée. Il faut, pourtant, faire le travail de Manufrance, et M. Lefranc doit être satisfait.

— Je suis prisonnière de moi-même ! dit-elle en se regardant longuement dans la glace de son armoire.

6.

Pascal sait qu'il ne sera jamais comme les autres. Ce sentiment le coupe de ceux de son âge et fait de lui un solitaire, un adulte trop sérieux. Chez les jésuites, il a appris à cacher ses émotions, mais seulement jusqu'à un certain point. Les frères étaient au courant des événements de Saint-Nicolas-sur-Brès et y faisaient souvent allusion devant l'adolescent. Ses nuits sont encore agitées de cauchemars qui le réveillent en sueur, le dos gelé. La vision des cadavres de son père et de son grand-père le harcèle ; l'image de sa mère nue, assise face à ses justiciers, se dresse devant lui et se trouve sûrement à l'origine de ce dégoût qui s'empare de lui quand une jeune fille le touche ou le frôle. Il a conscience de la monstruosité de cette répulsion contre nature, mais il ne peut la dominer. Quelle folie l'a poussé à voler le vélo d'Alice, ce jour d'automne 1944, pour assister malgré lui à ce terrible spectacle dont il n'a pas oublié un seul détail ? Depuis, il est blessé, malade à vie. La grosse fièvre qui a suivi sa fugue le cloue encore au lit de temps en temps. Il délire, claque des dents pendant deux ou trois jours, puis tout redevient normal.

Il passe ses dimanches chez lui, à lire des quantités de livres qui l'emmènent loin de son quotidien terne. Parfois, il monte à la Veyrière où Marcel et Jeanine l'accueillent à bras ouverts, mais les volets clos de la grande maison lui rappellent que la magnificence des Massenet est à jamais finie, noyée dans la haine et le déshonneur.

Sa collègue, Mylène Chaisot, une petite blonde aux cheveux courts, au regard vif, ne comprend pas ce comportement solitaire.

— Mais pourquoi tu ne viens pas au bal avec nous ?

— Je ne sais pas danser !

— C'est pas compliqué, je t'apprendrai !

Mylène est dactylo, ses doigts fins pianotent sur le clavier de l'austère machine à écrire noire avec une rapidité qui étonne toujours Pascal.

— Mon père voulait que j'apprenne l'accordéon ! Alors, c'est un peu la même chose, dit-elle en riant.

Le midi, Pascal, Mylène et plusieurs employés vont déjeuner dans un petit restaurant de la Guierle. Mylène s'assoit toujours à côté de Pascal, qui cache son malaise tant bien que mal.

— Pascal le mystérieux ! dit-elle en riant. Toujours la tête basse, sans un mot de trop. Tu aurais dû faire espion.

La jeune fille habite un petit appartement qu'elle a soigneusement aménagé. Chaque dimanche, elle rend visite à ses parents à Cornil. Son père, maçon, travaille avec son frère, un géant roux ; sa mère s'occupe de la petite ferme.

Pascal ne parle jamais à personne de son passé. Si les jeunes ne se préoccupent plus de la guerre, il reste dans l'esprit des plus âgés une solide rancœur contre l'occupant et ceux qui étaient de son côté. Tous ont entendu parler des événements de Saint-Nicolas-Sur-Brès quand ils se sont produits, mais le temps a passé et personne ne fait le rapprochement avec Pascal, qui évite soigneusement de parler de son village natal.

Il lutte constamment contre lui-même et se force à quitter la banque avec Mylène, dont le parfum lui donne la nausée. Il va même, un soir, jusqu'à l'inviter à boire un verre dans un bistrot. Mylène est curieuse et pose de nombreuses questions au jeune homme, qui ne répond qu'évasivement.

— Chez les jésuites, tu me dis ? Mais quelle idée de faire ses études dans un couvent ?

— C'est mon oncle qui a voulu. Il n'avait rien à payer.

— Peut-être, mais je suis sûre que ta famille est riche. Ça se voit à ta manière de parler aux gens, de marcher, même. Tu es de la race de ceux qui commandent. Ces choses-là ne peuvent pas se cacher...

La nuit est épaisse et humide. Du ciel d'encre tombe un crachin froid. Il fait bon dans ce petit bistrot. Des ouvriers prennent l'apéritif au comptoir. Mylène et Pascal sont assis au fond de la salle enfumée. Les yeux de la jeune fille sont pleins de la lumière du néon.

— Oui, ma famille était riche, dit Pascal. Mais c'est bien fini.

— Mon père dit toujours que ceux qui sont nés riches ont plus de facilités que les autres. Moi je sais que tu retrouveras la fortune...

La naïveté de Mylène l'amuse ; un sourire éclaire son visage.

— Pourquoi ta famille s'est-elle ruinée ?

Il hausse les épaules.

— C'est comme ça ! dit-il de sa voix tranchée qui n'accepte pas de réplique.

La jeune fille fait la moue, approche sa petite main de celle de Pascal, la frôle du bout des doigts. Ce contact le brûle.

— Avec toi, rien n'est simple ! dit-elle. Je te sens continuellement sur la défensive, prêt à griffer pour cacher quelque chose...

— Ne parlons plus jamais de ça !

Il appelle le serveur et paie. Mylène sait qu'elle a touché une blessure toujours ouverte. Ils sortent et marchent en silence ; au moment de se séparer, Mylène se plante devant le jeune homme et le regarde bien en face.

— Si tu voulais... On pourrait être de bons amis, tous les deux. Et même plus que des amis, tu comprends ?

Pascal baisse la tête, comme s'il pensait à quelque chose de très grave, puis fait demi-tour et s'en va. Mylène voit s'éloigner cette haute silhouette maigre, un peu voûtée, écrasée par un poids impossible à poser. Elle rentre chez elle avec l'envie de pleurer.

M. Froiset, directeur de l'agence où travaille Pascal, n'ignore rien des origines du jeune homme. Ernest, qui a été consulté avant son embauche, n'en a pas oublié un détail, mais M. Froiset n'en parle à personne.

— Ceci ne me regarde pas ! dit-il à Ernest. Tout ce que je veux, c'est que votre neveu fasse bien son travail.

Très vite, le directeur découvre les grandes qualités du jeune employé, sa ponctualité, son sérieux et surtout cet esprit d'analyse et de synthèse qui lui permet de toujours proposer les meilleures solutions. Il envisage de lui donner une promotion dès son retour du service militaire.

En décembre, après quelques jours de gelées, le temps s'est radouci et mis à la pluie. L'année se termine en journées sans lumière sous un ciel mou posé sur les collines. Pascal n'aime pas cette période de Noël et du 1er janvier. Mylène lui a proposé d'aller réveillonner avec ses amis dans un restaurant de Malemort, il a refusé, il restera seul dans sa chambre, au lit, pour que le temps passe plus vite !

Ce matin, comme d'habitude, il arrive en avance à son bureau, dans cette grande pièce où travaillent ceux qui tiennent à jour les comptes des clients. M. Froiset arrive à son tour et salue un à un les employés.

— M. Massenet, vous passerez me voir en fin de matinée.

Pascal ne se formalise pas de cette convocation. Le patron ne peut rien lui reprocher et va sûrement lui proposer un travail particulier, comme il l'a déjà fait plusieurs fois.

— Bah, lui dit Dirrat, un vieux collègue un peu bègue, il va peut-être t'annoncer une augmentation !

En fin de matinée, le jeune homme monte à l'étage par le large escalier qu'empruntent seulement les clients de marque qui ne traitent pas leurs affaires avec le personnel ordinaire. Le bureau de M. Froiset, immense, est envahi par une multitude d'objets africains, masques, statues en ébène, des souvenirs de son enfance passée à Bamako. Il parle parfois avec nostalgie de ces terres brûlées, ces huttes écrasées de soleil, ces plaines poussiéreuses... C'est un homme d'une quarantaine d'années, élégant, courtois, raffiné. Mme Moirette, sa secrétaire, qui connaît tous les secrets de la maison, dit à Pascal :

— M. le directeur vous attend.

Pascal entre, un peu intimidé par le confort et l'espace de ce bureau. Mme Moirette ferme la porte.

M. Froiset lit un journal économique, qu'il plie et pose devant lui. Il montre un fauteuil à Pascal, qui s'assoit.

— Monsieur Massenet, je dois vous dire combien je suis satisfait de votre travail. Vous avez toutes les dispositions pour faire une belle carrière...

« Ça commence bien ! » se dit Pascal, qui comprend que ce compliment ne peut être que le préambule à des paroles moins agréables à entendre.

— Voilà, continue le directeur en reprenant son journal. M. Bassompierre, vous savez, le propriétaire des huiles Douceur, une rue entière à Limoges, sans oublier quelques immeubles de rapport à Paris... Autrement dit, un de nos plus importants clients...

Il se tait un instant, jette un bref regard à Pascal, qui ne comprend pas où le directeur veut en venir.

— M. Bassompierre, donc, a été résistant de la première heure. Pris par les Allemands, torturé et finalement relâché par on ne sait quel miracle. Son père et ses deux frères sont morts en déportation.

Pascal blêmit. Cette fois, il a compris : le passé vient de le rattraper. Il pense à ce frère jésuite qui l'appelait parfois : « petit collabo ».

— Cet homme, continue le directeur, n'ignore rien des événements qui se sont produits au sein de votre famille. Or il vient d'apprendre que vous travaillez chez nous.

M. Froiset marque une nouvelle pause. Pascal baisse les yeux et serre les dents. Son menton tremble.

— Ce que je vous dis là m'est très pénible, poursuit Froiset. Sachez que je réprouve cette démarche qu'on m'a imposée, car je ne suis que le directeur de cette agence, pas de la banque entière. M. Bassompierre est un homme plein de rancœur, il a menacé la direction générale de retirer tout son argent si on vous gardait.

Pascal lève enfin les yeux. Son regard se plante dans celui de Froiset, qui ajoute :

— Je vous dis, je regrette...

Alors Pascal, d'une voix que l'émotion agite, dit enfin :

— Pourquoi s'acharner toujours sur les mêmes ? On m'a tout pris, et maintenant mon travail.

Ces quelques mots ont suffi à libérer l'émotion qui l'étreint. Il a tout à coup envie de pleurer, mais il se retient.

Froiset a un geste de la main.

— Je redoute que ces haines nous empoisonnent encore bien longtemps. Le pardon est la vertu des grandes âmes, et le monde n'en compte guère.

Pascal soupire. Le voilà une fois de plus rejeté au rang des lépreux ! Il a vécu ses années de pensionnat la rage au ventre, avec l'espoir de reconstruire quelque chose, de retrouver cette dignité qui lui manque et fait saigner son orgueil. Alors, il parle comme il ne l'a jamais fait :

— Pourquoi les enfants doivent-ils payer les fautes de leurs parents ? Mon nom est sali à tout jamais ! On a vendu mon domaine, que faut-il encore ?

Il s'arrête, baisse la tête, la gorge nouée.

— Je comprends vos sentiments, dit Froiset, mais les ordres viennent de la direction générale, qui ne voit dans tout ça qu'un client important à conserver.

Il pose son journal, se passe la main dans les cheveux, qui ont tendance à glisser sur son front.

— Je désapprouve, vous le savez. Mais, en même temps, je sais que vous n'êtes pas fait pour rester dans notre petite banque. Moi-même, je me suis enterré ici pour une raison bien personnelle. Votre avenir n'est pas à Brive. Il se trouve qu'un de mes oncles dirige la banque Permot, à Bordeaux, spécialisée dans le transport maritime. Il est prêt à vous embaucher dans un emploi similaire, avec un salaire supérieur.

— Jusqu'à ce qu'on me demande de partir... Je pourrais aller au pôle Nord ou chez les Papous, on ne me laissera jamais en paix ! Je vais donc partir à l'armée au mois de février prochain...

— Je vous ai recommandé à plusieurs personnes influentes. Vous ferez là-bas une belle carrière, j'en suis certain, vous en avez les moyens. À Bordeaux, il y a plus d'opportunités qu'à Brive, et c'est une ville universitaire.

— Qu'est-ce que ça peut faire ?

— Ça peut faire que vous allez pouvoir reprendre vos études.

Quand Pascal redescend à son bureau, les autres employés sont partis déjeuner. Seule Mylène est restée, prétextant plusieurs lettres urgentes. Elle lève sur Pascal ses beaux yeux pleins d'interrogations.

— Je suis viré ! dit-il d'une voix faible.

Elle sursaute, se dresse face au jeune homme, le visage crispé.

— Comment ? Personne n'est aussi ponctuel et aussi sérieux que toi ! Tu plaisantes ?

— Non.

— Viens, on va déjeuner tous les deux. Tu m'expliqueras tout ça.

— Il n'y a rien à expliquer... Je n'ai pas faim.

Il revient à son bureau et se met au travail. Une lourde peine remue en lui. Il a eu la naïveté de croire que l'oubli ferait de lui un homme comme les autres, mais non, certaines taches sont indélébiles. Vomir lui ferait du bien, se vider de tout ce fiel qu'il porte et que les années rendent toujours plus aigre, plus pesant.

Ses collègues qui reviennent de déjeuner le trouvent à sa place, la tête baissée sur ses comptes. Il est pâle. À la question de Dirrat, il répond évasivement :

— Il m'a proposé une place intéressante dans une autre agence.

— Ça s'arrose, ça !

— Non, ça s'arrose pas !

Le soir, Mylène l'attend pour partir. Ils marchent tous les deux en silence sur le trottoir. Le vent a viré au nord et le froid, plus vif que ce matin, fouette leurs visages.

— Tu n'as pas mangé à midi, dit Mylène. Viens chez moi, je te préparerai quelque chose.

Il se laisse emmener. Chez Mylène, c'est tout petit, une cuisine minuscule, une chambre avec un grand lit et une armoire, les toilettes sont dans le couloir.

— Je vais ouvrir un bocal de haricots du jardin de mon père et du confit d'oie. Ça te va ?

— C'est trop, je n'ai pas faim.

— On va même ouvrir une bouteille de vin.

Mylène va et vient, minuscule, vive dans cet intérieur à sa taille. Elle dispose deux assiettes sur la table, apporte la bouteille de vin.

— Rends-toi utile. Prends le tire-bouchon dans le tiroir.

La jeune fille va chercher le confit et s'assoit. La table est si petite que ses genoux touchent ceux de Pascal, qui se recule vivement : ce contact hérisse le jeune homme d'une chair de poule qu'il ne peut réprimer.

— Tu vas donc partir à Bordeaux ?

— Je ne sais pas.

Elle remplit son verre. Elle voudrait qu'il boive à ne plus pouvoir contenir ce qui le torture et dont il ne sait se libérer.

— Si tu pars à Bordeaux, je serai bien seule.

— On est toujours seul. Où qu'on soit, seul avec tout ce qu'on porte.

— Tu ne m'as pas dit pourquoi tu dois partir.

— Il n'y a rien à dire.

— Mais pourquoi tu ne me fais pas confiance ? Pourquoi tu refuses de me parler, à moi, qui ne rêve que d'une chose, te voir rire, heureux comme ceux de ton âge.

Elle se tait un moment, baisse la tête et ajoute :

— Tout partager avec toi.

Elle lui prend les mains. Pascal frémit. Quand elle pose la tête sur son épaule, une répulsion qui vient du fond de son être lui fait repousser la jeune fille.

— Je peux pas, tu comprends ? C'est plus fort que moi...

Sa respiration saccadée n'est que la partie visible du tumulte profond qui l'agite. Il se dresse, paniqué, se dirige vers la porte. Elle s'accroche à lui.

— Pourquoi tu réagis comme ça ? Je n'ai rien fait de mal !

Il secoue la tête.

— C'est comme ça ! J'y peux rien.

Il sort précipitamment. Une fois dans la rue, il vomit son repas. Demain, il ira voir M. Froiset et partira aussitôt pour Bordeaux afin de ne plus jamais revoir Mylène et de ne pas être confronté à sa honte. Sa vie sera une fuite continuelle devant ces fantômes qui le rattrapent toujours et le condamnent à la solitude.

7.

Le printemps 1951 est en avance. En se promenant, Jacques et Marie cueillent un bouquet de jonquilles sauvages. Le fossé du chemin exposé au sud est couvert de petites violettes. Il fait doux ; le jeune homme et la jeune fille s'assoient dans l'herbe et, serrés l'un contre l'autre, restent ainsi longtemps sans parler. Jacques est le garçon le plus heureux de la Terre ; chaque jour, il mesure sa chance. Au fond, l'oncle Ernest l'a placé aux Enfants de troupe pour se débarrasser de lui et il a trouvé là une école, un cadre qui conviennent à ses études.

— Dans n'importe quel autre lycée, je n'aurais rien fait ! dit-il à Marie. Je ne suis pas assez travailleur.

Il est amoureux, et rien d'autre n'a d'importance. Pour Marie, il rêve d'exploits et persiste à être bon élève.

— Les vacances de Pâques arrivent, et je ne veux pas retourner chez mon oncle Ernest. C'est infernal. Ma tante Camille et sa mère m'imposent plus de corvées en un jour que j'en ai eues à l'école militaire en six ans.

— C'est vrai que ça fait beaucoup ! dit Marie en riant.

— Et puis l'oncle me botte les fesses. Heureusement qu'il est plus souvent chez sa putain qu'au moulin !

— Sa quoi ?

— Sa putain. C'est tante Camille qui parle comme ça. C'est une femme chez qui mon oncle va souvent. Il ne se cache même pas ! Et puis, l'été dernier, l'huissier est venu. C'était terrible.

— Pourquoi, il ne paie pas ses dettes ?

— Penses-tu ! Tout ce qu'il gagne, c'est pour sa « putain ». Il n'avait pas payé une grosse commande de blé. L'huissier l'a menacé de faire saisir les meubles. Camille s'est mise à hurler comme un cochon que l'on saigne, la vieille tante a invoqué Dieu et, finalement, est allée chercher de l'argent dans sa chambre. Mon oncle a dit que c'était pas de sa faute si les affaires marchaient mal, et puis on n'en a plus parlé.

— Mais tout ça ne te concerne pas !

— Si, à table, tous les regards surveillent mon assiette... Alors, je n'ose pas me servir deux fois !

— Au fait, tu as des nouvelles de ton frère ?

— Oui, il m'a écrit de Bordeaux. Il se plaît beaucoup dans son nouvel emploi. Il a demandé un sursis pour l'armée.

— Et il l'a eu ?

— Oui, quelqu'un l'a pistonné. Il a repris ses études. Ça lui va bien. Jamais un sourire, figé, dur. C'est plus un jeune, je te dis !

Comme tous les dimanches soir, Jacques passe le portail de l'école militaire à la dernière minute, le goût du baiser de Marie sur les lèvres, son parfum sur les habits qu'il hume discrètement, le cœur plein de cet amour simple et beau comme une fleur sauvage.

Ce soir, il est de « clef ». Le cérémonial est invariable : frapper deux coups à la porte fermée du sergent Paillet, attendre une réponse, ouvrir, deux pas en avant et garde-à-vous.

— Sergent, je viens percevoir la clef de la chambre de la troisième section de première.

Le sergent, sans lever la tête du rapport qu'il fait semblant de lire, dit un « allez ». Massenet fait pivoter de quatre-vingt-dix degrés son pied gauche, qui ne doit en aucun cas glisser quand le droit se rapproche. Paille au nez, la paupière basse, surveille la manœuvre. Deuxième écueil : les deux pas de l'élève vers le tableau, pied gauche en premier, ne doivent être ni trop longs ni trop courts. Trop longs, Jacques a le nez sur le tableau, trop courts, sa main droite ne peut plus atteindre la clef.

L'opération enfin réalisée dans les règles, il exécute un demi-tour droit, deux pas, quart de tour et garde-à-vous. Paillet dit alors :

— Vous pouvez disposer, mais le jeune homme reste figé, raide, la tête relevée, les yeux rivés sur le coin du plafond.

— Sergent, puis-je me permettre une question ?

— Une question, Massenet ? Ce n'est pas l'heure.

— Une question personnelle, sergent.

— Ce n'est pas le moment, vous le ferez demain au rassemblement.

— Sergent, je préférerais vous en parler à vous.

Cette marque de confiance touche Paillet, qui cache un cœur sensible sous des apparences revêches. Il lève la tête vers le jeune homme, caresse sa fine moustache grise.

— Soit, je vous écoute.

— Voilà, sergent, les vacances de Pâques arrivent et je préférerais ne pas aller chez mon tuteur.

— Mais voyons, votre tuteur souhaite vous voir. Vous êtes comme son fils...

— Non, sergent. Et moi je voudrais profiter de ce temps pour aller à Salon-de-Provence et voir des avions de près.

— Des avions de près à Salon-de-Provence ? Mais qu'est-ce que c'est que cette lubie ?

— C'est pas une lubie. Après mon deuxième bac, je voudrais rentrer dans l'armée de l'air et devenir aviateur.

— Dans l'armée de l'air ? Mais on n'y rentre pas comme ça ! Voyons, vous déraisonnez, Massenet. Cela suffit, vos camarades attendent.

Le lendemain, comme chaque matin après la levée des couleurs, devant les trois sections du deuxième cycle, le commandant Vacherint délègue le commandement au lieutenant Doche qui le délègue ensuite aux sergents Paillet, Bordeaux et Plumelle. Chacun, à tour de rôle, reconnaît dans leurs fonctions les caporaux Jentil pour les secondes, Labit pour les premières et Sénéchal pour les terminales.

À la fin de la cérémonie, le sergent Paillet s'écrie de sa voix tonitruante :

— Élève Massenet, sortez des rangs.

Jacques obéit dans la plus stricte correction, un garde-à-vous impeccable, le menton en avant, les yeux levés sur le toit du bâtiment.

— Le commandant souhaite vous voir.

Gaillard a un regard plein de compassion pour son ami. Quand le commandant Vacherint reçoit dans son bureau, ce n'est généralement pas pour des compliments ! Gaillard fouille dans sa mémoire pour tenter de trouver la faute de son ami mais ne voit rien : depuis qu'il est amoureux, Massenet a une conduite exemplaire !

Les autres regagnent les salles de cours ou d'étude. Jacques se dirige vers le bureau du commandant. Il frappe les deux coups, attend, ouvre la porte, avance de deux pas et salue.

— Élève Massenet, section de première, deuxième cycle, à vos ordres, mon commandant.

Surtout ne pas oublier le « mon » qui doit figurer devant le grade d'un officier et attention à la corvée si, à l'inverse, l'adjectif possessif précède un sergent, un adjudant ou, pis, un caporal !

Le commandant Vacherint porte fièrement une brosse grise, parfaite, et une fine moustache. Strict, il n'accepte aucun arrangement avec personne. Même les officiers redoutent son regard d'aigle. Debout chaque matin pour la levée des couleurs, il demande beaucoup de disponibilité à tout le personnel militaire ou civil.

— Repos ! dit-il, sans lever les yeux vers Massenet.

Puis, après un long silence pendant lequel il griffonne quelque chose sur une feuille, il ajoute :

— Une semaine de corvée et privé de permission dimanche prochain !

Le monde s'écroule pour Jacques. Ne pas sortir dimanche signifie qu'il ne verra pas Marie de deux semaines. Le sang afflue à son visage. L'autre ajoute :

— Je devrais vous donner une deuxième semaine pour ne pas savoir contenir votre désapprobation, car vos joues se sont teintées... Vous savez, je suppose, pourquoi je vous inflige cette punition ?

Non, il ne le sait pas, pourtant, il murmure :

— Oui, mon commandant.

Le commandant pose ses petites mains fines sur son bureau.

— Quand vous êtes responsable de chambre et que vous allez chercher la clef, vous ne devez pas employer d'autres mots que ceux qu'on vous a appris pendant l'instruction.

Cette fois, Massenet n'en peut plus. Tant pis s'il écope d'une semaine supplémentaire, il se jette à l'eau.

— Mon commandant, je pense très fort à l'armée de l'air. Quand je vois un avion dans le ciel, je m'imagine dedans ! Voilà, je veux devenir aviateur.

Le commandant fronce les sourcils, plante ses yeux noirs dans ceux de l'élève Massenet, qui aussitôt baisse la tête.

— Vous parlez comme une fille. Ce que vous venez de dire est indigne d'un militaire !

Jacques se met au garde-à-vous pour prendre congé. Le commandant poursuit.

— À votre avis, pourquoi croyez-vous que je vous annonce en personne cette corvée au lieu du sergent qui aurait dû vous l'infliger dès hier au soir ?

— Je n'en sais rien, mon commandant.

— Parce que l'armée est stricte, mais magnanime. Bien sûr, il n'est pas question que vous alliez à Salon-de-Provence, mais je vais examiner votre cas avec bienveillance. Vous pouvez disposer.

Massenet salue, recule des deux pas réglementaires, fait demi-tour et revient dans sa classe en se disant que l'armée est sûrement magnanime mais qu'elle parle toujours avec autant de mystère. Gaillard le regarde de ses yeux ronds de poisson et demande :

— Alors ?

— J'ai rien compris !

La semaine de corvée n'en finit pas. Jacques en avait perdu l'habitude. Il est de « couloir », c'est-à-dire qu'il balaie tous les couloirs du bâtiment C où se trouvent les chambres. Personne n'y retourne dans la journée, mais il suffit qu'un gradé vienne faire une inspection et trouve un seul grain de sable pour que l'exécutant se voie infliger un nouveau balayage de fond en comble. Chaque soir, Jacques écrit à Marie, Gaillard emportera la lettre, dimanche...

Le samedi après-midi, tandis que les autres jouent au ballon dans la cour, Jacques balaie pour la deuxième fois un des cinq couloirs du bâtiment C quand le sergent Paillet fait irruption. L'élève pose son balai, exécute un salut impeccable. Paille au nez passe la pointe de son index sur le bord de la plinthe.

— Pas net, ça ! Regardez la poussière.

Massenet ne bronche pas.

— Repos, continue le sergent. Voici votre ordre de mission. Demain, juste après la messe, vous prenez le train pour Brive.

— Mais, sergent, je suis...

— Taisez-vous, c'est un ordre du commandant lui-même qui n'oublie jamais, dans sa grande lucidité, le rôle formateur de l'école militaire. À la gare de Brive, un ami à lui vous prendra en charge. J'espère que vous mesurez l'honneur qu'il vous fait.

— Mais, sergent, c'est pour quoi ?

— Taisez-vous et nettoyez cette plinthe, sinon, je vous colle une semaine supplémentaire.

Paille au nez se dirige vers la porte, puis se retourne.

— Le commandant vous attend, mais finissez votre travail !

Jacques range l'ordre de mission dans sa poche. Le balayage terminé, il va frapper à la porte du commandant pour le remercier. Vacherint, en tapotant sa brosse du bout des doigts, lui annonce :

— Vous m'avez parlé de votre envie de devenir aviateur. Cela m'a plu. L'armée a besoin d'hommes décidés. J'ai donc demandé à mon ami, le lieutenant Beaufils, un as de la guerre, de tester vos capacités en la matière. Je veux bien présenter et soutenir votre candidature à l'École de l'Air, mais je ne voudrais pas être la risée de mes collègues.

Massenet n'a toujours pas compris. L'autre poursuit :

— Un avion, c'est pas un vélo. Le mal de l'air, ça existe. Donc, je veux être certain de vos aptitudes. En Corrèze, on aime surtout le plancher des vaches !

Dimanche arrive enfin. Le ciel est d'un bleu profond, mais le froid pique les joues. Excité à l'idée de monter dans un avion, Jacques n'a pas beaucoup dormi. Le commandant a raison, le mal de l'air existe, et il redoute d'être ridicule. La peur au ventre, il arrive à dix heures en gare de Brive.

Son uniforme d'enfant de troupe le rend facilement reconnaissable parmi les voyageurs, un homme en civil se dirige vers lui.

— Massenet ?

Le garçon se met au garde-à-vous sous les regards amusés des passants.

— Oui, mon lieutenant.

— Repos. Ici, on n'est pas en caserne, je te dispense du salut.

C'est la première fois qu'un officier le tutoie, ce qui le rassure un peu. Le lieutenant Beaufils lui tend la main en souriant. Son regard est franc, bien différent de celui des officiers de Marbot. Une légère calvitie ajoute au personnage un côté paternel et bonhomme. Il porte un blouson en cuir, une écharpe blanche pend à son cou. Rien ne distingue cet officier des autres civils, alors que ceux de l'école militaire ont leur uniforme vissé à la peau, et Jacques ne peut pas les imaginer vêtus autrement.

— Alors, comme ça, tu veux voler ?

— Oui, si j'en suis capable, mon lieutenant.

— Je t'ai dit de laisser les galons au vestiaire. Nous allons au terrain tout de suite, je vais te montrer les avions de près. Ensuite, nous irons déjeuner au bistrot et je te ferai faire un tour, je te montrerai deux ou trois petites choses.

Jacques blêmit.

— Mais mon... euh... Je n'ai pas d'argent.

L'homme éclate de rire.

— Qui t'a parlé d'argent ? Tu es mon invité.

La Traction du lieutenant Beaufils n'est plus toute neuve. Il faut bien dix minutes à l'as de la guerre pour mettre le moteur en marche, d'abord au démarreur puis avec la manivelle. Enfin, ils partent dans un bruit de tôle assourdissant. Au terrain, Beaufils salue plusieurs personnes. Jacques ne peut détacher les yeux d'un avion à quelques mètres de lui, de ses ailes, qu'il n'avait jamais imaginées aussi grandes. Là-bas, au bout de la piste, un autre appareil s'aligne ; le moteur se lance dans un bruit puissant. La machine roule, prend de la vitesse, puis le miracle se produit : elle quitte le sol, poursuit sa route oblique dans l'air. Le jeune homme la suit des yeux jusqu'à ce qu'elle passe derrière la colline. Beaufils remarque :

— C'est beau, n'est-ce pas ? Quand la bête a assez de vitesse, tu sens que les roues deviennent un frein, ça vibre, ça secoue, l'animal terrestre est devenu oiseau.

Il emmène Jacques dans un hangar, lui montre un avion à quatre ailes.

— C'est un Stamp, une machine formidable pour l'entraînement, maniable et en même temps capable de voler assez vite. C'est là que tu vas monter. Tu vas voir, on va bien se marrer. Maintenant, on va manger.

Ils se rendent au bistrot qui se trouve à côté des hangars. Sur les murs de la salle sont accrochées des photos d'avions de toutes sortes. Des hommes se pressent au comptoir et boivent leur pastis en bavardant. La fumée bleuit l'air. Beaufils a un mot gentil pour chacun et dit à Jacques de s'asseoir en face de lui, à une petite table près de la fenêtre.

— C'est un de tes fils ?

— Non. C'est un élève de l'école militaire de Tulle. Il veut préparer Salon-de-Provence. Alors je vais lui montrer ce qu'on peut faire avec un avion.

L'homme se tourne vers Jacques.

— C'est ton baptême de l'air ?

— Oui.

— Alors, ne mange pas trop et n'oublie pas ton petit sac pour dégueuler. Francis est un sacré casse-cou !

Le serveur apporte la blanquette de veau. Beaufils se met à manger avec appétit. En face, Jacques n'a plus faim.

— Tu as peur ? T'en fais pas, je ne te secouerai pas...

Cela ne suffit pas à rassurer le jeune homme, qui se contente de grignoter. À la fin du repas, Beaufils se lève.

— On y va ?

Jacques le suit, très mal à l'aise. Ses jambes sont lourdes et raides comme du bois.

Au hangar, Beaufils lui demande de l'aider à pousser l'avion jusqu'à la pelouse.

— Attention, ne mets pas tes mains n'importe où. Un avion, c'est aussi fragile qu'une jeune fille.

Jacques s'étonne de la légèreté de cette grande machine. Le contact de sa main sur la toile tendue de l'aile est souple et dur en même temps.

— Le moindre détail négligé ici peut devenir catastrophique là-haut, dit Beaufils. Avant de mettre le moteur en marche, tu dois tout vérifier, les niveaux d'essence et d'huile, les attaches des commandes de gouverne. Tu passes la main sur le bord d'attaque de l'hélice pour sentir si elle n'a pas reçu un coup. Tu inspectes la toile des ailes, le moindre accroc, et elle se déchire en l'air... Bon, tout semble correct. On va brasser l'hélice pour dégommer le moteur, et en route. Installe-toi.

Jacques veut monter s'asseoir sur le siège arrière. Beaufils l'arrête.

— Non, tu te mets à l'avant. L'instructeur est toujours derrière l'élève. Essaie de t'attacher seul.

Le pilote s'assoit à son tour, vérifie que la ceinture de Jacques est bien fixée et tend une paire de lunettes au jeune homme.

— Prends ça, le vent te boufferait les yeux.

Jacques voudrait que Marie le voie, ainsi assis à la place du pilote. Le bruit puissant du moteur fait vibrer l'appareil. En tournant, l'hélice invisible accroche un rai de soleil.

— On y va ! crie Beaufils.

Il desserre le frein, et la machine se met à rouler sur l'herbe.

— Un avion, ça se tient au pied, tu as deux pédales, le palonnier, au-dessus, les freins... On vérifie le débattement des gouvernes en tournant le manche dans le sens des aiguilles d'une montre, c'est simple !

Enfin ils s'alignent en bout de piste.

— Essais moteur, magnéto un, magnéto deux, réchauffe carbu, c'est bon. On y va.

Le moteur lancé à fond, l'avion accélère sur la piste. Jacques ressent un curieux pincement au ventre, mais il n'a plus peur. Tout à coup, il s'aperçoit que la terre se dérobe sous l'aile basse, c'est fait, il vole. Son cœur bondit.

— On va grimper et je te montrerai deux ou trois petites choses. Ça va ?

— Très bien ! crie Jacques avec enthousiasme.

Le vent siffle sur les haubans des ailes un son aigu qui surpasse le bruit sourd du moteur. La campagne immense s'offre à Jacques dans cet ensemble qu'elle ne montre qu'aux oiseaux. Le jeune homme suit des yeux un troupeau de vaches dans un chemin minuscule, une ferme, un village grand comme un jouet d'enfant.

— Ça va ? On peut faire quelques figures ?

— Ça va !

Tout à coup, la terre se dérobe, Jacques ne voit plus que du ciel bleu dans lequel il est plongé comme dans un liquide lumineux, puis la terre revient, d'abord dressée comme un mur au-delà de l'aile droite, puis en dessous. Une ivresse euphorique le gagne. Il rêvait de ça depuis sa plus petite enfance quand il fabriquait de maladroites maquettes en bois de noisetier.

— C'était un tonneau. On y va pour le looping ?

— On y va !

L'avion pique légèrement, prend de la vitesse, puis se cabre, monte en chandelle ; Jacques aperçoit alors la terre au-dessus de lui, puis devant, qui s'approche à grande vitesse tandis que le moteur hurle. Quand l'avion reprend sa position horizontale, il a l'impression d'avoir un sac de blé sur les épaules. Son cœur cogne dans sa poitrine.

— C'est bon ? Tu as pris quatre G dans la gueule.

— Oui, ça fait une drôle de sensation.

— Maintenant je vais te faire piloter. Manche à droite, l'avion s'incline et tourne à droite, manche à gauche, il tourne à gauche. À toi les commandes.

Jacques prend le manche avec appréhension puis le pousse lentement à droite tandis que l'avion lui obéit et s'incline.

— Un peu de pied à droite ! crie Beaufils. Tu sens bien qu'il est en crabe. Un avion, ça se pilote aussi avec les fesses.

Une heure plus tard, le Stamp roule sur la piste. Quand il met le pied à terre, Jacques titube comme s'il avait perdu l'habitude du sol, mais il est heureux. Occupé à briquer son petit monoplace, un homme qui était tout à l'heure au bistrot regarde l'adolescent et s'étonne de le voir sourire.

— Alors, il t'a pas arraché les tripes, le Francis ?

C'est Beaufils qui répond :

— Ce garçon fera un sacré pilote ou je n'ai jamais rien compris aux avions !

8.

Ce matin, Anna s'est réveillée avec une certitude : elle a deux enfants, deux garçons qui ont quatre ans de différence. Elle cherche toute la journée leurs prénoms, passe un à un les saints du calendrier, mais ne trouve rien de plus.

Cette découverte la tracasse. Que sont devenus ses garçons, dans quelle ville, quelle région se trouvent-ils ? Dans le Sud-Ouest ? L'impossibilité d'éclairer la masse sombre de sa mémoire l'irrite, la laisse sans force, au bord de la crise de nerfs. Alors, elle travaille. Le coup de pouce de M. Hermont a été efficace, et les commandes de Manufrance arrivent régulièrement. Elle ne quitte sa machine à coudre que pour manger et dormir quelques heures. Deux fois par mois, elle va se faire payer et s'attarde un peu dans la cour, flâne entre les camionnettes en espérant revoir celle des moulinages Barthélemy. Elle pense souvent à ce bel Antoine qui l'a ramenée chez elle. Comment était-il, déjà ? Ses cheveux noirs étaient coiffés vers l'arrière, une mèche tombait sur son front large... Et son nez, sa bouche ? Elle sourit, secoue la tête. Antoine Barthélemy est bien installé dans sa vie depuis longtemps et n'a que faire d'une pauvre femme perdue. Tout cela n'est que rêve, fumée devant l'immensité de sa solitude.

Elle rend régulièrement visite à Maria, qui n'est plus jamais revenue rue Jean-Claude-Tissot. Les Polonais l'accueillent désormais avec distance. Si, dans sa rue, on l'appelle la Polonaise, au Clapier, elle est devenue « la Française » : elle n'est nulle part chez elle.

L'été 1951 s'est achevé par une suite d'orages qui ont lavé une fois de plus la ville, emporté dans le Furan cette poussière, cette boue grasse et glissante. Après un automne chaud et coloré, l'hiver n'apporte pas de grands froids. Anna travaille dur et ne voit pas passer les jours. Elle pense beaucoup à ses deux enfants, fouille sans relâche les moindres replis de ce bloc hermétique si lourd en elle pour y trouver une fêlure, un passage vers la vérité inaccessible.

Georges Laloue lui rend de nombreuses visites. Il entre dans l'atelier, s'assoit sur un carton en face d'elle et la regarde coudre. Il parle de la boulangerie qui marche bien, du temps qui passe trop vite.

— Ma mère vieillit. Bientôt, elle ne pourra plus servir les clients, et moi, je ne peux pas tout faire. Et puis, depuis qu'elle est mariée, ma sœur ne met plus les pieds à la maison...

— Vous trouverez une vendeuse...

Il opine, incline la tête et se contente de dire :

— Une vendeuse, c'est pas pareil que quelqu'un de la maison, et puis pourquoi s'embêter à travailler ? Pour qui ? J'ai personne !

Anna n'insiste pas. Georges est un exclu de la vie, rejeté par son infirmité, mais elle ne peut rien pour lui.

Le jour de la Sainte-Barbe, le 4 décembre, elle accepte de descendre dans le puits avec les Polonais pour manger et boire comme le veut la tradition. Beaucoup d'entre eux sont tellement ivres qu'il faut les traîner dans l'ascenseur. Yann, rendu téméraire par la vodka, coince Anna dans un recoin de galerie. Il tire sur sa robe qui se déchire, découvrant le haut de sa poitrine. Anna griffe l'homme au visage et le contraint à reculer. Dans l'obscurité, elle réussit à attacher les lambeaux de tissu et à préserver son secret. La leçon a suffi : plus jamais elle ne redescendra au fond de la mine un jour de Sainte-Barbe !

À Noël, elle se rend chez Maria, la vieille femme a tellement insisté, pourtant, Anna aurait préféré rester seule dans son petit appartement.

La communauté assiste à la messe de minuit dite par un prêtre polonais, mais Anna ne se sent pas en harmonie avec cette masse d'hommes et de femmes qui chantent leur espoir en une vie meilleure. Cette ferveur n'est plus la sienne.

Après la messe, les hommes se rassemblent au bistrot. Ils en reviendront dans une heure ou deux, déjà ivres, pour réveillonner tous ensemble dans le hangar désaffecté que la Compagnie leur prête. Là, ils boiront jusqu'à ce que l'exil ne pèse plus sur leurs épaules. Piotr ne rentrera pas chez sa mère. Il s'endormira dans un coin, exposé à tous les courants d'air. Demain, il se réveillera, frais comme après une nuit de bon sommeil, prêt à boire de nouveau.

Anna n'aime pas ces réjouissances grossières et souvent brutales. Aussi, après avoir mangé un peu de soupe, elle se retire avec Maria. Yann s'en aperçoit et vient au-devant des deux femmes.

— Vous n'allez pas partir déjà, la fête ne fait que commencer.

— Si, dit Maria. Je suis vieille et le bruit ne me va pas.

— Et toi, Anna, reste au moins avec nous !

— Non, je vais avec Maria. Moi aussi, je suis fatiguée, j'ai travaillé huit jours sans relâche.

Dépité, Yann s'éloigne en titubant. Les deux femmes rentrent dans le petit appartement de Maria où la cuisinière répand une chaleur agréable. Dehors, des groupes braillent des chansons en polonais.

— Voilà, dit Anna, tu m'as sauvée, tu m'as gardée ici alors que je n'étais qu'une bouche inutile à nourrir. Tu m'as toujours dit que tu n'avais qu'un rêve en tête, celui de retourner dans ton pays. Eh bien, c'est ton cadeau de Noël.

Elle pose un petit paquet sur la table.

— Qu'est-ce que tu dis, Anna ? Je suis trop vieille pour y retourner. Et puis, je n'ai pas l'argent nécessaire.

— Justement, voilà l'argent qu'il te faut pour partir. Il y en a assez pour que tu puisses y rester quelque temps.

La vieille prend la main d'Anna. Les rides de son visage s'animent ; ses yeux profonds se mouillent.

— Écoute, je ne peux pas y retourner, c'est trop tard. Avec toi, j'ai fait ce qu'un être humain doit faire pour un autre être humain. C'est toi qui partiras là-bas. Tu iras voir mon cadet, il habite Varsovie, j'ai son adresse dans mon cahier. La seule chose qui m'embête, c'est que mon corps reste ici pour toujours. Alors tu lui diras de faire rapatrier mes restes pour qu'ils reposent à côté des miens.

Deux heures du matin sonnent à la petite horloge. Anna va dormir quelques heures dans le fauteuil de la cuisine.

— Tu pourrais aller sur le lit de Piotr ! Sois tranquille, il ne rentrera pas de la nuit.

— Non, le fauteuil ira très bien. Je vais prendre une couverture pour ne pas avoir froid. Je partirai au lever du jour.

Anna embrasse Maria, qui passe dans sa chambre et éteint la lumière. Les bruits de l'extérieur deviennent plus intenses, des rires, de la musique. Tout à coup, l'accordéon s'arrête, des éclats de voix stridents annoncent une bagarre. Anna n'y prête pas attention, les rixes sont fréquentes. Des pas rapides s'approchent. On frappe ; Anna se lève, appuie sur le bouton de la lumière.

— Qu'est-ce que c'est encore ? fait Maria en se dressant sur les coudes.

On frappe de nouveau. Anna va ouvrir. Une jeune femme, les cheveux défaits, les yeux pleins de frayeur, s'écrie :

— Venez vite, c'est Piotr...

— Eh bien, qu'est-ce qu'il a encore fait ? demande Maria en se levant.

— Il a frappé Yann, il a un fusil chargé et il menace de tuer tous ceux qui s'approcheront. Ils veulent appeler les gendarmes.

— C'est pas la peine, dit Anna. J'y vais.

— Je viens aussi, dit Maria. Il nous écoutera, nous. Ce n'est pas un mauvais garçon, mais quand il a bu il ne se connaît plus.

Sans prendre le temps d'enfiler leurs manteaux, Anna et Maria se rendent à la salle du réveillon. Un attroupement s'est formé devant la porte ouverte.

— Laissez-nous passer ! dit Anna.

La salle est vide ; sur la grande table faite de planches posées sur des tréteaux, les sauces fument encore dans les assiettes. Piotr est au bout, le visage convulsé de tics. Il tient un fusil dans la main droite et une bouteille de vodka dans la gauche. Ses yeux exorbités et tachés de sang roulent autour de lui un regard de dément.

Quand il voit Anna et sa mère, il s'anime, pointe sur elles le fusil, l'index sur la gâchette.

— Reculez ! hurle-t-il. Reculez ou je tire.

Anna fait signe à Maria de s'arrêter. Un frémissement parcourt son dos. Une peur froide plombe son ventre.

— Reculez ! Je vais vous tuer ! hurle encore Piotr.

Maria fait un pas en avant.

— Maman, je vais te tuer, je tuerai tout le monde et je me tuerai après !

Anna avance à son tour d'un pas.

— Piotr, je t'en prie, pose ce fusil ! dit-elle d'une voix ferme.

Le canon tremble, Piotr se crispe. Maria reprend sa marche. Alors Piotr crie à ceux qui se tassent à l'entrée :

— Vous autres, ne bougez pas ! Le premier qui entre, je le tue comme un lapin.

Maria et Anna sont arrivées à la hauteur du dément, qui a braqué son arme vers la porte.

— Piotr, mon petit, tu te rends compte de ce que tu fais...

— Tais-toi, maman !

Anna approche sa main de l'arme.

— Piotr, voyons, pose ce fusil et personne ne te fera du mal. Allez, viens avec moi.

D'un geste brusque, Piotr veut écarter Anna. Sa grosse main frappe la femme au visage, accroche le gilet dont les boutons volent, et le corsage se déchire. Le coup de fusil part, énorme, une vitre tombe. Anna, violemment projetée vers l'arrière, heurte le mur et reste un moment sonnée. Son réflexe pour ramener le pan de gilet sur le haut de sa poitrine n'est pas assez rapide pour cacher la croix gammée aux regards des hommes qui ont accouru et se sont emparés du fusil. Minable, Piotr pleure, la tête posée sur la table, à côté de l'accordéon. Maria n'y prête pas attention. Elle ne quitte pas Anna des yeux, sa bouche craquelée remue sans qu'un mot en sorte.

— Personne n'est touché ! constate quelqu'un. On a eu chaud ! Tout va bien.

Yann et Nicolaï emmènent Piotr, qui se lamente comme un enfant. Maria tend vers Anna sa main noueuse.

— C'était donc ça !

Son regard exprime une haine profonde, une envie de tuer à son tour. À côté, les autres aussi ont un regard froid.

— La fête continue ! dit l'un d'eux.

— Tu en étais donc ? reprend Maria. Voilà pourquoi tu as fui les tiens et tu es venue te cacher parmi nous !

Anna reste sans voix. Entendre celle qui l'a sauvée la condamner de la sorte lui fait très mal. Maria ajoute :

— Va-t'en et qu'on ne te voie plus jamais.

Anna voudrait parler, mais pour dire quoi ? Elle ne sait même pas dans quelles conditions cette marque a été tatouée. Elle a pourtant la certitude de ne pas être coupable de ce dont on l'a accusée, mais des mots creux ne suffisent pas à convaincre ceux qui ont souffert.

— Les gendarmes ! fait une voix à l'extérieur.

Deux képis entrent dans la pièce.

— On nous a signalé un coup de feu. Que s'est-il passé ?

— Rien. On regardait un fusil et le coup est parti. Il n'y a eu qu'un carreau cassé, ce n'est pas grave.

Anna en profite pour sortir et s'éloigner dans la nuit. Elle court prendre son sac et son manteau chez Maria et s'en va. Il fait froid maintenant ; elle se met à courir. C'est encore une fuite, une de plus. Pourquoi n'a-t-elle pas attendu Maria pour lui parler ?

Elle se barricade dans son appartement, se change très vite. Il est tard, un chien aboie dans la rue. Georges travaille déjà dans son fournil éclairé. L'envie d'aller le rejoindre, de se chauffer à la gueule du four, de sentir l'odeur aigre de la pâte qui fermente la fait hésiter un moment. Enfin, elle s'assoit devant sa machine à coudre, mais ce n'est pas pour travailler. Elle n'a envie de rien, sinon de se dissoudre dans l'air, de rejoindre la réalité de sa mort.

Que les Polonais connaissent son secret ne la dérange pas, c'est d'avoir perdu l'affection de Maria qui la mine. Le seul lien humain véritable qui lui restait vient de se rompre.

Au petit matin, elle décide de lui écrire. *Je te jure que je ne mens pas, j'ai perdu la mémoire, mais je suis certaine d'une chose : je suis innocente de ce dont on m'a accusée. Un jour, je retrouverai mon passé et je te raconterai tout. Tu es ma deuxième mère, celle qui m'a redonné la vie, alors, je t'en conjure, ne me condamne pas sans savoir. Je t'aime tant.*

Anna attend toute la semaine une réponse qui ne vient pas. Au début du mois de janvier, elle décide de rendre visite à Maria, un soir, quand elle rentre de la mine. Piotr est au bistrot et n'en reviendra que tard dans la soirée. Le vent a tourné au nord, un froid vif pique les joues. Un crachin gelé englue la ville.

Anna voit enfin la silhouette menue de la vieille femme et se plante devant. Maria fait semblant de ne pas la voir et l'évite. Anna la prend par le bras.

— Laisse-moi ! dit Maria. Ils m'ont fait trop de mal, tu comprends ?

— Tu vas m'écouter ! C'est vrai, j'ai tout oublié du passé, pourtant je suis sûre que je n'ai rien fait, tu entends, rien. Tu as reçu ma lettre ?

— Je ne l'ai pas lue, je l'ai mise au feu.

— Je te supplie de me croire ! dit Anna. Je t'aime, tu es tout ce que j'ai...

— Je ne peux pas pardonner ! répond Maria en entrant chez elle et en claquant la porte.

9.

La neige est tombée sur Saint-Étienne, d'abord sale, puis elle a couvert les toits, les trottoirs, les rues d'un beau blanc délicat. Mais cela ne dure pas ; très vite la poussière de charbon la transforme en cendre grasse. Chaque jour, Anna espère que Maria va lui écrire. Elle surveille le facteur, et si quelqu'un frappe elle court à la porte, mais c'est Georges qui lui rend visite presque tous les après-midi. Le boulanger apporte une tarte, un pain qu'Anna est obligée d'accepter pour ne pas le vexer. Il s'assoit sur un carton et regarde les mains agiles disposer le tissu sur la machine à coudre. S'il parle, c'est pour évoquer son travail et sa solitude.

— La journée a été rude ! Je vais être obligé de prendre un apprenti et quelqu'un pour servir dans la boutique...

— Vous trouverez facilement ! Tout le monde sait que boulanger est un bon métier.

— Un métier où l'on gagne bien sa vie, c'est vrai, mais je me demande à quoi ça sert.

Georges se sait tellement laid qu'il lui semble que dévoiler son sentiment serait incongru. C'est un homme bon, délicat et timide, Anna sait tout cela, mais elle n'éprouve pour lui que de la pitié.

Ce soir, il paraît plus gêné que d'habitude.

— Voilà, je voulais vous parler.

Anna ne lève pas les yeux de la boutonnière qu'elle est en train de coudre.

— Il se dit des choses dans la rue, des choses horribles que ma mère a entendues dans sa boutique.

Anna a compris ; ses doigts tremblent.

— On dit que... que vous êtes... Comment dire ?

— Quoi ?

— Que vous étiez du côté des Allemands ! Et que c'est pour ça que les Polonais vous ont mise à la porte.

— Les Polonais ne m'ont pas mise à la porte !

— On dit que vous avez une croix gammée tatouée sur la poitrine, comme on l'a fait...

Un instant, par pure bravade, Anna a envie d'ouvrir son corsage et de montrer à Georges cette fameuse marque d'infamie, puis elle se retient et baisse les yeux. Georges se veut apaisant.

— Laissez-les parler ! continue-t-il. La médisance est ainsi, destinée à ceux qui ne peuvent pas se défendre.

— Et si c'était vrai, Georges, que feriez-vous ?

— Qu'est-ce que ça changerait ? Ma marque à moi est tellement plus visible.

— Oui, mais ce n'est pas pareil.

— C'est pire ! dit Georges. Et si on vous cherche des ennuis, venez chez moi. Ma mère ne veut pas ; elle dit que c'est mauvais pour notre commerce, moi, je m'en moque et je la ferai taire.

— Vous êtes gentil, Georges, je reconnais bien en vous un véritable ami.

Il baisse la tête et, d'une voix rapide, dit :

— Si vous vouliez... On serait plus que des amis.

— J'ai dix ans de plus que vous !

— Ça n'a pas d'importance.

Il se lève et s'en va sans rien ajouter.

Le lendemain, à l'épicerie, Anna constate que les regards s'attardent sur elle, mais personne ne lui fait la moindre remarque. Le père Lebrun, l'épicier, ancien résistant, ne chipote pas avec le commerce et ne peut pas se permettre de perdre une cliente pour des ragots venus d'on ne sait où. Le gros boucher Logure n'est pas aussi prudent : il la regarde entrer puis tend un paquet à une cliente en disant :

— Encore une part que les boches n'auront pas !

Quand le tour d'Anna arrive, l'homme se plante devant elle, les poings sur les hanches, l'air moqueur.

— Et pour la petite dame, j'ai du pis de vache avec une grosse tétine.

Anna part s'enfermer chez elle. Le lendemain, on a écrit sur sa porte à la peinture : « La tondue ». Elle passe une partie de la matinée à effacer ces grosses lettres rouges tracées d'une main maladroite.

Alors elle travaille. Le livreur de Manufrance est venu chercher le dernier chargement et lui a apporté de nouvelles vestes à coudre. Heureusement qu'il lui reste ça pour supporter les brimades quotidiennes. Elle sort peu, juste ce qu'il faut pour s'approvisionner dans un autre quartier, et envisage de déménager.

Seul Georges continue de lui rendre régulièrement visite. Cette cabale les a rapprochés. Anna laisse l'homme lui prendre la main et, parfois, abandonne sa tête sur son épaule.

— Anna, je connais bien mon métier. J'ai un peu d'argent. Dites un mot et nous partirons demain habiter dans une autre ville, très loin d'ici. Personne ne saura jamais rien sur vous. Vous ne quitterez pas la boutique et je serai là pour vous défendre.

Anna secoue négativement la tête.

— Georges, je vous jure que tout ce qu'on dit est faux.

— Alors, battez-vous ! Donnez-leur des preuves !

— Il n'y a pas de preuves, mais dites-moi que vous me croyez !

— Je vous crois.

Ils restent un moment, l'un près de l'autre, unis par le rejet et l'injustice. Georges insiste :

— Je ne veux rien savoir de votre passé. Dites oui et nous partirons demain.

— Non, Georges, je ne dirai pas oui parce que vous le regretteriez. Autrefois, j'avais un mari et deux enfants, je ne sais toujours pas dans quelle ville. Je me dois de les retrouver, d'attendre que la lumière se refasse en moi.

Au début du mois de février elle se rend chez M. Hermont pour payer son loyer. Cette visite lui est agréable ; jovial, le gros homme l'accueille toujours avec un mot gentil. Mais, cette fois, le ton a changé. Assis derrière son bureau dans cette pièce minuscule où Anna est venue si souvent chercher du réconfort, l'homme baisse la tête et semble embarrassé.

— Les temps changent ! dit-il. Et ils changent drôlement.

Anna pose devant lui l'argent de la location.

— Je ne sais pas si je vais pouvoir continuer de vous louer ce local...

Il gratte son crâne chauve. Ses larges joues rouges descendent sur le col de la chemise. Enfin, il ose un regard vers Anna.

— Vous savez ce qui se dit... Moi, je ne connais pas la vérité. Cependant...

Ce soir, en face de cette femme que l'on accuse d'avoir été du côté de ses tortionnaires, Hermont cherche ses mots.

— Vous comprenez, s'il n'y avait que moi... Je pense qu'il faut passer l'éponge, sinon, nous n'en sortirons jamais, de cette saleté de guerre, mais les gens parlent...

Anna hésite un moment puis demande :

— Alors, vous ne voulez plus me louer l'atelier ?

— Moi, je veux bien, mais les gens parlent et c'est pas bon pour moi. Vous comprenez que...

Anna inspire profondément puis se décide.

— Je vous dois la vérité, à vous qui m'avez toujours aidée.

Il se lève de son siège, se balance d'une jambe sur l'autre, avant de s'asseoir de nouveau. Cette vérité semble lui faire peur.

— Tout le monde a fait ce qu'il a cru bon ! dit-il. Moi j'ai été arrêté non parce que j'étais dans la Résistance, je ne m'occupais pas de la guerre...

— Je sais. Vous êtes franc-maçon.

— Ce n'est un secret pour personne.

Anna dit, la tête basse :

— Je suis amnésique à la suite de je ne sais quel choc, mais j'ai une certitude, je ne suis pas coupable...

M. Hermont a un regard rapide vers Anna.

— Il y a ainsi des époques où la douleur, la haine, l'exaspération transforment les hommes en animaux. Alors, le mal règne et se repaît d'innocents, mais les coupables, c'étaient les nazis qui ont allumé les premières mèches, et de quelle manière ! En bafouant la dignité des hommes. Or, la dignité, c'est plus important que tout le reste. C'est pour cela qu'ils m'ont brûlé avec des tiges de fer !

En parlant, il a dénoué sa cravate et ouvert sa chemise. Sa peau est quadrillée de traînées rougeâtres.

— Et quand ils m'ont arraché les dents et les ongles...

Ses joues se sont empourprées. Il boutonne sa chemise, serre sa cravate.

— Je vais partir, puisque vous le voulez ! dit Anna. Je trouverai un autre atelier. D'ailleurs, celui-ci est trop éloigné de Manufrance. Ne vous tracassez surtout pas pour moi.

Elle sort. Dehors, la nuit endeuille la rue. Un peu de lumière s'accroche aux lampadaires. Les derniers promeneurs rentrent chez eux à pas pressés. Le vent du nord gèle les flaques d'eau, durcit les traînées de neige noire.

En arrivant chez elle, Anna ajoute une pelletée de charbon dans sa cuisinière et se chauffe les mains. Trouver un nouvel atelier ne sera pas difficile. En changeant de quartier elle bénéficiera d'un peu de répit...

Quelques jours plus tard, après avoir visité un nouveau local, elle passe à Manufrance chercher l'argent de son dernier travail. M. Lefranc demande à la voir et la fait entrer dans son bureau, dont il ferme soigneusement la porte.

— Voilà, dit-il de sa voix cassante. Nous sommes obligés de nous passer de vos services.

Anna ne bronche pas. Elle avait espéré que son infamie resterait aux portes de la grande usine, mais non, sa condamnation doit être complète. Qui donc s'acharne ainsi sur son sort ? Les Polonais ? M. Hermont ? Sûrement pas ! Seule la rumeur qui gonfle de jour en jour a colporté jusque dans ce bureau ce qu'elle a réussi à cacher pendant si longtemps. M. Lefranc reprend :

— Vous savez pourquoi ? Ce n'est pas la peine de s'éterniser sur cette question.

— Je suis innocente ! répond Anna. Complètement innocente de ce dont on m'accuse. Je fais mon travail correctement et vous voulez me réduire à la famine !

— Je vous répète que l'affaire est entendue.

Elle insiste :

— Mais personne ne sait qui coud vos vêtements. Cela ne vous fera pas perdre un seul client !

— C'est égal.

Il se lève et désigne la porte à Anna, qui éclate en sanglots.

La nuit tombe, froide et grise. Anna fait quelques pas dans la cour et voit une camionnette blanche. Sur le côté est écrit en grosses lettres noires : « Moulinages Barthélemy, Pélussin, Loire ». Anna n'hésite pas et se dirige vers le véhicule. Antoine Barthélemy est au volant. Celui qu'elle a espéré pendant des mois est bien là, à quelques mètres, mais il ne la voit pas, et la camionnette s'éloigne.

10.

Une épaisse nuit a tout englouti, les chevalets des puits, les cheminées des hauts fourneaux, les hôtels particuliers aux façades pompeuses des riches industriels du Ier arrondissement. C'est l'heure où le mineur somnole sur la table à côté de son assiette, où les Polonais du Clapier boivent un dernier verre de vodka avant d'aller dormir. Il n'y a pas de bruit, juste l'aboiement d'un chien perdu, le rire gai d'une jeune fille qui s'échappe d'une fenêtre entrouverte...

Le froid est vif en ce mois de février 1952. Anna marche sans but sur la route gelée. Son amnésie la condamne à être de nulle part. La ville noire l'a rejetée dans cette obscurité impénétrable qui convient au néant de son esprit. Elle ne pense pas ; pour penser, il faut avoir des projets.

Elle a pris cette route du Pilat qui ne cesse de monter vers des cimes arrondies, des forêts de sapins, de vastes prairies et des maisons isolées où il fait bon ne voir jamais personne, n'avoir pour compagnon ou voisin que le bruit furtif d'une rivière, le hululement sinistre d'une chouette. Elle avance en suivant la bande claire des plaques de neige dans le fossé. Dieu lui a définitivement tourné le dos. Autant marcher ainsi jusqu'à l'épuisement total, jusqu'à devenir pierre, souche pourrissante, et n'être que matière dans le tourbillon de l'univers !

Une voiture monte de la ville, Anna n'y prête pas attention et la voiture passe sans la voir. Le froid bleuit ses lèvres, s'infiltre sous son manteau trop fin, court au creux de ses reins. Un feulement, une sorte de plainte à mi-chemin entre le plaisir et la douleur la fait sursauter. Du taillis, une bête s'enfuit dans un craquement de brindilles.

Tout à coup, Anna s'arrête, prend conscience de son égarement. Que fait-elle sur cette route qui se perd entre les collines sombres ? Et ses enfants ? A-t-elle pensé à ses deux garçons qui existent quelque part dans le monde et qui, peut-être, l'attendent ?

De nouveau un bruit de moteur, un ronflement traînard, un peu aigu, s'approche lentement. Pour se cacher, Anna se met en retrait, près d'un arbre. Le véhicule monte péniblement sur cette route bosselée où le verglas forme des plaques brillantes comme du verre. C'est un vieux car, haut sur roues, qui fait un infernal bruit de tôle. Ses phares éclairent le fossé d'une lumière jaune ; l'homme qui conduit voit une silhouette près d'un platane, il lève le pied de l'accélérateur et s'arrête.

— Ma parole, c'est une dame perdue dans ce froid ! dit-il en s'approchant d'Anna.

Un énorme animal descend du car, massif, dressé sur ses pattes arrière, puis quatre petits chiens blancs qui se mettent à aboyer aux étoiles. L'homme se tourne vers ses animaux.

— Voyons, Sophocle ! Veux-tu remonter ! Ce froid va t'engourdir, tu sais bien que les ours dorment, en cette saison, allons, obéis !

L'ours ouvre son énorme gueule où brillent de puissantes canines, lève les pattes avant et remonte dans le véhicule en se dandinant. Les chiens se sont approchés d'Anna.

— Molière, Racine, Corneille, La Fontaine, vous allez laisser la dame tranquille. N'ayez pas peur, madame, ces caniches sont des farceurs, mais inoffensifs. Je peux vous déposer quelque part ?

L'homme, grand, mince, porte une espèce de veste en fourrure blanche. Ses longs cheveux noirs sont attachés en queue-de-cheval. Il ajoute :

— On n'a pas idée de se promener par ce froid. Mais par quel miracle êtes-vous là ? La Fontaine, raconte l'histoire de la dame perdue dans la nuit sur une route déserte.

Un des quatre chiens s'assoit, lève ses pattes avant et se met à aboyer.

— Tu as raison, une histoire d'amour... Il était amoureux, elle ne l'était pas, il lui a dit de descendre de voiture, et, comme madame est très courageuse, elle a osé affronter la nuit terrible, pleine de bêtes sauvages et de bandits ! Ou alors, c'est madame qui a découvert son infortune. Celui qu'elle aime est avec une autre... Qu'en penses-tu, Corneille ?

La porte du car est restée ouverte ; l'ours en profite une nouvelle fois pour descendre.

— D'accord, Sophocle, viens avec nous, mais surtout n'essaie pas d'effaroucher la petite dame. Tiens, tu vas la faire rire, raconte-lui une histoire drôle, et vous autres, vous allez montrer à la dame comme vous chantez bien.

Anna assiste à un curieux spectacle que les phares éclairent d'une lumière pâle. L'ours se dresse sur ses pattes arrière, les chiens se placent en ligne devant lui. L'homme agite les bras et les caniches se mettent à aboyer en cadence tandis que le gros animal pousse des rugissements sourds.

— Mais il fait froid, mes artistes se gèlent. Entrez donc dans la maison, je vous rejoins.

Les cinq bêtes montent dans le car et le dresseur se tourne de nouveau vers Anna.

— Chère madame. Je m'en voudrais de vous laisser dans cette froidure. Mes amis et moi serions heureux de vous accueillir dans notre palais roulant.

Sans réfléchir, Anna monte dans le car et s'assoit sur le siège à côté du chauffeur.

— Je me présente, Aristide Maréchal, dresseur d'ours, musicien et saltimbanque, homme de la route, de la foule, homme solitaire. Je vous dépose où ?

Sa voix est forte, chantante et chaude. Anna a l'impression de rêver, un de ces rêves d'enfant qu'on voudrait prolonger au-delà du matin. Aristide a un beau visage tanné, des yeux clairs. Ses cheveux plaqués sur son crâne dégagent son front large et haut.

— Le cœur est gros de remords, petite comtesse. Votre peine est pleine d'une lumière brisée, pareille à la surface d'une rivière sous un soleil de juin, pourtant dure et froide comme la neige au matin de Noël... Sophocle, donne-moi Marjolaine.

L'avant du car est encombré de caisses et d'objets divers. En marchant, l'ours fait tanguer le véhicule. Il apporte une guitare qu'il tient délicatement entre ses pattes avant.

— Ce soir, Marjolaine a le cœur en fête !

Les notes claires s'envolent des doigts du musicien, une mélodie légère et en même temps grave, comme Anna n'en a jamais entendue, tout le contraire des chansons rudes et lourdes des Polonais. Au bout d'un moment, dans un dernier accord qui fait vibrer le bois à n'en plus finir, l'homme a un sourire un peu triste.

— Continuez, c'est beau ! dit enfin Anna.

— Vos désirs sont des ordres, comtesse.

Et la musique recommence, plus saccadée cette fois, comme pressée d'arriver à un but qui lui échappe. Au bout de quelques accords, la voix chaude d'Aristide se mêle à celle de l'instrument, une voix pure qui éclaire cette nuit d'un bonheur qu'Anna reçoit comme une envie de vivre. Alors, demain reprend un sens.

Une voiture monte de Saint-Étienne, croise le car mal garé et poursuit sa route dans la nuit. Le charme est rompu ; Aristide précise :

— La guitare, c'est pour la légèreté, pour les histoires sans conséquences, simples, comme la beauté du printemps, d'une fleur qu'on trouve au creux du fossé...

Il se tait un instant. Anna voit le profil de son visage, un nez bien droit, et cette bouche qui parle avec le naturel d'une eau qui sourd d'une fente de rocher.

— Et le violon pour la passion ! Car le violon, c'est le diable ! fait-il en tournant vers Anna un regard qui se veut terrible. Sophocle ! Apporte Ludwig.

L'ours se déplace avec une étonnante rapidité dans cette pénombre. Il tend un violon et son archet à son maître. Et la musique envahit de nouveau ce vieux véhicule devenu un lieu magique. Anna est toute à cette mélodie puissante, à ces trémolos langoureux. Les caniches, assis en ligne, écoutent sans broncher. Enfin, l'homme pose son instrument.

— Tout ça c'est bien beau, mais vous ne m'avez toujours pas dit où nous allions ?

Anna pense un instant à la camionnette des moulinages Barthélemy, aperçue ce soir dans la cour de Manufrance.

— À Pélussin.

— Va pour Pélussin, mais il faudra faire une halte pour dîner. Toute la famille a faim.

Le car démarre dans un bruit de ferraille assourdissant, gravit avec difficulté la côte. Ils arrivent à un petit village aux maisons tassées les unes contre les autres sous une neige bleue. Depuis un moment, Sophocle grogne.

— D'accord, dit l'homme. On s'arrête.

Il gare son véhicule sur une place, arrête le moteur et allume une lampe intérieure. Alors Anna découvre que le car a été aménagé en habitation. Une table fixée au sol, des chaises, un lit et, tout au fond, la tanière de Sophocle constituée d'un fouillis de vieux vêtements et de couvertures.

— Il y a même une cuisinière à charbon pour faire cuire ou réchauffer nos repas. Le roi n'est pas mon cousin, mais ma maison sur roues me suffit amplement. Regardez, comtesse, toutes ces bâtisses plantées dans la terre et qui ne bougent jamais, qui restent toujours en face du même arbre, près de la même route, comme elles doivent s'ennuyer ! La mienne est libre d'aller à sa guise, de changer d'avis à chaque instant. Mais cessons de bavarder. Sophocle, nous avons une invitée, alors, s'il te plaît, service des grands jours !

L'homme cherche dans un placard une toque de cuisinier qu'il pose sur la tête de l'ours.

— Je t'en prie, ne renverse rien.

Les chiens sautent chacun sur une chaise. L'ours ouvre un autre placard, sort des assiettes qu'il porte une à une sur la table.

— C'est bien, mon bon Sophocle.

Mise en confiance, Anna s'étonne.

— Ça tient du prodige ! Comment avez-vous pu le dresser de la sorte ?

— Les Esquimaux disent que l'ours n'est pas un animal. C'est un homme sous son pelage épais. Sophocle est mon ami.

Tout en parlant, Aristide pose une énorme marmite sur la cuisinière.

— Du civet de lièvre pour tout le monde, ce soir, c'est la fête !

Quand la sauce est chaude, l'homme sert Anna en premier, puis Sophocle, les caniches qui se mettent à lécher leur assiette et enfin lui. Il fait un signe de croix sur une tourte de pain avant de la couper en deux et en propose une tranche à Anna, qui accepte.

Elle n'avait pas faim et pourtant, là, en face de cet ours qui ne la rassure pas, de ces chiens qui engloutissent leurs morceaux de viande, tout près de cet homme curieux, mais qui la charme, elle oublie un instant sa terrible solitude et mange de bon appétit.

Sophocle engloutit son énorme part de civet, les os craquent entre ses puissantes mâchoires. Aristide lui tend un gros morceau de tourte qu'il avale en quelques secondes.

— Nous ne pourrons pas aller à Pélussin ce soir. Il faut passer La Croix-de-Montvieux et la route est enneigée sur la montagne. La prudence veut que nous attendions le jour, mais la comtesse peut dormir ici. Nous veillerons sur son sommeil, n'est-ce pas, Sophocle ?

L'ours pousse un grognement comme s'il avait compris ce qu'a dit son maître. Repu, l'animal se dirige vers l'arrière du véhicule, se couche sur les couvertures et s'endort en boule.

— Le pauvre manque de sommeil, dit Aristide. Tout le monde sait que les ours dorment en hiver.

Anna boit une gorgée du vin qu'il vient de lui servir.

— La comtesse pourra dormir sur le lit, moi j'irai avec Sophocle, la place ne manque pas.

Anna ne dort pas de la nuit, pourtant, elle se détend. Il lui semble que le monde entier s'est volatilisé, qu'elle flotte sur un nuage blanc. De temps en temps, l'ours pousse des grognements terribles. Aristide lui murmure une parole rassurante et la bête s'endort de nouveau. Qui est cet homme à qui les animaux obéissent si bien et qui joue une musique si touchante ? Anna voudrait lui faire confiance et pouvoir lui raconter son histoire, mais ne va-t-il pas la rejeter comme les autres ?

L'image de Georges flotte par moments dans ses pensées, Georges qui voulait partir avec elle... Pauvre boulanger condamné par la nature à se cacher dans son fournil ! La prison ou la fuite perpétuelle se ressemblent. Pour l'instant, Anna se cache dans un car transformé en maison chez un homme dont la bonne humeur et la fantaisie rendent supportable sa solitude.

Des bruits viennent de l'extérieur, des voix qui s'interpellent, des tréteaux que l'on dresse. Anna regarde par la vitre et voit des silhouettes qui vont et viennent sur la place, à la lueur de lampes électriques, installent des bancs, sortent des marchandises des camionnettes. C'est le marché.

Au petit jour, l'ours grogne de nouveau, se lève, énorme. À chacun de ses mouvements, Anna sent le lit se dérober sous elle. L'animal secoue son maître par l'épaule. Aristide se dresse sur les coudes, les chiens lui lèchent les joues.

— Voyons, Sophocle, tu as oublié l'heure ? Nous allons être en retard. Regarde, ils sont tous là.

Une foule emmitouflée de villageois marche déjà entre les bancs des camelots qui les interpellent et vantent la qualité de leurs marchandises. À droite, un casseur d'assiettes commence son boniment. Il crie un prix, regarde autour de lui. Comme personne ne se décide à prendre le lot, il le soulève à bout de bras, crie un autre prix, attend, prend son élan, dit un dernier chiffre et casse les assiettes dont personne ne veut. Des marchands d'étoffes invitent les femmes à palper des tissus, des guérisseurs énumèrent les mérites de leurs médicaments...

— Comtesse, dit Aristide, le spectacle va commencer.

Il ouvre les portes arrière du car et s'adresse à la foule.

— Mesdames et messieurs, venez donc assister aux exploits extraordinaires d'un ours savant et de quatre chiens qui comptent mieux que le meilleur d'entre vous...

Sophocle est sorti et tient le violon et l'archet sur ses pattes.

— Montre-leur que tu sais jouer de la musique.

L'ours place le violon sous son énorme gueule et l'archet court sur les cordes en émettant un son rauque. Les badauds se rassemblent en riant.

— Tenez, continue Aristide, voici quatre chiens qui ont lu les auteurs classiques et savent tout des mathématiques. Par exemple, je pose la question, combien font douze fois vingt-sept ?

Les chiens se sont assis en ligne devant leur maître.

— Vous allez le savoir, les petits, on y va.

Corneille aboie trois fois, Racine deux fois et la Fontaine quatre. Aristide s'exclame :

— Trois-cent-vingt-quatre ! Voilà la réponse.

Le spectacle continue et les villageois se tassent de plus en plus nombreux près du car, malgré le froid qui pique. Sophocle danse au son de la guitare espagnole ; les chiens aboient en cadence... Les applaudissements fusent. À la fin, l'ours, la gueule ouverte comme s'il souriait, passe entre les spectateurs en secouant une tirelire.

Anna est restée dans le car pendant toute la représentation, étonnée par la bonne entente entre cet homme et ses animaux. Un simple regard, un geste sont aussitôt interprétés sans erreur. Vers onze heures, Aristide fait entrer tout son monde. La fête est finie. Il s'assoit au volant et le car sort du village pour s'arrêter un peu plus loin, au bord d'une forêt. Les animaux s'y enfoncent. Aristide regarde Anna en riant.

— Faut bien qu'ils aillent faire leurs besoins. Vous pouvez y aller aussi.

Mais Anna ne bouge pas. Son corps est bloqué.

— Maintenant, il faut trouver une boulangerie.

Un coup de sifflet ramène les chiens qui courent en aboyant autour de l'ours, comme des élèves et leur maître. Le car repart jusqu'au prochain village, s'arrête devant la boulangerie. Aristide achète trois grosses tourtes et va à un bistrot où, visiblement, il a ses habitudes. Sophocle le suit en portant la grosse marmite sur sa tête. Les gens sortent de chez eux pour voir l'animal, le spectacle continue.

— Le déjeuner va être servi, comtesse ; aujourd'hui, ce sera du coq au vin.

Anna veut se rendre utile et mettre la table. Aristide s'y oppose.

— Sophocle s'en chargera. Nous serons à Pélussin dans une heure. Dois-je vous déposer chez quelqu'un ?

Anna secoue la tête. Non, elle ne connaît personne à Pélussin.

— Je vois bien que notre comtesse porte un gros secret, piquant comme un hérisson... Soyez sûre que le temps arrange toujours tout.

— Non, le temps n'arrange pas toujours tout ! dit Anna. Il donne un peu de répit, c'est tout. Croyez-vous qu'il y a du travail dans la région ? Je suis couturière.

Aristide hausse les épaules.

— Là-bas, c'est surtout les moulinages...

Après La Croix-de-Montvieux, la route descend à flanc de montagne. La lumière a changé. Jusque-là, c'était une lumière terne, comme tamisée par les nuages. Ici, elle éclate, puissante, joyeuse et vivante.

— La vallée du Rhône, précise Aristide, avec ses coteaux... Le plus beau pays du monde.

— Vous êtes d'ici ? demande Anna.

— D'ici, d'ailleurs et de partout. Je suis né à la Ribotte, près de Condrieu, célèbre pour ses grands vins. J'avais tout pour le bonheur, un des domaines viticoles les plus rentables, mais voilà, je ne sais pas rester en place...

Il se tait un instant, puis, se tournant vers Anna, demande à son tour :

— Vous avez fui Saint-Étienne comme quelqu'un qui est au bout de lui-même. On ne part pas à Pélussin à pied, la nuit, en plein hiver...

Anna secoue la tête.

— Je n'ai personne au monde, rien à quoi me raccrocher...

Ils arrivent à Pélussin. Le ciel est bleu, il fait doux après le froid vif du sommet des montagnes. Le car s'arrête en bordure de la route qui descend en tournant mollement vers le village.

— Ne vous en faites pas, comtesse... Celui qui ordonne tout dans l'univers ne m'a pas donné la fantaisie de quitter Saint-Étienne hier au soir pour rien. Notre rencontre était prévue depuis des millénaires, depuis que le monde s'est formé ! Ma vieille maman vous attend...

Troisième partie

LES VIGNES BLANCHES

1.

Une chaleur lourde roule sur les coteaux. La lumière intense dissout les formes, noie les couleurs, éclate sur le métal fondu du Rhône. Pas de vent. Les oiseaux se taisent. Sur les pentes abruptes de Condrieu, les vignerons s'affairent en ce mois de juin 1952. Anna enfonce son chapeau sur sa tête, s'essuie le front et se remet au travail. Elle coupe les longues tiges vertes, les grappes en surnombre. Cette année, la fleur a été abondante, trop, puisqu'il faut vendanger en vert, mais Denis Mouthier, qui s'occupe du domaine de Marthe Maréchal, préfère cela à ces années où le gel brûle les bourgeons et les feuilles nouvelles couvertes de duvet blanc.

Cinq mois déjà qu'Anna est ici. Quand le car s'est arrêté dans la cour de la Ribotte, elle a eu la bizarre impression d'être déjà venue, de connaître ce vieil arbre au tronc creux. La disposition des pièces de la grande maison ne l'a pas étonnée. Quand elle a vu Marthe, un frisson l'a parcourue. Cette petite femme aux cheveux blancs ne lui était pas inconnue. Son émotion était si forte qu'elle est restée médusée, à mi-chemin entre ce souvenir imprécis qu'elle n'arrivait pas à identifier et cette réalité qui la maintenait dans un rêve éveillé. Aristide a éclaté de rire, Sophocle a grogné, et, pour montrer qu'ils n'étaient pas en reste, les caniches se sont mis à japper en courant autour du gros animal.

— Comtesse, a dit Aristide, je ne savais pas que ma vieille maman était aussi impressionnante.

— Comme c'est étrange, s'est exclamée Anna, cette ressemblance...

— Une ressemblance, mais avec qui ?

— Je ne saurais le dire. Avec une personne de mon passé qui m'échappe.

— Ma vieille maman s'ennuie, seule dans cette grande maison. Il lui faut quelqu'un pour aller faire ses commissions au village et lui tenir compagnie... Nous, la route nous appelle et nous n'aimons pas la laisser seule, n'est-ce pas, Sophocle ?

L'ours opine de la tête.

— Maman, je te présente Anna.

La vieille femme a dévisagé Anna et s'est aussitôt livrée à un interrogatoire en règle.

— Vous venez d'où ?

Anna a regardé Aristide, qui lui a fait un clin d'œil.

— De Saint-Étienne.

— Que faisiez-vous à Saint-Étienne ?

— J'étais couturière.

— Pourquoi êtes-vous partie ?

Nouveau clin d'œil d'Aristide, qui s'amuse beaucoup.

— Parce que je ne supporte pas l'air malsain de la ville. Je voulais m'installer à Pélussin, quand j'ai rencontré votre fils qui m'a proposé de venir ici.

— Êtes-vous mariée ?

— Je l'étais. Mon mari est mort en déportation.

Anna répond du tac au tac. Cette voix un peu rauque qui la questionne se plante en elle comme une lame prête à déchirer le voile qui recouvre son passé.

— Vous avez des enfants ?

— Non.

— Écoute, maman, cesse ce questionnaire ridicule !

Marthe pose sur son fils un regard dur.

— Je pose les questions que je veux.

— Vous verrez, dit Aristide à Anna, elle est adorable.

— Comment vous appelez-vous ?

Anna, qui a appris à se méfier, n'a pas donné son nom polonais et a répondu sans hésiter :

— Anna Lefèvre.

— Tu ne vas quand même pas lui demander sa carte d'identité ?

— C'est parfait, dit Marthe. Votre travail consistera à aider cette pauvre Geneviève qui prépare mes repas. Vous irez au village faire les courses et, le soir, vous me ferez une heure de lecture, car je suis presque aveugle. Nous parlerons de votre salaire à la fin du premier mois.

C'est ainsi qu'Anna s'est retrouvée dans cette antique maison entre Condrieu et Saint-Michel-sur-Rhône. Au début, Marthe gardait ses distances avec Anna, mais, très vite, l'heure de lecture est devenue un moment de confidence d'une vieille femme seule qui s'ennuie.

— Aristide n'a jamais été comme les autres. Les animaux l'aiment, c'est comme ça. Il sait leur parler et les charmer... Il aurait pu rester ici, travailler nos vignes, mais voilà, la route l'appelle, c'est plus fort que lui. Alors, s'il est heureux ainsi...

— Il ne s'est pas marié ?

La vieille a un vague sourire, replace une mèche de ses cheveux blancs sous le peigne.

— Des femmes... Avec le charme qu'il a, il doit en trouver, mais aucune ne pourra jamais le retenir. C'est ainsi, je vous dis, c'est un saltimbanque. Quand son père était là, ça n'était pas toujours facile. Deux caractères complètement opposés. Henri ne pensait qu'à ses vignes, à sa maison, et lui qu'à prendre la poudre d'escampette... Et puis, Henri est mort... Quand c'est le destin... Il s'est fait prendre par les Allemands et il a été déporté en Allemagne dans un camp. Je pensais ne plus jamais le revoir et pourtant il est revenu et s'est aussitôt remis au travail dans ses vignes, comme pour rattraper le temps perdu, mais la mort l'a bien trouvé quand elle a voulu, une grippe qui semblait pas plus méchante qu'une autre et qui l'a emporté. Moi, je reste seule. J'ai bien Aristide, mais les vignes ne l'intéressent pas ; c'est pourtant un des plus beaux domaines du pays.

Anna joue le jeu et s'invente une vie.

— Moi aussi, je suis seule. La guerre m'a pris mon mari et mes poumons fragiles m'ont contrainte à fuir ma ville.

Deux fois par semaine, Anna se rend à Condrieu à bicyclette pour acheter ce qui est nécessaire, le pain, la viande, les légumes. Elle pousse parfois jusqu'à Pélussin, s'arrête devant les énormes bâtiments des moulins qui traitent la soie tout au long de la petite rivière puis revient à la Ribotte.

Denis Mouthier s'occupe des vignes. Il habite un hameau voisin avec sa femme édentée, sa flopée d'enfants morveux et sales. Cette force de la nature se déplace avec l'agilité d'un chat sur ces pentes raides où le labourage se fait au treuil. Mal rasé, les cheveux en broussaille, il porte continuellement une veste de chasse, une casquette posée sur le sommet de sa tête. Anna le rejoint tous les après-midi. Au début, l'homme ne comprenait pas que cette femme, embauchée comme dame de compagnie, cette étrangère vienne ainsi se brûler au soleil sur ces pentes difficiles et il se méfiait d'elle. Mais Anna a tout de suite aimé ce travail, comme si elle l'avait pratiqué en d'autres temps. Elle a regardé Denis tailler les ceps à la fin de l'hiver puis l'a imité. Il s'est étonné.

— Voilà que vous savez tailler ! Vous connaissez le métier ?

— Ce n'est pas sorcier ! dit Anna en riant.

Ce travail lui plaît. Entre les rangs, sur ces pentes qui surplombent le fleuve majestueux, elle oublie ses interrogations, et le temps entre deux visites rapides d'Aristide passe plus vite. Chaque matin, quand il fait bon, elle emmène Marthe dans une longue promenade. Malgré sa quasi-cécité, la vieille femme est encore très alerte et ne cache pas qu'Anna a changé sa vie :

— Avant vous, j'étais clouée dans mon fauteuil et j'avais des fourmis dans les jambes toute la journée.

Avec le temps, Anna a aussi apprivoisé Denis, qui n'est pas un mauvais bougre.

— Ces vignes sont les mieux exposées du pays, dit-il. Elles donnent un des meilleurs vins et Mme Maréchal n'en profite pas. Depuis la mort d'Henri, elle vend le raisin à un gros producteur qui le paie une poignée de cerises... C'est une honte !

— Mais pourquoi vous ne faites pas le vin ?

— On ne peut pas être au four et au moulin. Et puis c'était Henri qui s'occupait de ça. Moi, je n'y entends rien. Aristide sait faire, son père lui a donné tous ses secrets, mais Aristide préfère ses idioties avec son ours.

Un soir, Anna en parle à Marthe. La vieille a un mouvement d'impuissance.

— C'est vrai qu'il ne paie pas le raisin bien cher, mais que voulez-vous faire ?

Depuis qu'Anna est à la Ribotte, Aristide revient plus souvent. Marthe l'a remarqué mais n'en parle surtout pas. L'homme arrête son car dans la cour et les caniches sortent se rouler dans l'herbe du petit pré, en contrebas. Sophocle n'a pas le droit de s'éloigner, mais l'inaction lui pèse. Un jour, il a été pris en chasse par les chiens d'une ferme voisine ; le paysan a menacé Aristide d'abattre l'animal avec son fusil s'il le revoyait rôder autour de ses moutons.

— Comtesse, vous éclairez cette maison d'une lumière qui nous donne chaud au cœur !

Aristide est ainsi, charmeur et insaisissable. Il reste deux ou trois jours, puis un matin, en se levant, Anna s'aperçoit que le car n'est plus dans la cour, près du vieil arbre.

— Mais pourquoi avoir toujours la bougeotte ? lui demande-t-elle. On est bien, ici, et vos vignes sont superbes. Pourquoi ne pas arrêter cette fuite continuelle ?

Un sourire éclaire son visage un peu long, lisse, son front haut, oublié par les rides. Il a pourtant quarante ans, c'est Marthe qui l'a dit à Anna.

— Je n'ai jamais pu rester en place, et puis Sophocle s'ennuierait.

Quand il est là, c'est la fête. Geneviève s'active dans sa cuisine et prépare les plats qu'il aime. Le soir, après dîner, il prend sa guitare ou son violon et Anna se laisse charmer par cette musique qui parle au cœur.

Elle réussit parfois à l'emmener dans les vignes où le pauvre Denis s'acharne chaque jour avec la régularité et la lenteur d'une bête de somme. Le domestique a toujours un regard froid pour l'ours.

— Cette bête dangereuse... Moi, je lui foutrais un coup de fusil.

— Mais il n'est pas méchant, réplique Anna.

Denis se gratte les cheveux sous sa casquette crasseuse.

— Avec ces animaux, on sait jamais !

— Que ces vignes sont belles ! dit Anna à Aristide. J'aime surtout les Vignes blanches, qui sont comme accrochées au ciel, au-dessus du Rhône.

L'homme a un sourire en coin, ce sourire qui allume un éclair de malice dans ses yeux noirs. Il cueille une marguerite qu'il tend à Anna.

— Je sais ! dit-il. Ce sont les meilleures et les plus dangereuses, en pente comme un toit et surplombant un ravin de trois mètres de profondeur... Mon père faisait attacher une corde pour que les vendangeurs puissent se tenir !

Il ajoute, après un silence léger comme le souffle d'air qui monte du fleuve :

— Parfois je m'en veux d'être un saltimbanque, de gâcher un aussi bel héritage, mais quand je fais mes tours, quand j'ai en face de moi le visage émerveillé d'un enfant, je suis au paradis. J'aime qu'on me regarde, qu'on m'applaudisse. Cette année, je resterai pour la vendange.

— Et vous allez vendre le raisin ?

— Rien n'est comme avant, comtesse. Je vous le dis, notre rencontre était écrite dans la matière depuis que l'univers existe. Le vin, je sais le faire. J'ai grandi au milieu des cuves et quand on est enfant on apprend vite... Jusque-là, je n'en voulais pas, maintenant, c'est différent.

Il s'est assis sur le mur qui retient la terre, au bord du ravin. Ses jambes pendent dans le vide.

— Un jour, un vendangeur est tombé d'ici. Sa tête a heurté une pierre et il est mort sur le coup.

Anna cueille un bouquet de grandes fleurs violettes qui ont poussé en bordure du mur. Elle pense à ce que Marthe lui a dit, l'autre jour, pendant leur promenade. Elle et Henri étaient mariés depuis quatre ans et n'avaient pas d'enfant. Le docteur qui avait examiné Marthe assurait qu'elle ne pourrait jamais être mère. Henri, qui voulait tant un fils pour reprendre ses chères vignes, avait fait le vœu à saint Aristide, patron de la petite chapelle de la Ribotte, que, s'il avait un fils, il l'appellerait Aristide et apporterait chaque année un tonneau de son meilleur vin blanc à l'abbaye de Condrieu. Aristide naquit l'année suivante.

— Un père, dit Aristide, c'est quand il n'est plus là qu'on en comprend l'importance. Je crois qu'il a voulu trop me donner, trop m'apprendre, il a voulu que je sois son prolongement, alors, bien sûr, ça n'a pas marché.

Anna baisse la tête.

— Il faut que je vous dise, j'ai menti à votre mère, je me suis inventé un passé que je n'ai pas.

Aristide sourit.

— Je l'ai bien compris. Vous avez un secret mais je ne vous pose pas de questions. Maintenant, vous êtes chez vous. Ma mère vous a complètement adoptée et ne peut plus se passer de vous.

— Bien sûr, Aristide, mais un jour il faudra bien que je parte !

— Mais pour aller où, comtesse ?

— Ne m'appelez pas ainsi, j'ai l'impression que vous vous moquez de moi.

— C'est que vous avez l'allure d'une dame. Cette façon de marcher, de bouger avec élégance...

Ce matin, Anna se lève avec un petit pincement au cœur. Ce qu'elle redoutait est arrivé : la cour est déserte. Le soleil illumine les coteaux. Marthe va jusqu'à son fauteuil en tâtonnant.

— J'ai l'habitude ! dit-elle. Mais si vous déplaciez la table ou le placard, je serais complètement perdue.

L'absence d'Aristide attriste la grande maison. Le silence a le poids des murs, les casseroles que Geneviève remue dans la cuisine font le bruit d'un glas.

— Vous voyez que j'avais raison ! dit Marthe. On ne peut pas faire confiance à Aristide. Il est parti au lever du jour, comme si quelque chose l'appelait ailleurs. Il ne faut pas prendre au sérieux sa résolution de rester pour la vendange et le vin.

— Mais s'il l'a dit...

— Il dit beaucoup et fait peu. Nous allons nous retrouver avec toute la vendange sur les bras et personne pour la travailler... Non, croyez-moi, il vaut mieux vendre le raisin.

Anna boit rapidement un peu de café puis s'en va dans les vignes. Pendant les absences d'Aristide, elle ne se sent bien que sur ces pentes abruptes, entre les rangs des vieux ceps tordus. Denis est formel : si la grêle ne vient pas tout détruire, la récolte sera exceptionnelle. Et Anna, comme le domestique, surveille les gros nuages qui se forment sur les collines. Denis lui explique :

— Quand le nuage est noir, pas de risque, c'est quand il est noir en bas et qu'il a comme des cheveux blancs sur sa tête, là, c'est sûr, c'est la grêle !

Pendant l'été, Aristide revient à la Ribotte deux ou trois fois par semaine, alors, le bruit des bateliers est gai, le soleil plus brillant et plus doux.

— Les fêtes ne manquent pas dans les parages, j'ai pas besoin d'aller loin pour trouver du public ! En hiver, c'est bien différent.

Marthe s'étonne de cette présence presque quotidienne et précise :

— Il y a quelques années, juste après la mort de son père, il faisait comme ça. Je le voyais tous les trois ou quatre jours. Je me disais que c'était bon signe, qu'il allait enfin se ranger. Et puis, à l'automne, il est resté deux mois sans donner de ses nouvelles...

— Anna a fait un miracle et les grappes n'ont jamais été aussi belles ! dit-il à sa mère. Ce serait une honte de vendre ce raisin.

Marthe a un mouvement des bras.

— Tu vas encore nous faire une bêtise ! Tout va s'abîmer, voilà ce qu'on en aura de la belle récolte ! Le vin, il faut s'en occuper jour et nuit, jusqu'à ce qu'il soit grand. Tu n'auras pas la patience.

— Si, j'aurai la patience.

Marthe cède à ce nouveau caprice de son fils à qui elle n'a jamais su rien refuser, et, quand le négociant vient la trouver quelques jours plus tard pour aller voir l'état de la récolte, elle lève ses yeux aveugles sur l'homme au large visage sanguin.

— Cette année, je ne vends pas.

— Mais voyons, madame Maréchal, vous voulez dire que vous l'avez vendue à quelqu'un d'autre ?

— Non, je garde ma récolte. Le vin sera fait ici, élevé dans mes caves, comme au temps d'Henri.

— Mais personne ici ne saura faire, madame Maréchal. Réfléchissez, vous allez tout perdre et ce serait dommage...

— Inutile d'insister.

L'homme remonte dans sa voiture très en colère, certain que Marthe lui a menti et surtout conscient qu'une des plus belles récoltes de la région lui échappe.

2.

Un bref orage vient de passer sur la ville. Les toits fument. L'eau de la Gironde qui avait pris une couleur ardoise retrouve ses reflets d'un bleu tendre qui virent au vert sur les vagues molles que soulève un lourd bateau en partance vers l'Océan. Pascal hâte le pas. Voilà six mois qu'il habite Bordeaux, qu'il se cache dans cette grande ville où l'infamie de sa famille ne peut se découvrir. Il passe une main dans ses cheveux mouillés, le voilà trempé. Tant pis, il n'a pas le temps de revenir chez lui se changer. Mme Lemoine l'attend et la vieille dame aime les gens ponctuels. Les œillets achetés place des Quinconces sont très beaux, mais il se dit que des roses auraient été préférables. Mme Lemoine protestera, pourtant, Pascal a remarqué que ces petites attentions ne la laissent pas indifférente.

Elle sort peu, si ce n'est pour aller voir ses bateaux quand ils sont à quai. Elle fagote son grand corps osseux dans une longue robe noire ; ses cheveux blancs sont attachés sans coquetterie avec de larges peignes. Son visage anguleux n'a aucune grâce, mais elle sait donner à ses lèvres fines un pli autoritaire. Elle boitille d'une pièce à l'autre en s'aidant d'une canne au superbe pommeau d'argent et passe des heures à éplucher les dossiers de la Compagnie des transports maritimes Lemoine.

— La vie n'est pas juste, jeune homme, souvenez-vous-en, dit-elle à Pascal. Elle vous donne le bon en premier et garde le fiel pour la fin...

C'est sur une recommandation de M. Froiset que Pascal est venu, dès son arrivée à Bordeaux, frapper à la porte de

Mme Lemoine. La chance a voulu qu'un de ses nombreux appartements fût libre et il a pu l'occuper le soir même.

Le voilà quai Voltaire, à l'entrée d'un superbe hôtel particulier construit au siècle dernier par de riches armateurs anglais. Il adresse un bonjour au jardinier, qui le reconnaît, et sonne à la porte. Roseline, la servante, vient ouvrir ; elle a une bonne tête ronde avec des taches de rousseur sur les joues. Pascal lui sourit et monte les marches en éprouvant sous ses chaussures la douceur de l'épaisse bande de moquette rouge retenue par des baguettes dorées.

— Madame vous attend au salon.

Il traverse le grand vestibule et se trouve ridicule avec son bouquet d'œillets à la main. Les murs du salon sont couverts de magnifiques tableaux. Assise dans son énorme fauteuil noir, Mme Lemoine tend la main à Pascal.

— Vous voilà enfin. Vous n'êtes que très peu en retard et, de toute manière, les Monnier ne sont pas encore arrivés. C'est leur habitude. Faut dire qu'Alain travaille dur. Asseyez-vous, je vous prie.

Pascal est là, avec ses fleurs à la main, en peine de son corps.

— Roseline, crie Mme Lemoine, venez débarrasser M. Massenet de ces splendides fleurs.

Les joues de la vieille femme ont rosi, comme Pascal l'espérait.

— Fallait pas vous mettre en frais, jeune homme. Je suis trop vieille pour qu'un beau garçon comme vous m'achète des fleurs.

— Vous êtes si bonne pour moi..., murmure Pascal.

— M. Froiset m'a encore écrit et m'a longuement parlé de vous. Il vous tient en grande estime et m'a avoué qu'il aurait pu s'opposer à votre départ de Brive, mais il ne l'a pas fait parce qu'il pense qu'ici, à Bordeaux, vous pourrez réussir la belle carrière qu'il vous prédit... Mais asseyez-vous, vous me donnez le vertige.

Pascal s'assoit au bord de l'immense fauteuil.

— Roseline, apportez-nous du champagne. Cela nous aidera à attendre...

Puis, se tournant de nouveau vers Pascal :

— Oui, ce cher Alexandre Froiset, dont le père avait beaucoup travaillé avec mon mari, m'a expliqué pourquoi il a dû se séparer de vous. Cela m'a beaucoup touchée.

Très mal à l'aise, Pascal prend la coupe que lui tend Roseline. Encore une fois, ce passé dont il voudrait tant se défaire revient l'assaillir de ses morts sales et de ses images de honte.

— L'injustice me répugne ! Mais croyez-moi, lorsque à mon âge, on regarde derrière soi, on découvre souvent que ce qui nous paraissait comme un échec se révèle positif.

— Je voudrais tant oublier..., murmure Pascal.

— Vous ne le pourrez pas, mais justement, faites de cela une armure qui vous protégera de la légèreté et devenez quelqu'un, c'est la meilleure manière de prendre votre revanche ! Mais je crois savoir que vous avez un frère...

— Oui. Jacques a quatre ans de moins que moi. Il est à l'école militaire de Tulle... Il se destine à l'armée de l'air.

— Et vous ? Vous souhaitez faire toute votre carrière dans la banque ?

— Je ne le crois pas. Je dois d'abord me former, ensuite, j'aimerais créer ma propre affaire.

— C'est bien ce que je pensais ! Votre attitude ne trompe pas.

On sonne. Roseline va ouvrir et annonce M. et Mme Monnier. Pascal se lève tandis que la bonne conduit au salon un homme et une femme d'une cinquantaine d'années, très élégants. Ils embrassent Mme Lemoine.

— Tante Léontine, dit M. Monnier, pardonnez notre retard. Pour une fois, c'est moi le fautif, et non Micheline, qui est venue me récupérer au bureau.

— Mon cher Alain, vous travaillez trop !

Mme Lemoine est mal faite ; un peu bossue, une épaule plus haute que l'autre, sa façon de se mouvoir et de s'exprimer lui confèrent pourtant une classe inimitable. Micheline est une superbe blonde, le visage lisse avec à peine quelques rides au coin de ses grands yeux verts. Elle tend sa main fine ornée de bagues à Pascal.

— Oui, poursuit Mme Lemoine, je vous présente donc mon jeune locataire dont je vous ai parlé, Pascal Massenet, qui vient de la Corrèze, région d'origine de mon défunt époux, et qui travaille à la banque Permot sous la recommandation de notre cher Alexandre Froiset.

Roseline apporte une coupe de champagne aux arrivants. Mme Monnier s'assoit à côté de Pascal, qui sent son regard posé sur lui comme une brûlure. Alors, il baisse les yeux et se contente de répondre brièvement aux questions de M. Monnier en se disant qu'il n'a jamais été aussi maladroit.

— M. Massenet est le fils d'un gros propriétaire, dit Mme Lemoine. La guerre l'a détourné d'un destin tout tracé, mais changeons de sujet ; certaines choses sont trop difficiles à évoquer quand on les a vécues.

À table, Pascal est placé en face de Mme Monnier, qui le questionne sur son travail, ses projets. Il répond évasivement, parle de ses études. M. Monnier évoque les deux pétroliers de la Compagnie des transports maritimes Lemoine qui ramènent l'or noir du Moyen-Orient.

— Les besoins ont doublé depuis la fin de la guerre, ils vont doubler encore dans les dix prochaines années. Il y a là beaucoup d'argent à gagner !

Mme Lemoine lève sur Pascal un regard protecteur.

— Vous voyez, jeune homme, que tout est permis à quelqu'un qui a l'esprit entreprenant. Alain, je vous serais reconnaissante d'expliquer un peu à notre jeune ami ce qu'est notre Compagnie, je l'ai fait, certes, mais pas dans le détail.

Ce n'est pas vrai, Pascal n'ignore rien de la C.T.M.L. ; Mme Lemoine ne peut rester plus de cinq minutes avec un visiteur sans évoquer ce qui a été et reste la grande affaire de sa vie.

— Eh bien, dit M. Monnier, mon oncle, qui nous a quittés voici déjà quatre années, a commencé par importer des marchandises d'Asie et du Moyen-Orient. C'était un grossiste, en quelque sorte, qui avait compris que pour survivre il ne fallait surtout pas se spécialiser. Ainsi, il importait du coton, du thé, des oranges, des porcelaines..., de tout.

— N'oubliez pas la soie, qui a été sa grande réussite ! dit Mme Lemoine.

— Puis il a acheté son premier bateau en 1932, juste avant les graves incidents que vous connaissez. Le chômage était important dans notre pays, il a eu l'idée de se consacrer surtout aux produits de luxe tant il est vrai que les riches profitent toujours des périodes de récession économique. Et c'est ce qui a fait sa fortune. Son deuxième bateau a été acheté en 1937.

— 1938, rectifie Mme Lemoine, c'est le *Joyeux.*

— La guerre est arrivée, poursuit M. Monnier. Là, on arrête tout. Les bateaux restent à quai. À la fin de la guerre, il a repris son commerce, et je suis naturellement venu l'aider dans sa tâche. En 1948, il nous a quittés, trop tôt, mais les bateaux Lemoine continuent de sillonner les mers. Ils sont quatre désormais, deux pour le transport de produits ordinaires, deux pour le pétrole. Et c'est cette partie que je vais développer, c'est l'avenir...

La soirée passe agréablement. Pascal évoque son enfance à la Veyrière, ses sorties nocturnes avec Marcel, qui lui apprenait le braconnage.

— Le domaine appartenait aux Massenet depuis le XVIe siècle. Il a été vendu par mon oncle, qui est aussi mon tuteur.

— Mais l'argent, demande Mme Lemoine, qu'est-il devenu ?

Pascal hausse le ton.

— Mon oncle... Comment dire ? Mon oncle n'est pas un homme très sérieux. L'argent du domaine a servi à rembourser ses dettes après la mort de ma grand-mère.

Il soupire. Mme Monnier lui adresse un petit sourire.

À la fin de la soirée, au moment de partir, Mme Lemoine dit à Pascal, en l'accompagnant jusqu'à la porte :

— Revenez me voir plus souvent ! J'ai du bonheur à vous entendre parler de là-bas ! J'ai l'impression d'entendre mon pauvre Georges.

Les Monnier lui proposent de le ramener chez lui. Il répond que c'est à deux pas, mais M. Monnier insiste. Le jeune homme monte à l'arrière de la grosse Peugeot, qui le dépose à sa porte.

— J'ai été très heureux de faire votre connaissance ! dit Alain Monnier.

Pascal rentre chez lui. Comme il n'a pas sommeil, il écrit à Mylène, la seule de ses collègues de Brive avec qui il a gardé une relation suivie.

Ce soir, j'ai dîné chez ma logeuse. Elle habite un hôtel particulier : « Trop grand pour moi, dit-elle en levant au ciel ses gros bras de déménageur, si bien que je n'occupe que le rez-de-chaussée et n'ai plus aucun train de vie depuis que Georges est mort. Trois domestiques seulement : un jardinier, un concierge et ma chère Roseline. » Mme Lemoine a un corps d'homme, un visage viril auquel il ne manque que la barbe. Elle boit sans déparler cinq coupes de champagne. Son regard m'inspire confiance. Elle m'aime bien. Je crois que cela vient du fait que son défunt mari est originaire de Brive. Je n'ai pas compris pourquoi elle m'a invité en même temps que son neveu, qui a repris la C.T.M.L. à la mort de M. Lemoine.

Je te remercie de m'écrire avec autant de régularité et de me tenir au courant de ce qui se passe au pays. Je serais vraiment très heureux de te revoir, mais je ne veux plus jamais avoir affaire à mon oncle.

À la banque Permot, Pascal ne s'est lié avec personne. Il se confie peu et reste en retrait des groupes qui se retrouvent souvent le dimanche pour jouer aux boules, au ballon ou pour sortir. D'ailleurs, il préfère rester chez lui. Une grande partie de son argent disponible est dépensé chez le libraire de sa rue. Il achète et potasse ses livres de comptabilité, de droit, de gestion, et suit des cours à la faculté. Il s'est fixé un objectif : créer son entreprise. Une fois par semaine, il rend visite à Mme Lemoine. Souvent, elle le garde à dîner. Avec lui, la vieille femme peut parler franchement.

— La solitude reste la pire des compagnes. Elle ne vous met en tête que de mauvaises idées. Mon époux me manque terriblement. Et si nous avions eu des enfants... J'en aurais voulu au moins quatre, mais Dieu n'a pas exaucé ce vœu. Il nous a donné une certaine fortune. Ce qu'Il accorde d'une main, Il le fait payer de l'autre...

Elle parle souvent d'Alain Monnier, son seul neveu, héritier de l'affaire.

— Alain n'a pas toujours été aussi sage qu'il paraît. C'est un très beau garçon, vous l'avez sûrement remarqué, et il ne compte plus ses conquêtes. Micheline est une très belle femme, aussi. C'est un ménage, comment vous dire ? Un ménage assez libre.

— Ils ont des enfants ?

— Oui, deux. Céline a vingt ans ; elle est actuellement aux États-Unis. Philippe, dix-neuf ans, se dit poète et ne veut surtout pas entendre parler de l'affaire de papa. Il rêve de « monter » à Paris... C'est encore un enfant.

Parfois Micheline Monnier passe en coup de vent. Cette femme qui n'a rien à faire est toujours pressée. Elle embrasse sa tante, tend une main molle à Pascal à qui elle adresse un sourire mutin, puis s'excuse de ne pouvoir rester.

— Ce pauvre Alain se tue au travail ! dit-elle Je ne cesse de lui répéter de déléguer un peu, mais il ne fait confiance à personne.

Ce dimanche de juin, il fait chaud. Pascal aurait préféré rentrer à pied et flâner sur les quais. Micheline insiste pour le conduire en voiture, il ne sait pas refuser Pourtant, il se sent très mal à l'aise près de cette belle femme qui le regarde avec insistance et lui pose souvent des questions embarrassantes.

— Vous vivez seul ?

Pascal rougit et, gêné par la sensualité débordante de Mme Monnier, répond :

— La solitude me convient parfaitement. J'en profite pour élargir ma culture...

— La culture, c'est bien beau, mais à votre âge on a d'autres envies, d'autres besoins...

— C'est pour l'instant ma priorité.

— Tante Léontine vous a pris en affection. C'est très bon pour votre avenir, mais je m'étonne toujours de vous trouver chez elle un dimanche après-midi...

— Elle me demande de venir lui tenir compagnie. Je lui parle de mes études, qui l'intéressent beaucoup.

— Vous savez, elle vit recluse dans son immense hôtel particulier, mais ne croyez pas qu'elle a abandonné tout pouvoir sur la C.T.M.L. Rien ne se décide sans son accord.

— Je sais. Parfois, elle me demande mon avis. Je sais que c'est pour me taquiner...

Assis près de cette femme aux gestes et au regard pleins de sous-entendus, Pascal se trouve en face de sa propre hantise. Ce qui serait considéré par d'autres comme une aubaine, une bonne occasion de se faire valoir auprès d'une personne influente reste pour lui une torture Il a essayé, en vain, de vaincre cette peur panique des femmes. Seules les vieilles comme Jeanine ou Mme Lemoine ne le rebutent pas ; au contraire, leur compagnie l'apaise.

— Vous êtes un jeune homme de bonne famille, cela se voit à votre manière d'être, à votre démarche qui est celle des patrons, à votre voix, poursuit Micheline. Ces choses-là sont héréditaires... Et puis vous êtes très apprécié dans la banque Permot, qui est celle de la C.T.M.L. Nous avons un projet pour vous...

— Un projet ?

— Oui. Vous ne serez pas déçu.

— Dans l'immédiat, je ne peux pas faire grand-chose. J'ai décidé de résilier mon sursis et de partir à l'armée en décembre.

— En voilà une idée ! Alain a fait des pieds et des mains pour vous l'obtenir et voilà que vous changez d'avis ! De plus, ils viennent de fixer la durée à un an et demi !

— Peut-être, mais les choses ont changé ! Mon pays a besoin de moi en Indochine.

— Voilà un patriotisme complètement idiot !

3.

Jacques s'éloigne à grands coups de pédale de la minoterie de Laroche. Le soleil déjà haut grille les herbes sèches du fossé. Du dos de la main, le jeune homme essuie la sueur qui coule sur son front. Sur le porte-bagages, la lourde valise ralentit son allure. Un coup d'œil rapide à sa montre, et il accélère la cadence.

Il est heureux ; cette journée tant attendue avec Marie est enfin arrivée, et, demain, le lieutenant instructeur Beaufils lui donnera sa première leçon de pilotage. Jacques siffle, sourit aux gens. Il pense un instant à Pascal et voudrait partager avec lui cette joie qui coule dans sa poitrine comme un liquide chaud et agréable.

Il aborde la dernière descente la main sur le frein. Voilà enfin les maisons de Tulle, Marie doit l'attendre au bord de la rivière, dans la petite clairière où ils se rendent souvent tous les deux. Il aperçoit le vélo de la jeune fille posé contre un peuplier. Marie est assise au bord de l'eau et joue à faire des ricochets avec des galets plats. Elle se tourne, sourit à Jacques. Son visage rond a gardé une forme enfantine, ses dents sont parfaites. Jacques la serre contre lui.

— Je suis si heureux de passer cette journée avec toi. J'ai dit à mon oncle que je commençais aujourd'hui le stage de pilotage et je suis libre jusqu'à demain.

— Moi, j'ai dit à ma mère que j'allais chez mon amie Françoise à Cornil et que je ne rentrerais que demain.

Ils partent se promener le long de la rivière, abandonnant leurs bicyclettes. Le ciel est d'un bleu limpide, l'eau réfléchit une lumière intense qui se brise en morceaux de verre.

— À la maison, ça barde ! dit Marie en riant. Ma sœur est amoureuse d'un Italien et mon père ne veut pas entendre parler d'étrangers. Elle pleure, crie, refuse de manger, mon père l'a menacée de la mettre dehors...

— Et ta mère, qu'est-ce qu'elle en dit ?

— Elle dit que les Italiens valent bien les Français. Et ton frère, tu as des nouvelles ?

— Oui, il m'a écrit l'autre jour. Il a rencontré des gens importants avec qui il a un projet, mais il ne m'en a pas dit plus. Mon frère est assez secret.

Marie marche en regardant le sentier entre les hautes herbes.

— Je le comprends. Toi, tu étais petit au moment des événements, mais lui...

— Petit ? J'avais dix ans et lui quatorze. Tu sais, je n'ai rien oublié, pas un détail, et j'y pense souvent.

Elle lui serre la main à l'écraser. Marie aussi se souvient :

— J'avais dix ans aussi quand ils ont parqué deux mille hommes à Tulle et qu'ils voulaient les exécuter tous. Mon père en faisait partie, et puis ils en ont lâché mille le lendemain. Mon père était toujours parmi ceux qui restaient. Ma mère pleurait. Et puis, le lendemain, ils n'en ont gardé que cent. Mon père était libre, mais pas son frère, et ça lui reste encore sur la conscience. Il a honte de sa chance. Une époque terrible dont il ne faut plus parler. Nous, nous vivrons heureux.

— Avec ce qui se prépare entre les Russes et les Américains... Moi je serai pilote militaire, donc aux premiers rangs.

— Mais pourquoi tant t'exposer ? Pourquoi vouloir être pilote ?

Jacques réfléchit un instant, puis s'anime.

— Parce que depuis que j'ai fait mon premier vol je n'envisage pas la vie autrement.

Ils s'assoient au bord d'une prairie. Un peu de vent éparpille les graines de pissenlit. Les grillons chantent, de la terre monte une chaleur humide chargée d'odeurs. Jacques serre Marie contre lui, l'embrasse longuement. Sa main se promène sur cette poitrine ferme qu'il sent à travers le tissu léger de la robe, descend jusqu'aux cuisses. Marie se contracte et se dégage.

— Non, Jacques, il ne faut pas... Tu sais bien qu'il ne faut pas. Jure-moi que tu seras sage cette nuit, sinon, je repars chez moi.

— Et pourquoi il ne faut pas ?

— C'est comme ça, c'est tout !

Ils reviennent aux vélos et s'en vont au hasard des routes, mais, très vite, ils ont chaud et s'arrêtent de nouveau.

— Il va falloir acheter à manger. Nous allons pique-niquer à l'ombre d'un charme en bordure de la rivière, au chant des grillons et des oiseaux.

Les gens s'activent dans les prés. C'est l'heure où ceux qui ont fauché toute la matinée s'arrêtent près des fontaines, boivent rapidement et vont faner. Dans les champs, les blés prennent une belle couleur dorée que le vent anime de vagues molles.

Jacques et Marie ne voient pas passer le temps. Le soir, ils dînent de quelques tranches de jambon, du pain frais qu'ils ont achetés dans un village, des pâtisseries que le soleil a séchées. Ils regardent la lumière baisser au-dessus des collines, les premières chauves-souris patrouiller au ras des herbes. Émus, ils parlent peu. La nuit qui se tasse déjà dans les bas-fonds répand son angoisse malgré la sérénité apparente des arbres immobiles. L'ombre monte lentement de la terre, étreint les deux jeunes gens qui savent bien que leur fugue est une folie.

— J'ai peur, dit Marie. Si on rentrait ?

— Impossible. J'ai dit à mon oncle que j'étais à mon stage.

Elle se pelotonne contre lui.

— J'ai froid...

— On va chercher un abri. Tu sais, la grange un peu plus bas. On pourrait aller y dormir, il y a du foin...

— Comment tu le sais ?

— J'ai vu plusieurs fois le paysan rentrer des charrettes.

Ils s'y dirigent. Dans le chemin creux qui conduit à un pont, un bruit les arrête. Marie pousse un cri : un sanglier passe devant eux et s'éloigne dans un vacarme de branches cassées.

— Ce que j'ai eu peur !

Ils arrivent à la grange. Jacques ouvre la grande porte sombre. Ça sent bon le foin chaud.

— On va cacher nos vélos à l'intérieur, viens.

Ils se couchent dans le foin, se blottissent l'un contre l'autre, le cœur battant. Jacques pose ses lèvres brûlantes sur celles de la jeune fille, promène une main fiévreuse et maladroite sur ce corps qui se contracte. Marie, la respiration hachée, lui dit :

— Tu m'as juré d'être sage !

Non, il n'est pas sage ; le désir monte en lui comme il ne l'a jamais ressenti dans ses rêves solitaires, une vague puissante d'une force irrésistible.

— Jacques, je t'en prie. Arrête ou je m'en vais.

Il n'arrête pas, sa main passe par l'échancrure de la robe, caresse les seins chauds, s'y attarde, s'éloigne et revient, puis descend jusqu'à la culotte qu'elle fait glisser le long des cuisses. Marie lui souffle à l'oreille :

— Je ne veux pas, Jacques. Tu m'as juré que...

Il la fait taire d'un baiser brûlant. Alors, Marie se donne à cette frénésie qui la gagne à son tour et lui fait oublier la peur et le risque. Ils font l'amour pour la première fois, maladroitement et sans plaisir. Cela ne dure que quelques instants avant qu'ils prennent conscience de la portée de leur acte. Marie éclate en larmes.

— Je n'aurais jamais dû venir. Tu m'as menti, tu avais juré... Et voilà !

— Voilà quoi ? dit Jacques, brusquement dégrisé. Personne n'en saura rien.

Elle sanglote sur son épaule, renifle.

— Je suis déshonorée... Je suis une fille de rien.

— Allons, calme-toi. Tu sais que je t'aime et que nous nous marierons tous les deux...

— Nous marier ? Toi, tu ne resteras pas ici puisque tu veux piloter tes avions. Tu vas me quitter et je serai seule avec mon péché.

— Je ne te quitterai jamais. Tu viendras avec moi, parce que je ne peux pas vivre sans toi.

Elle se mouche et dit d'une voix larmoyante :

— Et si je suis enceinte ?

Elle vient juste de penser à ce risque, le pire de tous. L'effroi la gagne, glace son corps. Marie n'a pas oublié cette cousine mise au ban de la famille parce qu'elle avait accouché d'une petite fille sans être mariée. On la montrait du doigt comme une traînée, une moins que rien.

— Si je suis enceinte ? répète-t-elle.

Jacques ne répond pas, il échafaude des plans aussi impossibles les uns que les autres.

— De toute façon, mon père me mettra dehors.

— Tu viendras avec moi et nous élèverons notre enfant !

— Avec quoi ? Si je pars d'ici, je quitte mon emploi. Non, je me suiciderai.

Elle pleure de nouveau. Lui, grave, s'en veut et lui caresse la joue du bout des doigts. Ils finissent par s'endormir dans les bras l'un de l'autre ; une larme sèche au coin des yeux de la jeune fille.

Ils se réveillent quelques heures plus tard. La nuit est encore sombre, pourtant, les oiseaux chantent déjà. Jacques s'en veut de sentir le désir grandir de nouveau en lui. Cette fois, il résiste et se contente de serrer Marie très fort contre lui.

— Si je suis enceinte, précise-t-elle, personne n'en saura rien. Je connais une femme qui en a soulagé beaucoup... On m'en a parlé à l'usine. J'irai la voir.

Jacques brosse ses vêtements et découvre avec stupeur le sang qui tache la robe de Marie.

— Comment je vais faire pour cacher ça ?

Elle passe la main dans ses cheveux puis sort un peigne de son sac.

— Si je le lave tout de suite à la rivière, ça sera sec dans une heure.

Le jour se lève, frais et brumeux, dans la vallée. Le soleil allume un incendie de rouges ardents sur la tête ronde de la colline.

— Je dois être à Brive à neuf heures, dit Jacques. Je vais devoir partir bientôt.

Marie s'accroupit sur les galets de la rivière pour nettoyer la tache de sang. Déjà les faucheuses s'activent dans les prés. Des voix aiguës encouragent les attelages ; au village, des chiens aboient.

— Puisque tu es pressé, on va y aller ! dit Marie en s'essuyant les yeux.

Ils se séparent sur la route de Brive. Jacques serre la jeune fille très fort dans ses bras, mais toutes ses pensées sont désormais tournées vers cet avion qu'il va apprendre à piloter. D'ailleurs, il a tellement piloté dans sa tête qu'il se croit capable de réussir au premier essai. Marie se détache de lui. Ses yeux sont secs. Elle constate :

— Tu n'es plus à moi, Jacques... Tu es déjà ailleurs.

Il proteste, jure une fois de plus qu'il lui écrira tous les jours, chez son amie Martine, pour que son père n'ouvre pas les lettres, mais le ton un peu haut manque de sincérité.

— Je savais bien... Il ne faut jamais céder aux garçons. Une fois qu'ils ont eu ce qu'ils veulent, ils s'en vont ailleurs.

— Arrête de parler comme ça. Je vais apprendre à voler, tu comprends, c'est important, alors ça me tracasse, mais à la fin des vacances, quand je reviendrai, je serai tout à toi.

— Tu ne reviendras pas avant la fin des vacances ?

— Si, le dimanche...

— Je t'attendrai tous les dimanches matin, à notre clairière, à onze heures. Tâche de venir quelquefois.

— Je viendrai toutes les semaines.

Jacques monte sur son vélo. Marie le regarde s'en aller en pleurant. Quelque chose lui dit que chaque coup de pédale éloigne un peu plus ce premier amour auquel elle a tout donné.

Francis Beaufils, qui s'est tout de suite aperçu des dispositions particulières de Jacques pour le pilotage, a demandé au commandant Vacherint de se débrouiller pour trouver une bourse.

— Ce garçon a le vol dans la peau ! dit-il. Il est né avec des ailes, je l'ai compris sitôt que l'avion a décollé. Et puis cette manière qu'il a de s'asseoir sur le siège, on sent vite qu'il fait corps avec la machine. Des gars comme ça, il en faudra pour gagner la prochaine guerre.

— Il apprendra à piloter à l'École de l'Air ! s'est exclamé Vacherint.

— Peut-être, mais il est tellement impatient que je veux commencer à le former.

Vacherint s'est débrouillé : l'armée est une grande famille qui encourage le mérite de ses enfants et une bourse a été trouvée pour permettre à Jacques de préparer son brevet de pilote privé. Elle prend même en charge sa chambre et sa nourriture chez une vieille dame qui habite à deux pas du terrain.

Beaufils n'est pas déçu : Jacques s'applique et l'apprentissage va vite. Au bout de huit jours, l'instructeur dit au jeune homme :

— Il est maintenant temps de te débrouiller seul.

Jacques sait ce que ça veut dire et sent l'anxiété monter en lui. Beaufils le comprend.

— La première fois, c'est comme ça, mais il faut bien qu'il y ait une première fois. Tout ira bien. Tu es le premier que je lâche au bout de huit heures de vol, mais j'ai confiance.

Jacques regarde un moment la place vide à côté de lui, la ceinture déroulée sur le siège. Jusque-là, n'importe quelle bêtise était rattrapée par l'instructeur, maintenant, il va devoir se débrouiller seul, en sachant que la moindre erreur peut être fatale. Pourtant, à la peur qui lui mord le ventre s'ajoute une excitation intense.

L'avion roule sur l'herbe et s'arrête au seuil de piste.

— Essais moteur, dit Jacques à haute voix pour se donner du courage. J'affiche mille cinq cents tours...

L'avion, freins serrés, vibre sur place.

— Magnéto un, magnéto deux..., réchauffe carburateur, essai du ralenti. Débattement des gouvernes...

Il fait tourner le manche et surveille le mouvement des ailerons et de la gouverne de profondeur.

— Tout est bon, un cran de volet, pompe électrique en marche.

Il regrette un peu que la check-list ne soit pas plus longue pour retarder le moment décisif. Alors, il pense au visage plein de larmes de Marie, à leur nuit dans le foin. Tout cela lui semble si lointain ! La piste est devant lui, immense, rectiligne, c'est le moment de pousser à fond la manette des gaz.

Le moteur se lance, l'avion roule de plus en plus vite, Jacques le maintient sur le milieu de piste par de brèves pressions sur le palonnier. La vitesse augmente rapidement, et, quand l'avion commence à vibrer, il tire légèrement sur le manche, le miracle se produit, il vole.

Le jeune homme poursuit sa montée ; les maisons, les arbres, les voitures défilent en dessous des ailes, il se concentre.

— Trois cents pieds, je coupe la pompe électrique, je vérifie la pression d'essence, je rentre les volets...

À mille pieds, il tourne sur sa gauche et aperçoit les hangars blancs au soleil.

— Vent arrière, je ralentis ma vitesse, un cran de volet, réchauffe carbu, pompe...

Nouveau virage à gauche, il annonce à la radio :

— Charlie Hôtel en finale pour un complet sur la dure...

Il ajoute le deuxième cran de volets tout en surveillant sa vitesse. La piste monte vers lui, il coupe les gaz et l'avion s'enfonce lentement, Jacques tire légèrement sur le manche, le contact avec le sol est à peine sensible. Le sentiment d'avoir remporté une grande victoire lui arrache un cri de triomphe. Beaufils le félicite.

— Parfait ! Bienvenue dans la famille des pilotes !

4

L'été a été chaud et les raisins sont mûrs en cette mi-septembre. Les belles grappes aux grains noirs et luisants pendent entre les feuilles que la bouillie bordelaise tache de bleu. Anna ne cesse de les regarder, de les goûter pour en apprécier le sucre et l'arôme. Denis considère qu'on peut attendre encore quelques jours avant la vendange.

— Et s'il pleut ? demande Anna.

— Il ne pleuvra pas, assure Denis, quand le vent est là-haut, la pluie ne vient jamais.

La vendange a été fixée au 20 septembre. Aristide a arrêté son car dans la cour et s'occupe de nettoyer les cuves de fermentation qui n'ont pas servi depuis des années. Une vingtaine de grands tonneaux ont à leur tour été soufrés et remplis d'eau pour faire gonfler le bois.

— C'est bien pour vous, petite comtesse que je fais tout cela !

Anna reçoit le compliment avec plaisir. Elle est venue ici l'hiver dernier avec l'intention de retrouver un visage souriant, un rêve sans raison, ce moulinier Barthélemy avec qui elle avait imaginé pouvoir travailler dans sa spécialité, la couture, et voilà qu'elle se consacre à un vignoble en pente au-dessus du Rhône. La magie du soleil, du fleuve immense et pressé, de cette terre ocre si pentue qu'ailleurs on n'oserait même pas y faire brouter les bêtes l'a fascinée. Elle a découvert cet acharnement de chaque instant qu'un simple orage peut réduire à néant, cet espoir d'obtenir un vin « léger et puissant, plein d'imagination et de délicatesse ».

Elle a tremblé chaque nuit d'orage, redouté le mildiou qui brûle les feuilles, l'oïdium qui pourrit les grappes...

En frottant à la brosse métallique la grande cuve de bois, Anna oublie sa vie à Saint-Étienne. Non, elle n'est pas heureuse et ne le sera jamais plus tant qu'elle n'aura pas retrouvé son passé et ses enfants, mais les jours passent vite quand l'esprit tout entier est tourné vers un seul but : faire de ces raisins mûrs le meilleur des vins.

Sophocle tourne en rond, grogne aux caniches qui ne cessent de l'agacer. Il regarde son maître s'activer dans ce chai humide et semble lui dire : « Alors, on s'en va ? » Mais Aristide ne pense plus aux marchés ou aux fêtes foraines, il pense au jus poisseux qui remplira bientôt ses cuves et qu'il devra surveiller heure après heure même si chaque soir, après avoir fermé les portes du chai, son regard insistant vers la route claire n'échappe pas à Anna.

— Le nettoyage est enfin terminé ! dit-il. La vendange peut commencer. Comtesse, vous m'avez fait trouver du plaisir dans un travail que je haïssais. Mon père doit être content !

Il ne le dit pas, mais cette vie sédentaire depuis près d'un mois lui pèse autant qu'à son ours. Le soleil a tanné la peau lisse de son visage, mais ses yeux marron ont gardé cette expression malicieuse du camelot capable de tromper son propre frère.

— Vous êtes vraiment très compliqué ! dit Anna. Vous avez tout ici et c'est l'ailleurs qui vous appelle. Vous rangerez-vous un jour ?

Il hausse les épaules.

— Je ne m'arrêterai que pour une grande cause. Vous-même n'êtes-vous pas absente de chez vous depuis des années ?

Anna baisse la tête.

— Justement, si je connaissais mon chez-moi, je n'aurais pas d'autre envie que d'y aller.

— Vous êtes chez vous ici ! Cette maison revit, ce chai redevient autre chose qu'un immense débarras, le vin va fermenter dans ces cuves, tout ceci, c'est vous qui l'avez fait... La récolte est parfaite, j'en suis sûr. S'il avait été seul, Denis n'aurait pas pensé à sulfater au bon moment. Parfois, je me dis que vous avez toujours vécu au milieu des vignes.

— Je suis couturière...

Aristide passe ses nuits dans son car avec ses animaux, Anna dort dans une petite chambre à côté de celle de Marthe ; l'étage de la maison reste inhabité. Anna avait pensé l'aménager pour les vendangeurs, Marthe s'y est opposée.

— Il ne faut pas mélanger les patrons et les employés. S'ils dorment dans la maison du maître, ils se prennent eux-mêmes pour les maîtres et vous ne pourrez rien en tirer. Ils dormiront comme au temps d'Henri, dans la grande salle qui se trouve à côté du chai.

— Je ne suis que votre servante et j'habite bien dans la maison des maîtres.

— Vous n'êtes pas ma servante, vous êtes une dame de compagnie, ce n'est pas la même chose.

Le 19 septembre, quand Anna se lève, le ciel est d'un beau rouge lumineux à l'horizon ; quelques nuages flottent sur le Rhône qui flambe. Le baromètre pendu dans la cuisine lui indique que la pluie ne gâtera pas le travail. Elle va à la fenêtre et trouve la cour vide ; elle serre les poings, une boule de colère grossit dans sa poitrine.

— On vendange demain ! dit-elle à Marthe, et voilà qu'il s'en est allé !

La vieille secoue la tête, fataliste.

— Aristide est ainsi. Il part toujours quand on a besoin de lui. Vous ne le changerez jamais.

Le travail ne manque pas : Anna doit préparer les seaux, les hottes des porteurs, les cordes. Denis va venir dans la matinée avec son cheval et sa charrette... Sa femme aidera Geneviève à préparer les repas des douze vendangeurs. Aristide devait aller au village chercher des provisions, mais Aristide a oublié qu'on avait besoin de lui. Denis trouve la solution.

— Prenez donc le cheval ! dit-il à Anna.

C'est ce qu'elle fait. Tutur est un énorme boulonnais au pas tranquille et sûr. Doux et obéissant, il peut tirer la charrue du matin au soir sans la moindre pause.

— Tout le contraire d'Aristide ! précise Denis en riant de sa bouche édentée.

À l'évocation d'Aristide, Anna sent la colère monter en elle. Ce départ est une trahison, le reniement de cette bonne entente, de cette complicité qui s'étaient tissées entre eux au fil des jours en préparant la vendange.

Le soir, Marthe accueille solennellement les vendangeurs et Anna leur montre la grande pièce où ils dormiront. Ces jeunes gens viennent de Saint-Étienne et de Lyon ; les vendanges sont pour eux l'occasion de gagner un peu d'argent et de faire la fête. Geneviève et la femme de Denis s'activent à la cuisine. Avant le dîner, Marthe demande à Anna d'aller chercher quelques bouteilles « de l'époque d'Henri ». Les bouchons sautent, les verres se remplissent du précieux nectar.

— Vous n'en boirez jamais de meilleur, précise Marthe.

Le bruit est infernal dans la grande salle à manger, éclats de voix, verres qui trinquent, rires. Les quatre filles présentes sont courtisées et cela semble leur plaire. L'une d'elles, grande et maigre, aux mains démesurées, raconte que son ancien fiancé l'a giflée.

— Je le lui ai rendu ! dit-elle en montrant son battoir.

Tout le monde rit, les verres se vident, se remplissent de nouveau. Émue, Marthe pense aux vendanges d'autrefois. Sa maison revit. Elle ne voit que des ombres autour de cette grande table, mais toute cette animation lui fait un bien immense et elle ne regrette pas d'avoir refusé de vendre la récolte.

Assis au milieu de cette jeunesse, Denis, qui veut jouer au chef, se tait. Geneviève apporte enfin une énorme soupière fumante, et le repas commence. Les bouteilles sont déjà vides, Denis va en chercher d'autres.

À la fin du repas, un bruit de moteur fait lever la tête à Anna, qui ne prend pas part aux réjouissances. Ses yeux s'allument quand des phares balaient la cour et s'arrêtent en face de la fenêtre. Un sourire se dessine sur ses lèvres ; ses joues se colorent. La porte s'ouvre et Aristide entre, ovationné par les convives. Il tient son violon de la main droite et ne se fait pas prier pour jouer.

— On danse ! crie un jeune homme roux que le vin a rendu téméraire.

— Allez danser ailleurs ! s'écrie Marthe.

En quelques minutes, la pièce se vide. Anna, la femme de Denis, et Geneviève rangent la vaisselle. Denis, assis en face de Marthe, fume en silence. La musique du violon vient jusqu'à lui.

— Vous vouliez qu'il revienne, dit-il à Anna, eh bien, il est revenu et vous voyez le travail ! Cet homme ne sait faire que le contraire de ce qu'il faut. Qu'ils dansent toute la nuit, soit, mais demain, qui fera le travail ?

Marthe est de cet avis.

— C'est toutes les fois la même chose. Son père le menaçait chaque année de lui casser son violon sur la tête ! Avec lui, les gens ne pensent qu'à faire la fête !

— Vous avez raison ! dit Anna.

Elle sort. La nuit est douce. Le violon soupire une nostalgie qu'elle ne veut pas entendre. Dans le chai, entre les cuves et les tonneaux, des couples dansent. Aristide, monté sur une chaise, pousse son archet. Ses quatre chiens sont couchés à ses pieds, Sophocle dort dans le car. Quand ils voient Anna, les hommes en train de boire près de la porte se mettent à applaudir.

— Enfin, une cavalière de plus ! Venez donc danser !

Sans un mot, Anna les écarte de la main et marche d'un pas raide jusqu'à la chaise d'Aristide. La musique s'arrête.

— Eh bien quoi ? On danse plus ?

— Non, on danse plus ! dit Anna d'une voix déterminée.

Puis, regardant Aristide bien dans les yeux, elle ajoute :

— Demain, il y a du travail.

— Qu'est-ce qui lui prend à celle-là ? fait un jeune homme complètement ivre. Voilà qu'elle se croit la patronne ! Aristide, explique-lui que c'est toi le propriétaire !

Aristide ne dit rien. Anna s'approche du musicien et, d'un geste mesuré, lui prend le violon des mains.

— Voilà que tu te laisses faire comme un gamin ? continue l'autre.

Alors Aristide s'écrie :

— Tout le monde au lit. La fête a assez duré.

En maugréant, les jeunes gens passent dans la pièce voisine. Les filles couchent dans un petit bâtiment contigu où elles se dirigent en ricanant. Anna et Aristide sortent. Du ciel étoilé tombe une lumière diffuse qui éclaire les collines. Dans le car, Sophocle pousse un grognement puissant. L'homme et la femme font quelques pas en silence. Anna rend le violon à Aristide.

— Quand mon père faisait ça, le lendemain, j'étais parti.

— Et vous allez partir ?

— Non, je serai là pendant la vendange et la vinification.

Les chiens font des taches blanches mobiles devant eux.

— La nuit est douce ! dit Artistide. Je n'ai pas sommeil. Acceptez une petite promenade en ma compagnie.

— Demain, il y a du travail.

Ils partent quand même sur le chemin qui conduit aux vignes. Aristide est songeur, grave.

— C'est le premier repas de vendanges depuis la mort de mon père, il y a quatre ans. Même si j'ai la bougeotte, je viens de comprendre que je suis attaché à cette maison, à ces vignes qui passent pour être les plus difficiles à travailler, mais les meilleures.

— Moi, dit Anna, à son tour songeuse, je ne comprends pas ce qui s'est passé. J'étais venue ici pour...

Elle se tait. Le beau visage d'Antoine Barthélemy lui revient en mémoire, mais cède aussitôt la place au profil bleuté d'Aristide, qui marche près d'elle et donne à cette nuit calme de début d'automne un charme réconfortant.

— Qui était cette femme perdue, partie au hasard d'une route ? demande-t-il. J'ai bien vu le chagrin énorme qui l'écrasait comme une pierre.

— Ce n'était pas un chagrin, c'était l'envie de mourir parce que la vie n'était plus possible, et puis...

— Et puis vous êtes ici. Je sens en vous tellement de mystères, tellement de blessures...

— Un passé qui vit en moi et que je ne peux pas retrouver, comme couvert d'une couche de neige qui masque les détails... Cette terrible amnésie !

— Ne vous en faites pas, la neige fond toujours au printemps.

— Une seule certitude, poursuit Anna, j'ai deux enfants, leur père s'appelait Antoine et il est mort. Je crois aussi que j'ai vécu heureuse dans une grande maison comme la vôtre...

Ce soir, elle éprouve le besoin de parler. Il l'encourage.

— Anna, je veux être votre ami. Je veux vous aider à retrouver votre passé. Nous prendrons le car et nous ferons toutes les villes du Sud-Ouest...

C'est la première fois qu'il l'appelle par son prénom. Anna ! Ce mot a une curieuse intonation dans sa bouche.

— Il faut rentrer, dit-elle. Demain, nous devons être debout avant le jour.

Au lever du soleil, les vignes s'animent. Les vendangeurs sont déjà dans les rangs et coupent les grappes en chantant. Les porteurs attendent que leur hotte soit pleine pour descendre la vider dans la charrette. La pente est si forte qu'ils se retiennent à une corde. Anna est là, avec Denis qui surveille les travaux en prenant des airs importants. Au chai, Aristide donne un dernier coup de jet aux cuves et met tout en place pour accueillir la récolte.

Le soleil monte, brûlant dans le ciel limpide. Garçons et filles travaillent sans relâche. Récolter est toujours un plaisir, prendre ce que la nature sait si généreusement donner fait oublier la fatigue.

Vers trois heures, au plus chaud de la journée, un homme arrive, arrête sa moto dans le chemin à côté du cheval et se dirige vers Aristide qui est venu donner un coup de main aux porteurs.

— C'est à propos de votre ours... Il se promène seul et les bêtes en ont peur. Et puis, il n'y a pas que les bêtes qui ont peur...

Aristide se met à rire.

— Sophocle ? Mais vous ne risquez rien. C'est l'animal le plus doux qui soit !

— Peut-être, mais on sait pas ce qui peut passer dans la tête d'un tel bestiau... Gardez-le chez vous, si vous voulez, mais attachez-le, les gens parlent d'aller se plaindre aux gendarmes...

L'homme tourne les talons et repart sur sa moto pétaradante. Aristide croise le regard d'Anna, hausse les épaules et se remet au travail.

À la nuit, la première cuve est pleine. Il faut fouler le raisin avant de le laisser fermenter. Les vendangeurs assemblés dans le chai crient :

— Le patron en premier, le patron !

Aristide regarde autour de lui, un sourire narquois aux lèvres.

— Le patron ! crient les jeunes gens, pressés, eux aussi, de prendre part aux réjouissances.

Alors Aristide se dirige vers Anna, lui prend la main et l'emmène avec lui sur l'escabeau au bord de la cuve. Les applaudissements fusent. Sans manières, Aristide pose ses chaussures et saute sur les raisins qu'il foule en enfonçant ses jambes dans les fruits qui s'écrasent mollement. Anna l'imite. Ils pataugent dans un jus épais et gluant. Déjà les autres se déchaussent, retroussent jupes et pantalons. Les garçons en profitent pour serrer les filles contre eux, des mains poisseuses se promènent sur des poitrines offertes.

Anna sort la première, les jambes couvertes de peaux noires, gluantes, et va se laver à la maison. Quand elle revient, Aristide s'étonne qu'elle n'ait pas pris part aux réjouissances plus longtemps.

— Je suis trop vieille pour m'exposer les seins à l'air ! dit-elle.

— Trop vieille ? réplique Aristide, flatteur, vous êtes mieux faite que toutes ces filles de vingt ans !

Les gendarmes les attendent devant le chai. Le brigadier, qui s'est déplacé pour la circonstance, salue et dit :

— Monsieur... J'ai eu des plaintes à propos de votre fauve qui se promène en toute liberté. Vous comprenez que vous faites courir un risque à la population ?

Aristide éclate de rire.

— Sophocle, un fauve ? Je vous rassure, il ne fera aucun mal à personne.

— Aux Places, ils l'ont vu rôder autour d'un troupeau de moutons. Et puis notre devoir est de faire respecter l'ordre public. Désormais, vous attacherez votre ours chez vous. Sinon...

— Sinon quoi ?

— Sinon nous serons obligés de l'abattre.

— Abattre Sophocle, crie Aristide, mais vous êtes fous ?

— C'est vous qui êtes fou de laisser en liberté ce dangereux prédateur.

Les gendarmes remontent dans leur vieille voiture et s'en vont sur la route poussiéreuse.

— Je ne peux pas attacher Sophocle ! dit Aristide à Anna. Il ne comprendrait pas.

— Il le faut pourtant. Si vous ne voulez pas qu'on le tue...

— Tuer Sophocle, mais c'est tuer une personne, c'est un crime !

5.

— Ne me parlez plus jamais de ce garçon ! s'écrie
Micheline Monnier, les bras au ciel dans un geste théâtral. Il
veut vivre sa vie d'artiste, qu'il la vive, mais qu'il ne vienne
plus nous demander de l'argent !

Pascal sourit. Mme Monnier tourne son café dans sa
petite tasse de porcelaine, avale une gorgée.

— Vous comprenez que son père est furieux ! Quitter
l'école pour..., pour chanter ! Ce n'est pas un métier, ça, et
nous avions d'autres ambitions pour lui.

— Il chante très bien ! ose Pascal, qui s'amuse beaucoup
de cette colère feinte. Et puis il gagne un peu d'argent en se
produisant dans son cabaret.

— Son cabaret ! Vous voulez dire un tripot ! Voilà la
vérité, notre fils, Philippe Monnier, chante dans un tripot,
pour ne pas dire une maison close ! Nous sommes la risée de
la ville !

— C'est au contraire un endroit très bien. J'y suis allé
l'écouter !

— Vous y êtes allé ? À croire que vous n'avez rien
d'autre à faire de vos soirées ! Au fait, avez-vous pensé à ce
que nous vous avons proposé ?

Certes, Pascal y a pensé, mais il n'est pas vraiment
enthousiaste et ne sait comment le dire.

— Je suis d'accord pour venir travailler chez vous, mais
je dois faire mon service militaire et je...

— Voilà votre idée fixe qui vous reprend !

— Je veux aller en Indochine, c'est ainsi !

198

— Franchement, cette envie d'aller ramasser un mauvais coup est ridicule.

Ce que Mme Monnier ne comprend pas, c'est que Pascal ne peut plus vivre avec ce sentiment de honte : son père et son grand-père ont été tués parce qu'ils étaient pétainistes et le « petit collabo » des frères jésuites a besoin de racheter l'honneur souillé de son nom. Il insiste :

— Je dois partir, c'est vital !

Elle ouvre une bouche ronde.

— Libre à vous d'aller vous faire égorger chez ces sauvages... Mais enfin, une telle obstination m'étonne. Vous savez que mon mari a besoin d'un homme de confiance et que ce pourrait être vous au bout de quelques années.

— Et Philippe ?

Elle lève les bras au ciel, prend un air réprobateur.

— Philippe ? Vous venez de dire vous-même qu'il chante bien. Il ne pourra jamais s'entendre avec son père. Nous en avons fait notre deuil.

Pascal se lève pour prendre congé. Mme Monnier l'accompagne jusqu'à la porte.

— Au fait, il est toujours chez vous, ce maudit garçon ?

— Pour quelques jours encore. Il devrait bientôt emménager dans son appartement, mais avec lui on ne sait jamais !

Elle ouvre la porte et lui glisse à l'oreille :

— Merci de ce que vous faites pour ce cher méchant artiste !

Il y a tellement de tendresse, d'amour maternel dans cette parole que Pascal en est ému. Il rentre chez lui à pied. L'automne est doux. Un peu de vent marin avive les joues. Bordeaux l'a enfin accepté. Cette ville lui plaît, et il trouve du charme à ses immeubles cossus de riches négociants en vins, à ses rues et à ses places animées. Et puis il y a Philippe Monnier. Sa gaieté, son insouciance sont communicatives et rendent l'air léger autour de lui. Le sombre Pascal écoute avec ravissement ses chansons légères et rit de ses histoires drôles.

Ils se sont connus chez Mme Lemoine, la « chère tante Léontine » qui ouvre si souvent sa bourse. En quittant l'hôtel particulier, Philippe, qui avait les poches pleines, a invité Pascal à dîner dans un superbe restaurant. Il est ainsi, l'héritier de la C.T.M.L., insouciant, généreux, distrait et séduisant. À dix-neuf ans, c'est un beau garçon qui a le visage fin de son père et la grâce, l'aisance de sa mère. Seule la musique l'intéresse, et Pascal, au contact de cette cigale, oublie ses blessures, son sérieux d'homme mûr avant l'âge.

Au début du mois de septembre, Philippe a annoncé à son père qu'il avait décidé de quitter l'école pour se consacrer exclusivement à la musique et qu'il allait chanter tous les soirs au Barbe-Bleue, un cabaret de Bordeaux.

— Voyons, Philippe, tu ne peux pas faire ça ! s'est écrié M. Monnier.

— Bien sûr que si !

Lui interdire quelque chose revient à le lui ordonner. Alain Monnier, généralement calme, a menacé son fils de le mettre dehors. Philippe a pris sa guitare, quelques effets qu'il a entassés dans un sac et s'en est allé. Un mois a passé ; Philippe a emménagé chez Pascal et ne parle toujours pas de revenir chez ses parents, qui sont les premiers punis.

Depuis quelque temps, il cherche à louer son propre appartement.

— Je m'impose chez toi ! dit-il à Pascal. Ça ne peut pas durer, il faut quand même que je trouve un chez-moi.

— Tu ne pourras pas. Tu oublies que tu es mineur et la signature de tes parents ainsi que leur caution sont indispensables !

— Pour ça, te fais pas de bile, j'ai une combine...

— De toute façon, dit Pascal, on peut continuer à habiter ensemble, tu dors le jour pendant que je travaille et tu travailles pendant que je dors. On ne se dérange pas...

— Tout de même, je ne vais pas abuser de ton hospitalité et surtout occuper un local qui appartient à la grand-tante, Léontine...

— Elle t'adore, tu le sais bien.

— Peut-être, mais j'ai rompu avec la famille. Et puis il me faut un piano pour composer.

Ce soir, en rentrant chez lui, Pascal est joyeux ; son chef lui a proposé une promotion qu'il n'attendait pas. Tandis qu'il pose sa veste dans le vestibule, des soupirs, des petits cris aigus, des rires gourmands dans la chambre de Philippe attirent son attention. Il passe au salon, son ami le rejoint, le torse nu, en tenant son pantalon à la main.

— Pardonne-moi, je suis avec une copine...

— Ah bon !

— C'est Pétula ! dit Philippe. Elle est généreuse, tu sais, je peux te la laisser pour la nuit, puisqu'il faut que je parte dans un moment...

Arrive une superbe fille entièrement nue. Ses grands cheveux blonds tombent sur ses épaules en boucles légères. Elle pointe ses seins avec une arrogante impudeur.

— Qu'est-ce que t'en penses ? Pas mal, hein ? Allez, Pétula, va donc faire un baiser à mon ami.

Pascal reste figé, le regard rivé sur ce corps, ces hanches de femme, ce ventre plat, la toison du pubis. Pétula pose un baiser sonore sur sa joue froide.

— Tout ça c'est bien beau, mais le travail m'appelle. Je te laisse Pétula. Je l'ai achetée pour la nuit, elle est donc à toi ! dit Philippe en boutonnant sa chemise.

Le menton tremblant, Pascal s'affole et bredouille. Pétula a allumé une cigarette et fume, allongée nonchalamment sur le canapé.

Philippe sort de sa chambre vêtu de sa veste d'artiste pailletée d'or. Il prend son étui à guitare et se dirige vers la porte.

— Bonne nuit, tous les deux. Je ne ferai pas de bruit en rentrant.

Il passe dans le vestibule ; Pascal le rejoint.

— Mais tu vas pas me laisser avec cette fille ?

— C'était pour te faire plaisir. Une petite nana de temps en temps, c'est meilleur pour la santé que tes bouquins d'économie et de gestion !

Philippe sort, ferme la porte derrière lui, son pas s'éloigne dans l'escalier. Pétula appelle Pascal.

— Eh bien, mon chéri... Je ne te plais pas ?

Pascal reste planté dans l'entrée. La sueur perle à son front, il a un regard affolé. Pétula s'approche de lui.

— Viens donc avec moi, je vais t'apprendre deux ou trois petites choses. Ensuite, tu m'emmèneras dîner et on passera la nuit tous les deux dans ta chambre.

Il tremble, s'affole, repousse la jeune femme d'un geste brusque.

— Qu'est-ce qui te prend ?

Pascal sent son cœur près d'éclater dans sa poitrine. Jusque-là, il a échappé à cette peur suprême, à cette confrontation avec lui-même et son handicap en évitant les assemblées de jeunes gens, en se murant chez lui comme un vieillard.

— J'ai été payée ! dit Pétula, et je n'aime pas faire mon travail à moitié.

Pascal voudrait la renvoyer, mais, conscient que c'est encore une fuite, une lâcheté aussi, il se force à affronter la pire de ses hantises. Pétula s'approche de nouveau.

— Tu veux jouer les difficiles ? Pourquoi pas ? On a tout notre temps. En plus ça me plaît, et tu es beau.

Elle se plaque contre lui, pose ses lèvres pulpeuses sur les siennes. Pascal n'en peut plus. Ce contact lui retourne l'estomac, il se dégage avec tant de violence que la jeune femme tombe sur le tapis.

— Ma parole, j'ai affaire à un dingue ! dit-elle en courant dans la chambre de Philippe.

— Va-t'en ! crie enfin Pascal d'une voix aigre.

Quelques secondes plus tard, vêtue à la hâte, Pétula traverse le salon.

— Franchement, c'est la première fois que je vois ça !

Elle sort en claquant la porte. Pascal reste un long moment immobile, perdu chez lui. Enfin, il s'assoit sur le canapé. Le parfum de la fille est partout, puissant, écœurant, une puanteur de femelle. Le jeune homme court à l'évier se penche pour vomir mais n'y arrive pas. Il se dresse, les yeux noyés de larmes, le visage défait, les cheveux en bataille.

Il s'en veut maintenant, d'avoir congédié Pétula. Il aurait pu lui raconter ses cauchemars, parler de ces femmes rasées, le purin qui dégoulinait sur leur ventre... Il aurait pu pleurer comme un petit garçon sur son épaule et avouer son infirmité, son incapacité à être un homme comme les autres. À une putain, on peut tout dire !

Et puis Philippe va apprendre son comportement et le répétera. Pascal sera ridicule, tout le monde se moquera de lui !

Il tremble de froid, et pourtant l'air est doux. Il n'a pas envie de sortir ni de se préparer quelque chose à manger. Il passe dans sa chambre et s'allonge sur son lit. Vivement l'armée et l'anonymat de l'habit militaire !

En rentrant, vers deux heures du matin, Philippe s'étonne de trouver la porte de la chambre de Pascal ouverte et la lumière allumée. Son ami est allongé sur son lit et tremble de fièvre.

— Qu'est-ce qui se passe ? Elle t'a filé quelque mauvais cadeau, la belle ?

Pascal claque des dents. Ses yeux brillants fixent le plafond. Il s'agite, prononce des mots sans suite.

— Eh, l'ami, réponds-moi !

Toute la nuit, Philippe reste au chevet du malade, qui se calme par moments, semble enfin dormir paisiblement puis de nouveau s'agite, pousse des cris aigus, secoue la tête comme pour refuser quelque chose. Philippe se demande s'il ne doit pas aller chercher un médecin puis décide d'attendre le jour.

Au petit matin, Pascal va mieux, la fièvre est tombée. Philippe décide d'aller se reposer, mais, n'arrivant pas à trouver le sommeil, il revient au chevet de son ami, qui ouvre les yeux.

— Eh bien, tu m'as fait une belle peur.

— Pourquoi ? Que s'est-il passé ?

— Tu as déliré, tu avais une fièvre de cheval... J'ai cru qu'il faudrait un docteur. Qu'est-ce qui s'est passé ?

— Rien, dit Pascal. Je vais aller à mon travail.

— Tu n'y penses pas !

— Si, j'y pense. Je n'ai pas l'habitude de tirer au flanc.

Il s'habille rapidement, se rase puis sort. L'air frais du matin le remet complètement en forme même si un frisson court encore au creux de ses reins. Le souvenir de la soirée d'hier lui revient par bribes, la putain nue plaquée contre lui et ce violent dégoût qu'il ressent encore. Il pense alors à la lettre que son frère lui a écrite au début de la semaine :

Ma petite amie pleure chaque fois que je la vois. Marie a tellement peur de me perdre ! Je vais chaque fin de semaine à Brive pour voler et j'ai rencontré là une fille qui passe son brevet de pilote. Elle est belle et Marie en est jalouse. Je n'y peux rien, moi, si cette fille est dans le même club que moi ! Parfois, Marie, avec ses jérémiades, m'agace.

Ce matin, Pascal ne peut s'empêcher d'envier Jacques à qui tout sourit.

Tu ne peux pas savoir combien le vol me comble. Quand je suis dans mon avion, le reste du monde n'existe plus. Je voudrais n'en descendre jamais. Je pense entrer à l'automne à l'École de l'Air de Salon-de-Provence. Nos officiers disent que le conflit d'Indochine risque de durer et qu'il faudra de bons pilotes.

Je ne vais plus beaucoup chez l'oncle Ernest. Tante Camille est de plus en plus insupportable et ne cesse de me faire des reproches en tout genre. L'oncle continue ses visites à son amie et la minoterie se trouve au bord de la faillite. C'est du moins ce que j'ai cru comprendre. Après avoir dépensé l'argent de la Veyrière, notre oncle s'occupe de dépenser celui de sa femme. Tout cela finira mal, c'est certain. Moi, je passe la plupart de mes permissions à Brive, chez le lieutenant Beaufils qui m'a pris en réelle affection. Je suis très ami avec le dernier de ses trois fils, Hubert, qui ne veut surtout pas entendre parler d'avions. Je te dis, j'ai beaucoup de chance, tout me réussit.

Je suis allé passer quelques jours à la Veyrière chez Jeanine et Marcel. Ils sont vraiment adorables. Marcel rêve de faire un tour d'avion avec moi. Je pense pouvoir lui donner ce plaisir sous peu. Je n'ai pas pu m'empêcher, comme chaque fois, de ressentir un pincement au cœur et de verser une larme devant notre grande et belle maison fermée. Le propriétaire ne vient pratiquement jamais. Marcel est persuadé qu'un jour elle sera de nouveau à vendre.

Pascal écrit aussi de temps en temps à son jeune frère et ne lui parle jamais de ses difficultés. Ses lettres sont brèves : tout va bien, Bordeaux est une superbe ville. Il s'est fait un ami, Philippe Monnier, qui veut devenir chanteur. Après son service militaire, il quittera probablement la banque pour travailler avec Alain Monnier, qui est armateur... Lui aussi évoque parfois l'oncle Ernest :

Il n'a que ce qu'il mérite. Je lui souhaite de payer maintenant tout le mal qu'il a fait autour de lui. Qu'il crève, je ne ferai pas un geste pour le sauver.

Ce matin, en pensant à la soirée d'hier, il voudrait pouvoir l'écraser comme une bête malfaisante, une punaise dont l'odeur âcre empoisonne l'air pendant des heures.

6.

— Écoutez, nous avons eu de la patience, mais votre ours sème la terreur dans la région. Alors, pour la dernière fois, vous allez le récupérer et vous l'attacherez chez vous, sinon, nous l'abattons sans sommation !

Le brigadier est entré dans le chai en coup de vent. La vendange terminée, Aristide et Anna remettent de l'ordre dans la vaste salle. Les seaux et les hottes sont nettoyés, passés au jet. Le jus destiné à devenir du vin blanc a été pressé aussitôt. La fermentation commence, il règne dans la pièce une forte odeur de caramel qui prend à la gorge.

Le brigadier s'approche d'Aristide et poursuit :

— Berthot, l'épicier, a failli avoir une attaque quand il a vu votre monstre entrer dans sa boutique et voler les pots de miel.

Aristide éclate de rire.

— Avoir peur de Sophocle...

— Riez, mais il sera abattu la prochaine fois que nous le retrouverons seul. Nous avons réussi à l'enfermer dans la porcherie vide de Marchand. Allez le chercher et qu'on ne le voie plus jamais !

Le brigadier sort d'un pas décidé. Aristide rit encore, mais Anna le met en garde.

— Allez le chercher. Ils seraient capables de mettre leurs menaces à exécution.

Aristide prend son car et se rend au hameau voisin. Il connaît Marchand, un gros paysan rouge et joufflu, au verbe haut mais au courage mince. Quand il arrive, l'homme, terrorisé, ne cache pas son soulagement.

— Ah, tu es là ! Ta bête va tout casser.

— Mais non, ma bête est douce comme un agneau.

De la porcherie montent des rugissements puissants, des coups sourds contre la porte.

— Une chance qu'il n'ait pas réussi à sortir...

Aristide s'approche et appelle l'animal.

— Sophocle, mon gars, qu'est-ce qui te prend ?

Marchand reste en retrait et n'est pas rassuré quand l'ours sort à la lumière, dressé sur ses pattes arrière, énorme.

— Sophocle, je suis là. Viens, on rentre chez nous.

L'animal se calme. Près d'Aristide, il redevient le gentil ours qui fait rire les enfants dans les foires.

— Tu peux pas l'attacher ? dit Marchand. Tu crois que c'est plaisant de se trouver nez à nez avec cette bête ?

— Et si on t'attachait, toi ? fait Aristide. Tu serais content ?

Sophocle monte dans le car et Aristide rentre à la Ribotte. Une fois le véhicule arrêté dans la cour, il dit à l'ours :

— Maintenant, tu vas cesser de faire l'idiot. Tu vas rester bien sagement ici.

Il enferme Sophocle et rejoint Anna au chai, qui nettoie au jet les abords des cuves. Elle porte un pantalon bleu, des bottes. C'est une belle femme au corps bien proportionné ; sa peau est restée blanche et sans rides. Elle tourne ses grands yeux noirs vers Aristide.

— Vous avez récupéré votre monstre ? demande-t-elle en riant.

— Le monstre est enfermé dans le car. Le pauvre Marchand était vert de peur !

— Je vous le répète, il ne faut pas prendre à la légère les menaces du brigadier. Il serait capable de le tuer...

Aristide monte sur l'escabeau et braque une lampe dans la cuve. Une mousse épaisse s'est formée à la surface du moût ; par moments une grosse bulle de gaz éclate avec un bruit mat.

— Parfait, la fermentation démarre. Il a fait assez chaud, mais attention, si le blanc doit aller vite, il faut éviter que le rouge ne chauffe trop. Ça nous donnerait un vin court en bouche et de mauvaise garde.

Il se tourne vers Anna.

— Depuis quelques jours, j'ai l'impression de m'être glissé dans la peau de mon père.

Il descend, s'approche d'Anna, qui ne baisse pas les yeux.

— Si vous le vouliez, nous pourrions faire de ce domaine un des plus prospères du pays. Nous pourrions même racheter les vignes du père Benoît qui touchent les Vignes blanches et moderniser ce chai, acheter une machine de mise en bouteilles... Nous pourrions...

— Ce que vous oubliez, c'est que je suis une vieille femme et que je porte mon passé, bien vivant...

Il sourit, lui prend la main qu'elle ne retire pas.

Sophocle n'apprécie pas son emprisonnement. Il frappe la porte de sa lourde patte en poussant de puissants grognements. Aristide lui crie de s'arrêter, l'animal se calme un instant puis recommence sa pantomime.

La nuit est tombée. Aristide et Anna mangent rapidement un peu de soupe et un morceau de fromage avant de retourner près des cuves.

— Le vin, c'est comme un enfant, il faut le surveiller à chaque instant.

La nuit n'est pas froide. Anna sent l'haleine douce du vent du sud. Du Rhône, en contrebas, gardien de la vallée, monte un bruit lointain et diffus ; des plaques lumineuses courent sur l'encre de l'eau.

— Tout va bien, dit Aristide. On a de la chance, la température est convenable.

Une forte odeur mielleuse sèche la gorge et enivre. Une chaleur épaisse pèse sur les épaules.

— Parlez-moi de vous, demande Aristide en s'asseyant sur le rebord de l'escabeau.

Anna a un léger sourire.

— Il n'y a rien à dire. Vous savez ce que je sais et j'ignore ce que vous ignorez.

— Vous avez sûrement une mère ? Essayez de vous rappeler...

— Je voudrais bien, mais c'est le vide total.

— Et votre père ? Souvenez-vous de sa moustache !

— Sa moustache ? Mais...

À cet instant, un éclair jaillit dans sa tête, la porte des souvenirs s'entrouvre brusquement et se referme aussitôt.

— Non, je n'ai pas de père. Mon père est mort à la guerre.

— Eh bien, vous voyez que vous vous en souvenez. On va continuer.

Pendant plus d'une heure, Aristide questionne Anna, mais, cette fois, aucun détail de sa vie passée ne remonte à sa conscience. Elle secoue la tête, vaincue par ce silence écrasant qui l'habite.

Sophocle frappe des coups sourds à la porte du car. Aristide n'y prête pas attention.

— Vous pouvez aller dormir. Demain, tout ça va bouillir à grosses bulles.

Anna se réveille avant le jour. Elle a fait un rêve étrange. Elle était chez sa mère, une femme sans visage. Les ombres de ses enfants se tenaient près d'elle. Aristide leur jouait de la musique. Sophocle, assis sur une chaise, chantait de sa voix grave et puissante. Elle était heureuse, le bonheur profond et familial d'un temps ancien, perdu et, tout à coup, retrouvé.

Marthe est déjà levée. Le visage grave, elle regarde Anna de ses yeux vides de lumière et murmure :

— Je crois que l'oiseau a quitté le nid !

Anna se précipite à la fenêtre : en effet, le car est parti. La révolte monte en elle ; comment, au moment le plus important pour le vin qui se prépare dans les cuves, Aristide a-t-il pu s'en aller ?

— C'est ainsi, hélas ! fait Marthe.

Anna court au chai, comme si, en l'absence d'Aristide, le moût s'était volatilisé. Dans les cuves, de gros bouillons éclatent à la surface, dérangent une croûte épaisse de lave durcie.

— Et moi qui étais prête à entrer dans son jeu ! s'écrie-t-elle.

Le bruit de grêle des cuves l'inquiète. Comment savoir si tout se passe convenablement ?

Dans la matinée, elle part chercher Denis, qui rouspète et finit par accepter de venir.

— Faut pas lui faire confiance, je vous l'avais dit ! La récolte va être gâchée, alors que c'était plus simple de la vendre. Moi je connais la vigne, pas le vin...

— Je vous en prie, vous avez vu faire son père. Vous vous souvenez...

— Henri ne disait pas dix mots par jour.

Il réussit enfin à démarrer sa moto poussive. Sur son vélo, Anna pédale à toutes jambes mais n'arrive pas à le suivre. En arrivant, elle trouve un Denis perplexe.

— Ça va aller trop vite dans les rouges, c'est sûr ! Va falloir arroser la cuve, mais je sais pas faire ça, moi. Si je refroidis trop, je risque de tout arrêter.

— Il faut essayer.

— C'est trop tôt. Attendons cet après-midi, je reviendrai.

Anna passe la matinée à surveiller le bout du chemin, à tendre l'oreille, à espérer chaque fois qu'un bruit de moteur se fait entendre. Mais la cour reste vide et, sans le car garé sous le vieil arbre creux, elle a l'immensité d'un désert.

— C'est trop malheureux ! soupire Marthe.

Denis revient dans l'après-midi et fait la grimace.

— Ça va beaucoup trop vite, ça ! Ah si je le tenais, l'autre, avec son ours !

Il branche le système d'arrosage qui fait couler de l'eau sur la cuve. Des petits jets ruissellent le long de la paroi.

— J'espère qu'on va pas trop refroidir, parce que le remède sera pire que le mal...

Anna se ronge les ongles et ne cesse de monter sur l'escabeau pour surveiller ces gros bouillons qui agitent le liquide épais. Avec un morceau de bois, elle brise la croûte dure qui se forme à la surface.

Vers cinq heures du soir, tandis que le soleil allonge les ombres de la cour, le car arrive enfin dans un nuage de poussière. Anna sent son cœur accélérer dans sa poitrine et le sang monter à son visage.

— C'est ainsi qu'on peut compter sur vous ! dit-elle en haussant le ton.

— C'était la foire à Roisey ! Je ne pouvais pas la manquer. Sans moi, la foire n'aurait pas été réussie.

— La foire, vous ne pensez qu'à la foire quand le moût bout trop vite. Denis a mis l'arrosage, mais il ne sait pas le régler...

— Le moût bout trop vite ? Qu'est-ce que c'est que cette histoire ?

Il court au chai, suivi de ses chiens et de Sophocle, qui marche en se dandinant. Anna va jusqu'au bout de son ressentiment.

— Vous ne pensez pas que vous avez l'âge d'être un peu plus sérieux ? Vous me parlez d'acheter les vignes du père Benoît et quelques heures plus tard vous partez à la foire !

Comme s'il n'avait pas entendu, Aristide monte rapidement sur l'escabeau, regarde la température du moût.

— C'est un peu trop bas, maintenant. Faut réduire l'arrosage.

Il passe derrière les cuves et tourne un robinet.

— Voilà, dit-il en regardant Anna, c'est arrangé, ce n'était pas la peine d'en faire une histoire.

— Et ces cheveux, poursuit Anna, vous ressemblez à un bohémien. Un homme de votre âge et de votre condition doit avoir une tenue correcte...

La colère creuse ses joues, fait briller ses grands yeux.

— Vous êtes si belle ainsi...

Il rit, cela finit de l'exaspérer, puis, sans un mot, il appelle ses animaux, monte dans son véhicule et s'en va.

— C'est le comble ! s'insurge Anna.

Marthe ne s'étonne pas.

— Cela me rappelle bien des souvenirs. Aristide arrivait, fier de son escapade, son père se mettait en colère, alors le garçon repartait aussitôt. Vous n'êtes pas près de le revoir.

Anna va cacher les larmes qui brouillent sa vue dans le chai. L'espoir mis dans cette cuvée était aussi celui de faire d'Aristide un autre homme, mais elle doit déchanter ; il ne changera pas. C'est un enfant gâté qui ne saura jamais résister à ses envies, un égoïste pour qui les autres ne comptent pas. Alors, que fait-elle ici ? À quoi a servi cette année de travail dans les vignes ? Ce soir, elle se le demande, comme si elle avait été mue jusque-là par un espoir de renaissance, une étincelle de vie au fond de son âme.

Elle revient à la maison. Le car arrive dans son bruit de tôles qui vibrent. Le véhicule s'immobilise à sa place, près de l'arbre creux. Un homme en descend, un homme qu'Anna regarde, le souffle coupé.

— Eh bien, comtesse, je vous plais ainsi ?

Aristide secoue la tête. Ses cheveux courts transforment son visage. Son crâne semble moins haut, ses yeux plus malicieux encore et ses joues moins longues. Sa bouche un peu grande sourit avec une grâce qu'Anna ne lui connaissait pas.

— Ça alors !

— Il me reste à faire ce qui me coûte le plus ! dit Aristide en revenant vers son car, suivi de ses chiens qui se chamaillent.

Sophocle porte un énorme collier d'où pend une chaîne qu'Aristide attache au tronc de l'arbre.

— Tu comprends, explique-t-il à l'animal. Si tu repars, ils vont te tuer, et moi je veux te garder parce que tu es mon ami.

L'ours secoue la tête en signe d'acquiescement. Il y a de la magie dans le pouvoir de cet homme sur les animaux.

— Il sait leur parler, dit Marthe. Il a un ton qui leur convient. Je me souviens, un jour, lorsqu'il était enfant, il a réussi à calmer un taureau qui s'était échappé d'une ferme avec la seule force de ses paroles.

Mais Sophocle n'apprécie pas sa captivité. Quand il voit son maître s'éloigner, il tire sur sa chaîne en grognant.

Aristide va vérifier l'état des mouts puis se tourne vers Anna, grave.

— Avec mes cheveux, j'ai laissé derrière moi mon ancienne vie. Anna, la nouvelle est pour vous.

Elle sourit, un bonheur chaud monte dans sa poitrine.

— Les cheveux courts vous vont bien. Mais vous oubliez que j'ai huit ans de plus que vous.

— Ça n'a pas d'importance, dit-il. Je crois à la Providence. Elle était de mon côté lorsque j'ai rencontré une femme perdue sur une route d'hiver. Je veux vous épouser.

Anna devient grave à son tour.

— Je ne suis pas certaine que vous ne changerez pas d'avis quand vous verrez certain détail qui me reste de mon passé.

— N'importe quelle vérité ne me fera pas changer d'avis.

Il se tait un moment, comme si les mots justes lui manquaient, et ajoute :

— Vous ne savez de moi que ce que j'ai voulu vous dire. Ma mère se plaît à raconter que j'ai une maîtresse dans chaque ville, mais c'est faux. Je suis seul avec un ours. Mon père était autoritaire et ne cherchait surtout pas à me comprendre. Tout ce qui n'avait pas de rapport avec ses vignes ne l'intéressait pas. J'ai fait une école d'agriculture, puis j'ai appris l'œnologie. Mais, voilà, mon père était tellement possessif, tellement autoritaire que j'avais l'impression qu'il me retenait en prison. Alors je suis parti. J'ai suivi une troupe de saltimbanques qui m'ont appris la musique et l'art de dresser les animaux. C'est là que j'ai rencontré Natacha, une superbe brune au regard de braise. Et puis la guerre nous a définitivement séparés. Je l'ai recherchée à la Libération, dans toutes les villes, dans toutes les fêtes et les marchés, mais Natacha et sa troupe restaient introuvables ; la guerre a fait disparaître beaucoup de monde ! Et un soir d'hiver, alors que je rentrais de Saint-Étienne, j'ai vu par hasard dans les phares de mon car une femme seule et perdue. Elle avait le visage de Natacha.

Anna fait la moue.

— Je ne suis sûrement pas la Natacha que vous cherchez. Mais que faisiez-vous pendant la guerre ?

— Mon père est entré dans la Résistance dès l'appel du général de Gaulle. Il a été déporté à Dachau, mais il a tenu le coup, il est revenu.

— Et vous ?

Les chiens aboient et courent autour de l'ours qui grogne. Aristide siffle entre ses dents, et les bêtes se calment.

— Je suis parti le premier jour de la mobilisation. À la défaite, je suis revenu ici. Je voulais rejoindre Natacha. Un jour, des bohémiens s'apprêtaient à tuer Sophocle pour le manger. C'était un ourson qui refusait de se laisser dresser.

Je l'ai acheté et j'ai parcouru les foires avec toujours l'intention de retrouver ma belle...

— Et quand vous partez c'est encore pour tenter de la retrouver ? demande Anna avec une pointe d'inquiétude dans la voix.

Il sourit, passe sa main dans ses cheveux courts qui dégagent sa nuque.

— Je vous l'ai dit, je l'ai retrouvée. C'est surtout que j'ai l'habitude de vivre seul. Ici, tout me rappelle l'autorité de mon père, son intransigeance. Maintenant, parlez-moi de vous, Anna, vous ne m'avez jamais dit pourquoi vous étiez sur cette route...

Elle hésite un moment puis, d'une main qui tremble, dégrafe son corsage.

— C'est pour ça ! dit-elle d'une voix qui se casse. Cette marque, vous savez à qui on la faisait...

Il se trouble à son tour, recule, comme horrifié.

— Alors, vous voulez toujours m'épouser ? insiste-t-elle. Vous seul, ici, connaissez la vérité, qu'attendez-vous pour me chasser ?

Il se ressaisit, attire la femme contre lui.

— Cela n'a pas d'importance ! dit-il. Je vous aime.

7.

« Je vous aime ! » Ce mot a tourné pendant plusieurs jours dans la tête d'Anna. Elle le garde comme un bonbon qu'on laisse fondre lentement en bouche, elle l'écoute comme une musique qu'on croyait ne plus jamais entendre, l'imagine comme une fleur délicate, posée dans le creux de ses pensées. Tant d'années se sont passées à fuir, à vouloir devenir une autre, à cacher l'infamie qui marque sa vie, à mentir pour ne pas être rejetée, et, là, dans ce chai où le vin se fait en gros bouillons, un homme qui connaît son secret ne l'a pas condamnée, il lui a même avoué son amour. Alors, ses yeux se tournent vers le ciel. Elle qui ne priait plus depuis longtemps, qui avait perdu confiance, comprend bien que seul Dieu a pu faire cela. En la poussant hors de Saint-Étienne, Il lui indiquait le chemin à suivre...

Une vie neuve coule dans ses veines, pétille dans ses yeux. Même si tout ceci n'est qu'illusion, Anna veut le croire, goûter jusqu'au bout le bonheur d'être enfin comme les autres. Aristide l'a serrée contre lui, dans sa chaleur, dans son odeur. Quand il a voulu l'embrasser, Anna a posé son index sur ses lèvres.

— Laissez-moi le temps de remettre à sa place chaque chose... Je vous en supplie, ne me brusquez pas.

— Nous avons toute la vie ! dit Aristide. Je veux être celui qui vous accompagnera chaque jour.

Le soir, ils font une promenade dans la nuit en se donnant la main. Ils vont jusqu'aux Vignes blanches noyées dans l'ombre épaisse puis reviennent. Devant le car, Aristide pose un baiser rapide sur le front d'Anna, qui part se coucher, avec, dans le cœur, un sentiment neuf, juste éclos.

Les journées sont de plus en plus courtes. Si, dans l'après-midi, l'air est encore doux, le matin, les premières gelées blanchissent les pentes. Un épais tapis de brume couvre les eaux sombres du Rhône. De grands oiseaux traversent le ciel en direction du sud.

Sophocle s'ennuie attaché à son arbre et tire désespérément sur sa chaîne. Il pousse des rugissements sourds dont Aristide comprend le désespoir. L'homme s'approche alors de l'animal et lui parle doucement en caressant sa grosse tête.

— Si tu étais sage, tu resterais là, avec nous, je te détacherais, mais tu veux n'en faire qu'à ta tête !

Chaque après-midi, Anna trouve un peu de temps pour emmener Marthe à la promenade. La vieille femme regrette sa cécité.

— Aristide avec les cheveux courts, vous dites ? Si je pouvais voir ça...

Les fermentations sont finies, le vin devient sensible à l'air. Il faut presser les rouges, transvaser les blancs « bourrus » dans une cuve propre où ils vont se décanter. Anna et Aristide passent de longues heures à travailler sans un mot. Chaque soir, ils vont marcher dans la nuit fraîche, puis chacun part se coucher de son côté. Un soir, Aristide précise :

— Quand le vin sera fini, bien tranquille dans ses tonneaux, comtesse, nous partirons dans le Sud-Ouest chercher vos souvenirs.

— Comment les retrouver ? Je suis incapable de les reconnaître.

— Oui, mais vous et moi pouvons faire des miracles. Nous irons d'une ville à l'autre. Peut-être l'une d'elles ouvrira la porte de votre passé !

Aristide sait qu'il ne doit pas précipiter les événements. Il comprend les mouvements de répulsion, les frissons d'Anna quand il veut la serrer dans ses bras et se contente de lui prendre la main, de lui caresser la joue.

— C'est plus fort que moi ! dit-elle. Pardonnez-moi, il faut que je m'habitue.

— Vous êtes comme quelqu'un qui est resté couché pendant des années, vous devez réapprendre à marcher. Et je suis là pour ça !

Au bout de deux semaines, Aristide décide de soutirer le vin, première opération importante.

— Il faut enlever les boues qui se sont posées au fond de la cuve. Il faut aussi aérer un peu le vin rouge sans trop, tandis que le blanc doit rester le moins longtemps possible en contact avec l'air, sinon, il s'oxyde.

Ce travail les occupe pendant plusieurs jours. Un midi, en sortant du chai, ils s'aperçoivent que Sophocle a cassé sa chaîne et s'est enfui. Aussitôt, Aristide monte dans son car et part au village voisin où personne n'a vu l'ours. Il parcourt les chemins en appelant l'animal. À la gendarmerie, le brigadier menace :

— Je vous ai averti ! S'il fait la moindre bêtise, il sera abattu. Les gens ne peuvent pas vivre avec la peur de ce fauve.

Aristide patrouille tout l'après-midi pour rien. Le lendemain matin, il reprend ses recherches. La brume noie la vallée.

— Sophocle n'a plus confiance en moi ! dit-il à Anna. Il sent que ce n'est plus comme avant.

Deux jours passent. Une pluie fine et froide tombe sur les coteaux. Aristide parcourt inlassablement la campagne, en espérant que l'animal finira par se manifester dans un hameau voisin.

— C'est moi qui l'ai attaché ! Alors, bien sûr, il ne peut se fier à personne...

Le matin du troisième jour, le brigadier arrête sa voiture dans la cour. C'est un homme costaud, toujours essoufflé.

— Votre bête a égorgé un mouton dans l'enclos de Richat, qui est allé chercher son fusil. Vous avez eu de la chance que j'arrive assez tôt pour...

— Vous voulez dire que vous ne l'avez pas tué ?

L'homme baisse sa grosse tête, comme coupable de sa faiblesse.

— C'est-à-dire que j'aime pas tuer les bêtes pour rien. Cet ours, c'est pas lui le fautif, c'est vous... Alors le vétérinaire a réussi à l'endormir avec un produit.

— Et il est où ?

L'autre le regarde comme un chien battu.

— Il est dans une cage, et bien enfermé. Il va aller au zoo de Lyon. On ne peut pas laisser cet animal mettre à sac tout le pays.

Aristide fait quelques pas, se tourne vivement vers le brigadier.

— Mais vous ne pouvez pas ! Cet ours, c'est mon compagnon de plusieurs années ! Il ne pourra pas vivre sans moi et moi sans lui. Et puis, au zoo, il sera en prison.

— La chose est faite ! dit le brigadier. Le responsable du zoo l'attend avec impatience. Il a une femelle qui cherche un fiancé pour lui faire des oursons et vous le paiera un bon prix.

— Est-ce que je peux le voir ?

— Si le train n'est pas parti de Condrieu...

Sans saluer le gendarme, Aristide saute dans son car, qui démarre en trombe. Anna a juste le temps de monter à côté de lui. Le véhicule roule à toute allure sur la route tortueuse. Aristide, le nez collé au pare-brise, donne de brusques coups de volant.

— Arrêtez ! crie Anna, nous allons nous casser la figure.

— Il faut que je voie Sophocle, il faut que je lui explique et qu'il me pardonne.

Ils arrivent à la gare. La pluie s'est arrêtée, un vent froid fouette les visages. Sophocle est là, sur le quai, dans sa cage entourée d'une nuée d'enfants qui se tiennent à distance et s'amusent de ses rugissements. Aristide appelle l'animal, qui se calme aussitôt. Stupéfaits, les enfants voient l'homme glisser la main entre les barreaux. Sophocle secoue la tête et pose son énorme gueule sur cette main minuscule qu'il pourrait broyer d'un coup de mâchoire. Anna s'approche à son tour.

— Sophocle, mon ami, dit Aristide d'une voix étranglée, pardonne-moi...

L'ours pousse des gémissements plaintifs. À l'étroit, il tente à son tour de passer sa patte par les ouvertures.

— Écoute, tu vas avoir une fiancée, tu vivras avec des ours, tu verras, tu seras mieux qu'avec les hommes. Je te promets que je viendrai te voir souvent. Tu comprends, c'était plus possible. Toi, tu aimes qu'on change d'endroit souvent, tu aimes les foires, les gens qui t'applaudissent, et maintenant, pour moi, c'est fini.

Aristide retire sa main, l'ours gémit toujours. L'homme se tourne et dit à Anna :

— Maintenant, partons vite.

Ils s'éloignent, c'est une fuite. Une fois dans le car, la porte fermée, les gémissements de l'animal ne les atteignent plus.

— Je suis un lâche ! dit Aristide.

Anna lui prend la main, c'est la première fois qu'elle a une telle initiative.

— Et un salaud, continue l'homme. J'ai sacrifié l'animal le plus doux au monde, j'ai trahi cette confiance totale qu'il avait en moi pour une femme. L'aurait-il fait, lui, pour une ourse ?

Anna pose la tête sur l'épaule d'Aristide et sent la peau chaude de sa joue. Ce contact est agréable.

— Ce car, sans Sophocle, n'a plus d'âme. Je vais le mettre à la ferraille !

La journée est triste. Des nuages sombres passent au-dessus des collines, noircissent les eaux du Rhône. Aristide parle peu et n'a pas la tête à ce qu'il fait. La chaîne cassée de Sophocle est restée autour du tronc d'arbre.

— Tant d'années avec lui... Ce n'était pas un ours, mais un être humain. J'ai perdu un compagnon et un ami.

— Mais voyons, dit Anna, il n'est pas mort. Il va vivre avec une femelle, la vie continue... Au contraire, il sera heureux.

Aristide secoue la tête.

— Sophocle, c'est mon double. Il a grandi avec moi, je suis en même temps sa mère et son frère. Et puis il était là, dans les moments de solitude...

Le dîner est morne. Marthe et Anna ont beau tenter de lancer la conversation, les mots butent sur la tristesse d'Aristide. Après manger, ils vont faire un tour au chai, comme ils le font chaque soir, vérifient une dernière fois les niveaux du vin dans les tonneaux. La nuit est douce, le ciel, qui s'est découvert, étend sa fine toison sur le fleuve. Quelques grosses étoiles passent à travers une brume légère.

— Ce soir, je ne dormirai pas dans le car. Sans Sophocle, ce tas de ferrailles devient hideux.

Anna se presse contre lui.

— Je vais rester près de vous ! dit-elle sans mesurer la portée de ses paroles. Vous avez quitté Sophocle pour moi...

Le regard de l'homme s'allume.

— Vous feriez ça ?

— Vous avez fait bien plus difficile pour moi. Vous m'avez acceptée avec ma honte, mes souillures. Vous m'avez donné envie de me regarder dans une glace ; vous m'avez rendu la dignité.

Il lui caresse les cheveux. Une péniche pétarade sur le Rhône qu'elle remonte lentement, son phare unique allumé comme l'œil énorme d'un cyclope.

— Maintenant, le vin peut attendre dans les tonneaux. Il suffit de surveiller les niveaux. On va partir...

Ils vont dans la pièce attenante au chai où dormaient les vendangeuses.

— On va rester là cette nuit. Ma mère est trop curieuse.

La pièce n'est pas très confortable, une lampe éclaire de sa lumière crue des murs de béton, un plafond gris, une petite fenêtre aux vitres sales. Des matelas sont encore posés sur des planches à même le sol, avec des couvertures pliées que personne n'a secouées depuis la fin de la vendange.

— Il ne fait pas froid. Nous serons très bien ici.

Aristide étale une couverture sur un matelas. Anna va éteindre la lumière et, à tâtons, retrouve Aristide qui la prend dans ses bras, mais ne bouge pas, ne fait aucun geste par peur de l'effaroucher.

— Nous avons tout notre temps et cette nuit n'est que la première ! dit Aristide.

Ni l'un ni l'autre ne dort de la nuit. Un tumulte puissant agite Anna. Ce corps qu'elle croyait mort, à jamais écrasé, revit enfin et retrouve le désir.

Le jour se lève lentement, à regret. Anna n'a pas vu le temps passer. Aristide bouge le premier.

— Je vous aime ! dit-il à la petite oreille collée contre ses lèvres. Je vous aime plus que jamais !

Tout à coup, le voile se lève, la neige vient de fondre dans le printemps de cette chaleur d'homme. Anna retient son souffle pour ne pas briser une fois de plus la vision qui s'éclaire, sa mémoire enfin retrouvée.

— Je ne m'appelle pas Anna ! C'est un nom que m'avaient donné les Polonais qui m'ont recueillie à Saint-Étienne.

— Qu'est-ce que vous dites ?

— Je m'appelle Virginie, Virginie Labastide, épouse Massenet.

Il se dresse vivement sur les coudes. Anna ne bouge pas, les éclairs qui se faisaient parfois dans son esprit se sont transformés en lumière vive.

— Je me souviens de tout, maintenant, la mort de mon beau-père et de mon mari, mes deux enfants, Pascal et Jacques. La Veyrière, cette grande maison près de Brive !

— Virginie... C'est merveilleux ! Je savais que vous retrouveriez un jour la mémoire...

— Mes enfants...

Son visage s'assombrit.

— Depuis si longtemps sans eux. Leur oncle qui ne les aimait pas... Aristide, que sont-ils devenus ? Sont-ils vivants ?

— Venez !

— J'ai peur d'apprendre la vérité.

Ils passent à la maison, où Marthe s'en prend aux caniches qui sautent sur les fauteuils. Geneviève apporte du café et du pain grillé. Ils mangent rapidement.

— Nous avons à faire ! dit Aristide, puis il ajoute :

— Depuis le temps que je veux faire installer le téléphone dans cette maison...

Ils se rendent à Pélussin et, devant la poste, Aristide demande à Anna :

— C'est comment, le nom de votre commune ?

— Saint-Nicolas-sur-Brès.

— Vous avez dit Pascal et Jacques Massenet ?

— Oui, pourquoi ?

— Venez.

Ils entrent dans la poste.

— Je voudrais téléphoner à la mairie de Saint-Nicolas-sur-Brès, dans le département de la Corrèze, dit Aristide.

Il attend un moment, et l'opératrice lui indique une cabine.

— Voilà, dit-il à Anna. Vous n'avez qu'à demander des nouvelles.

— Je ne peux pas..., j'ai trop peur. Faites-le pour moi.

Aristide dit alors :

— Je suis un membre de la famille de Virginie Massenet, et je voudrais savoir ce que sont devenus ses enfants.

— Ces gens-là sont partis depuis longtemps ! dit une voix nasillarde.

— Et vous ne savez pas ce qu'ils sont devenus ?

— Attendez... Je crois savoir que...

Aussitôt, Aristide plaque l'écouteur sur l'oreille d'Anna.

— Eh bien, reprend la voix, je crois savoir que l'aîné travaille dans une banque à Bordeaux. Le cadet, qui s'appelle Jacques, est aux enfants de troupe à Tulle.

— Je vous remercie.

Anna est radieuse. Ses enfants sont vivants, Pascal, le sérieux, travaille déjà et Jacques est à l'école militaire ; quelle joie de savoir qu'ils ont continué de vivre sans elle !

— Merci ! dit-elle à Aristide. Il était écrit que vous seriez pour moi l'homme de tous les bonheurs.

— Il ne nous reste plus maintenant qu'à aller les retrouver !

Ils rentrent à la Ribotte. Une lettre attend Anna. C'est Maria, qui lui écrit en polonais :

J'ai bien reçu tes anciennes lettres, mais Dieu ne m'avait pas donné la force de pardonner. Je sais maintenant que je vais mourir et je ne veux pas partir avec ce poids. Je regrette de t'avoir chassée et de t'avoir fait du mal. Pardonne-moi si tu le peux.

Anna lève les yeux vers Aristide, qui n'a rien compris à cette langue étrangère.

— Oui, dit-elle. Je sais parler le polonais. Le plus tôt possible, nous irons rendre visite à celle qui m'a tirée du néant et que j'aime.

8.

Décembre, cette année, est froid, sec, ensoleillé quand les brumes du matin qui enveloppent le fleuve se déchirent, un temps idéal pour le jeune vin qui mûrit dans les tonneaux. Il n'y a plus grand-chose à faire dans le chai, sinon surveiller le niveau dans les barriques. Aristide est satisfait.

— Mon père doit être content. Une cuvée comme celle-là, il n'en a pas eu souvent.

Marthe rectifie :

— Ton père savait faire le vin mieux que quiconque. Et tu n'as pas assez écouté ses conseils.

Puis, se tournant vers Anna :

— Vous l'avez transformé, c'est bien, mais trop tard pour que son père puisse en être satisfait ! Soyez tranquille, quand il vous a amenée ici, j'ai bien compris que ce n'était pas seulement pour que vous me teniez compagnie...

Anna a aménagé la pièce contiguë au chai, où elle passe désormais les nuits avec Aristide. Ils ont installé un lit et branché à l'unique prise un radiateur électrique. Marthe a été formelle :

— Mariez-vous d'abord et vous pourrez coucher dans la maison des maîtres. Ici, ce n'est pas un tripot !

Avec patience, au fil des nuits, Aristide ressuscite ce corps qui se croyait mort, y fait éclore le désir d'amour. Anna redécouvre le bonheur, elle, qui se croyait vieille, retrouve intactes toute sa jeunesse et sa vitalité.

— Anna, je veux t'épouser ! Nous nous marierons au printemps.

Anna sourit. Dehors, le gel scintille sur les pentes. Le Rhône, puissant et majestueux, coule dans cet écrin fait exprès pour lui.

— Avant tout, dit Anna, il faut que je ressuscite !

Aristide s'est débarrassé de son car et a acheté une 4 CV Renault dont il est très fier. Un soir, il décide :

— Demain, nous partons pour Brive voir la grand-mère chiffon.

Anna se trouble. Certes, ce voyage la comble, mais elle redoute de découvrir de nouveaux malheurs, surtout de gêner ceux qui ont pris l'habitude de vivre sans elle...

— Nous passerons d'abord à Saint-Étienne, au Clapier...

Marthe ne cache pas son mécontentement. Ce voyage va la laisser seule avec Geneviève et surtout avec les caniches, qui ne lui obéissent pas. Elle redoute aussi qu'Anna, une fois sa famille retrouvée, n'ait plus envie de revenir à la Ribotte.

— Ce serait le plus grand des malheurs ! dit-elle à Anna. Aurez-vous la force de choisir ?

Anna regarde Aristide, assis près de sa mère. Ils ont les mêmes yeux, la même bouche un peu grande.

— Là-bas, il n'y a plus de place pour moi. D'ailleurs, c'est peut-être une erreur d'y aller, mais j'ai tellement envie de retrouver mes enfants !

— Vous m'avez bien monté le coup, le jour de votre arrivée ! observe Marthe.

Aristide s'interpose :

— Écoute, maman, si elle t'avait dit qu'elle était amnésique, tu l'aurais renvoyée en disant que tu ne voulais pas d'une malade comme dame de compagnie !

Le lendemain, ils partent avant le lever du jour. Anna frissonne, mais c'est d'appréhension. Elle n'a pas dormi de la nuit. Ce retour sur son passé tant espéré lui fait désormais peur et elle regrette par moments d'avoir retrouvé la mémoire. Le gel fige les collines et le Rhône. Des étoiles scintillent dans un ciel froid. La neige est épaisse sur le Pilat et ils roulent au pas en descendant vers Saint-Étienne. Anna se revoit sur cette même route la nuit de l'hiver dernier, quand Aristide l'a recueillie. Comme ils ont eu raison, ceux qui l'ont chassée ! Elle a une pensée pour Georges, le boulanger, si gentil, si doux, portant sa tache de vin comme un écrasant fardeau...

Le jour s'est levé quand ils traversent Saint-Étienne. Les ouvriers de Manufrance se tassent dans le cours Fauriel. Les anciens se souviennent de cet homme vêtu de noir qui regardait du balcon de l'immense bâtiment la mer humaine converger vers ses ateliers. Étienne Mimart, tel un sphinx, dominait cette foule qui mange encore chaque jour grâce à lui.

Le quartier du Clapier est toujours aussi triste. Les baraques des Polonais sont couvertes d'un givre gris. Il n'y a personne dans les rues, les hommes sont à la mine, les femmes trient le charbon. Une vieille qui porte un seau d'eau ouvre de grands yeux en reconnaissant Anna. Elle tourne la tête pour ne pas avoir à lui parler. Un peu plus loin, un groupe d'enfants lui crie des injures. Anna serre très fort la main d'Aristide.

— Entrons, vite.

Elle frappe à la porte de Maria. Comme personne ne répond, Anna entre, suivie d'Aristide. La petite fenêtre éclaire mal cet intérieur qu'Anna connaît bien. La cuisine est déserte, sur la table, le bol de Piotr n'a pas été lavé. Anna passe dans la chambre.

— Ah, c'est toi ! dit aussitôt une voix tremblante.

Anna s'approche du lit et embrasse longuement Maria.

— Ma petite, ma petite ! dit Maria en sanglotant. Pardonne-moi tout ce mal...

— Je n'ai rien à te pardonner. Je ne pouvais pas te parler, maintenant, je sais... La mémoire m'est revenue !

— C'est bien. Moi, je m'en vais tout doucement. Dieu m'appelle, mais je pars en paix. Mon seul regret...

— Je te jure, Maria, qu'Aristide et moi irons en Pologne l'été prochain et nous retrouverons ton frère.

— Dis-lui qu'il fasse transporter mon corps dans le caveau de famille, avec les miens.

— Je te le jure.

Ils sortent ; Anna se tait. Laisser Maria seule la déchire. La solidarité entre Polonais est très grande et les autres s'occupent de la vieille, mais elle se sent coupable d'abandonner celle qui l'a hébergée pendant si longtemps, à un moment si pénible.

À mesure que la voiture roule vers Clermont-Ferrand, l'appréhension grandit, et chaque minute la rapproche de ce passé de plus en plus lourd. Elle se sent écartelée entre cette ancienne vie en Corrèze et la nouvelle, près du Rhône.

Ses souvenirs sont désormais précis. Elle se souvient de l'épicière à la retraite qui l'a recueillie et l'a conduite à Brive à l'adresse écrite sur le bout de papier dans un curieux éclair de lucidité, celle de l'appartement de location qu'elle occupait avec sa mère lorsqu'elle était petite, juste avant que Josette puisse acheter celui qu'elle occupe peut-être encore... Une seule ombre subsiste : comment est-elle arrivée sur ce banc, à Saint-Étienne, où Maria l'a recueillie ?

Entre Saint-Étienne et Clermont-Ferrand, la route n'en finit pas de tourner. Aristide roule doucement, car il redoute le verglas. À midi, ils déjeunent dans un village éblouissant sous la neige. Ils traversent ensuite des montagnes grises, noyées dans une prison de brume.

Voici Tulle et ses maisons accrochées aux pentes de la Corrèze. Anna pense à Jacques qui doit être très beau avec ses cheveux blonds et ses yeux bleus. Pascal, lui, ressemble sûrement à son grand-père, Janvier, la démarche fière, la tête haute, le verbe incisif de ceux qui commandent. Aristide comprend ses pensées.

— Tu dois d'abord retrouver ton état civil. La première étape, c'est ta mère. On verra par la suite comment avertir tes enfants. Quelqu'un qui revient de la mort, c'est souvent plus grave que la mort elle-même.

La route suit la Corrèze dans sa vallée encaissée. La campagne sans neige offre sa nudité minérale, ses prés jaunes, ses arbres sans vie. Le soleil allume par moments les collines nues. Après la traversée de Malemort, Anna se trouble, demande à Aristide de s'arrêter.

— Je ne peux pas ! fait-elle. Il me semble que je vais mourir. Arrête-toi un instant.

Aristide gare sa voiture sur le bas-côté et se tourne vers Anna.

— Je sais que c'est difficile. Tu as l'impression que tout va s'effondrer ; voici ce que je te propose : tu resteras dans la voiture, moi, j'irai voir la grand-mère chiffon.

— Et si elle est morte ? J'ai peur de découvrir d'autres vérités, d'autres malheurs...

Aristide insiste :

— Vivre dans l'incertitude est la pire des choses...

La voiture repart. Anna se recroqueville sur son siège, jette de brefs regards à l'extérieur et baisse la tête, comme si on allait la reconnaître. Elle claque des dents en donnant des indications au conducteur. Voilà la place de la Guierle, le centre ville et l'église Saint-Martin, l'avenue de la Gare, l'immeuble où habite peut-être encore sa mère. Rien n'a changé en sept ans.

— C'est au troisième étage ! souffle-t-elle.

La nuit commence à tomber, épaisse et brumeuse. Les gens marchent vite sur les trottoirs, pressés de rentrer chez eux. Le boucher allume sa boutique ; lui non plus n'a pas changé, avec son large visage sanguin, son fort estomac sous un tablier blanc maculé de sang.

— J'y vais ! dit Aristide.

— Attends encore un peu.

Elle voudrait repousser le moment de vérité, mais Aristide est déjà sur le trottoir et pénètre dans l'immeuble. Anna se mord la lèvre inférieure jusqu'au sang et retient sa respiration. Le temps vient de s'arrêter.

Aristide monte l'escalier de bois qui s'enfonce dans une nuit épaisse, cherche un moment le bouton de la minuterie, le trouve enfin. Au troisième étage, un nom sur la porte le fait sourire : « Josette Labastide » ; la grand-mère chiffon est donc vivante ! Ému, il frappe.

Une voix de vieille femme lui répond. Il attend quelques instants, des pas rapides se rapprochent, la porte s'ouvre. Il voit alors une minuscule femme au visage très ridé. Ses cheveux blancs sont soigneusement attachés en un chignon qui ressemble à une boule de tissu froissé. Un tablier noir trop long enveloppe ce corps maigre d'un deuil perpétuel.

— Monsieur, c'est pour quoi ?

Aristide ne trouve pas les mots. Il bredouille :

— Me permettez-vous d'entrer, madame, j'ai quelque chose d'extrêmement important à vous dire.

Elle fronce les sourcils, incrédule.

— Vous êtes de la mairie peut-être, c'est pour cette demande que j'ai faite...

— Non, je ne suis pas de la mairie. Je viens de loin avec une nouvelle qui va vous rendre heureuse, très heureuse.

La voilà plus incrédule que jamais : ici, les nouvelles apportent surtout du malheur.

— Me rendre heureuse ? répète-t-elle, incrédule. Entrez, mais je vous avertis, si c'est pour me vendre quelque chose, vous perdez votre temps.

— Non, madame, je n'ai rien à vous vendre, et je viens vous annoncer quelque chose d'extraordinaire, de formidable, de merveilleux.

Elle prie Aristide de prendre place sur une chaise près de la table et s'assoit en face.

— Je sais beaucoup de choses sur vous et votre famille..., commence-t-il.

Elle le regarde, une marque de méfiance dans ses yeux de souris.

— Oui, je sais que vous avez deux petits-enfants, dont l'un travaille dans une banque à Bordeaux et l'autre prépare son deuxième bac aux enfants de troupe à Tulle.

— Mais dites-moi, vous êtes de la police ? Moi, j'ai rien à cacher.

— Et je sais beaucoup de choses sur votre fille unique, Virginie.

Cette fois, elle se trouble, les rides bougent autour de ses lèvres. Une larme brille au coin de ses yeux profonds.

— Le tribunal a reconnu son innocence, dit-elle d'une voix cassée. Rien n'était vrai dans ce qu'on lui reprochait. Pourtant, elle a payé, et puis...

— Elle a payé, en effet, poursuit Aristide, mais je vous la ramène.

La vieille femme se dresse, s'essuie les yeux, se signe.

— Vous voulez dire qu'on a retrouvé son corps ?

Il sourit légèrement et dit, en détachant bien les syllabes :

— Elle est vivante !

— Vous vous moquez de moi ? Sortez, monsieur !

— Je vous dis la vérité !

Josette ne retient plus les larmes qui roulent sur ses joues de papier froissé. Elle court se mettre à genoux sous le crucifix, pendu à un clou, derrière la porte.

— Je le savais, mon Dieu, dit-elle, je savais que Vous me la rendriez.

Puis, incrédule, avec une vivacité étonnante pour son âge, elle se dresse, minuscule et menaçante en face d'Aristide.

— Mais qu'est-ce que vous me racontez là ? Pourquoi je vous croirais ? Vous venez m'endormir avec vos boniments pour mieux me rouler ! Ma fille est morte depuis sept ans.

— Non, votre fille n'est pas morte. Je ne veux rien vous vendre. Anna, ou plutôt Virginie, est ici, dans ma voiture, au bas de cet immeuble.

Josette lève les bras.

— Mon Dieu... Mon Dieu... Je crois bien que je vais m'évanouir...

Elle s'assoit de nouveau. Sa respiration est rapide, ses vieilles mains tremblent.

— Je vais la chercher, dit Aristide.

— Attendez un moment que je reprenne mon souffle. Je crois bien que je vais passer d'un instant à l'autre.

— Mais non, tout va bien se passer.

Il sort en laissant la porte ouverte et dévale l'escalier. En bas, la voiture est vide. Aristide regarde autour de lui, le trottoir est désert. Il court vers le carrefour. Un peu de crachin froid gèle les joues. Il emprunte une rue en pente, revient sur ses pas, prend une seconde rue. Là, dans l'encoignure d'une porte, sous un lampadaire, une silhouette tremble dans son manteau beige.

— Anna, enfin, qu'est-ce qui t'a pris ?

Elle ne peut pas parler et claque des dents.

— Ta mère est vivante, je viens de la voir, je lui ai parlé !

Elle ouvre de grands yeux vides, comme si elle n'avait pas compris. Des mèches grises s'échappent de son foulard.

— Je te dis qu'elle t'attend ! Allez, viens.

Il la prend par le bras et la sent lourde, près de tomber. Il la soutient ainsi jusqu'au couloir. Anna s'arrête au bas de l'escalier.

— C'est trop dur... Je ne peux pas.

— Viens.

Aristide l'oblige à monter les marches. Sur le palier du troisième, la porte est restée entrouverte. Josette regarde sa fille, avec, cette fois, le visage sec et décidé. Seules ses lèvres tremblent.

— Mon Dieu, murmure-t-elle, est-ce possible ?

— Maman ! dit Virginie en prenant la vieille femme dans ses bras.

Elles restent longtemps serrées l'une contre l'autre en sanglotant ; Aristide se tient en retrait. Enfin, Josette recule.

— Non, c'est pas vrai ! Je suis en train de rêver, je vais me réveiller. C'est pas la première fois que ça arrive !

— Je vous promets que vous ne rêvez pas ! dit Aristide en poussant Virginie à l'intérieur du petit appartement.

Rien n'a changé depuis la guerre. Les rideaux sont les mêmes, avec leurs broderies en forme de fleurs à quatre pétales, la nappe blanche sur la table et, sur le placard, la photo de Jean Labastide, fusil à l'épaule.

Maintenant, Josette regarde sa fille, qui s'est assise et ne dit rien.

— Attends, faut que je te touche encore ! dit-elle en posant sa main sur la joue de Virginie. Je savais que Dieu ne m'oubliait pas. Mais quand même...

Au bout d'un moment, elle fronce de nouveau les sourcils :

— Mais pourquoi m'avoir fait attendre aussi long-temps ? Pourquoi tu ne m'as pas écrit ?

Aristide répond :

— Après ce qui s'était passé, elle avait perdu la mémoire et ne se souvenait de rien, pas même de son nom.

La vieille acquiesce puis pose les mains sur la table.

— Je comprends ! dit-elle. Je comprends. Ils ont été si méchants avec toi. Mais quelle idée as-tu eue de te marier avec un de ces Massenet qui sont pas des gens comme nous !

Elle trotte dans cet appartement, de la fenêtre à la porte, ouvre le placard, le referme, pousse une chaise.

— Je suis molle comme s'il n'y avait plus un seul os dans mon vieux corps, ajoute-t-elle. Je peux plus bouger, c'est trop fort pour moi !

Enfin, Virginie se décide à parler :

— Les enfants...

Josette la regarde toujours, incrédule, comme si elle cherchait sur ce visage un détail, quelque chose qui dénoncerait la supercherie. Pourtant, il n'y a pas de doute possible, c'est bien la tête de sa fille, ses cheveux noirs sont devenus gris, mais ils forment les mêmes boucles sur ses petites oreilles et son grain de beauté est toujours à sa place, au coin du menton.

— Pascal travaille dans une banque à Bordeaux, je ne l'ai pas vu depuis son départ. Il ne se soucie pas beaucoup de sa vieille grand-mère. C'est un Massenet, celui-là : il ne parle pas aux petites gens.

— Et Jacques ?

— C'est le plus beau, avec son sourire d'ange, ses cheveux blonds. L'habit militaire lui va si bien ! Mais ce qui me contrarie, c'est qu'il pilote des avions !

— Comment ?

— Oui. Il va au terrain de Brive où il pilote des avions qui font un bruit à t'arracher les tympans. Il veut faire l'école d'aviateur de je ne sais où ! Il ne se rend pas compte combien c'est dangereux...

Maintenant, Josette a retrouvé son aplomb. L'espoir que sa fille reviendrait un jour n'était donc pas aussi insensé que ça ! La vieille femme avait surtout la certitude de la rejoindre bientôt au ciel, là où se trouvent les gens simples qui n'ont jamais fait de mal à personne, et surtout pas ces horribles Massenet qui se sont donnés à l'ennemi pour de l'argent et du pouvoir. Car elle est sûre de leur culpabilité ; ce sont eux qui ont poussé Virginie dans cet enfer !

— La Veyrière a été vendue par ton beau-frère. Celui-là vaut pas bien cher. Il paraît qu'il passe ses journées chez une femme qui lui prend tout son argent et il ne s'occupe plus de sa minoterie.

Puis elle change de sujet.

— Dès demain, tu iras à la mairie. Tu n'es pas considérée comme décédée, mais comme disparue. Il faut que tu régularises tes affaires. Et ce monsieur, c'est ton mari ?

— En quelque sorte, oui.

9.

— Dépêche-toi, Pascal, nous allons être en retard... Ma bagnole est garée en double file.

— Ta bagnole ?

— Oui, une Renault de sport. Je t'avais pas dit ? Je l'ai achetée la semaine dernière. Il faut une bagnole pour monter à Paris et être pris au sérieux !

— Alors, tu es toujours décidé, au risque de te brouiller avec ton père ?

— Plus que jamais. Mon père oubliera vite quand il verra mon nom en tête d'affiche. Et puis je vais faire un disque.

Pascal ajuste sa cravate, ramène vers l'arrière sa mèche rebelle.

— Je me demande si je dois venir.

— Arrête tes conneries ! Ma sœur est arrivée hier à l'avion. Elle sera au train de quatre heures. Mais dépêche-toi, je voulais lui faire la surprise.

— Et ta mère ?

— Maman sera sûrement là, mais j'ai quand même le droit d'aller embrasser ma sœur qui rentre des États-Unis d'Amérique !

Pascal enfile sa veste et dévale l'escalier derrière Philippe. Dans la rue, une voiture rutilante, d'un rouge souverain, gêne le passage des autres véhicules.

— Allez, monte ! dit Philippe.

Le puissant moteur fait un bruit assourdissant. Philippe enclenche une vitesse et démarre en trombe.

— Pas si vite, on va avoir un accident ! Mais dis donc, je savais pas que tu avais passé ton permis de conduire !

Philippe éclate d'un rire sonore.

— Je couche avec la fille du préfet, alors...

Il donne de brusques coups de volant, double des véhicules jugés trop lents en faisant un bras d'honneur aux conducteurs, évite de justesse un camion.

— Je te dis qu'on va se casser la figure !

— Mais non. À propos, tu n'as toujours pas de nana ?

— Non. Faut dire que je travaille beaucoup et que je n'ai pas tellement le temps de m'en occuper.

— C'est que tu veux pas ! Des femmes, il y en a partout et il suffit de leur parler comme il faut. Tu veux que je te trouve une fille ?

— Ce n'est pas la peine. Je suis assez grand pour me débrouiller seul.

Les voilà enfin à la gare. Le soleil est sorti entre de lourds nuages marins. Des voyageurs entrent et sortent, chargés de sacs et de valises, se dirigent vers les taxis. Des voitures sont garées un peu n'importe où. Philippe s'arrête en double file.

— Mais tu ne peux pas rester là ! dit Pascal, tu gênes tout le monde !

— Bah, c'est juste, mais en faisant un peu attention, ça passe... Viens, nous sommes déjà en retard.

Ils se dirigent vers l'entrée. Dans l'immense hall où les pas résonnent comme dans une cathédrale, des gens courent vers les quais, d'autres attendent, consultent un tableau où sont affichés les horaires des trains. Un haut-parleur annonce une arrivée dans une bouillie de sons que personne ne comprend. Philippe s'arrête, fait un signe à Pascal.

— Eh ben...

Devant eux, à quelques pas, Mme Monnier serre sa fille dans ses bras, l'embrasse sur les deux joues, puis la contemple avec ravissement.

— Comme tu es belle, ma chérie !

Céline aperçoit son frère, lui sourit, puis son regard s'arrête longuement sur le jeune homme qui l'accompagne.

— Que se passe-t-il ? As-tu déjà vu une connaissance ? demande Micheline, qui se tourne et voit, à son tour, son fils.

— Et tu as osé ? dit-elle d'une voix qui se veut pleine de ressentiment.

— Ma petite maman, faut pas m'en vouloir ! dit Philippe en embrassant sa mère.

— Et vous le suivez ? gronde Micheline en regardant Pascal, mais ce n'est que pour la forme. Ce garçon est la honte de la famille !

Philippe embrasse sa sœur, qui tend la main à Pascal.

— Un copain ! dit Philippe. Vraiment très sérieux, comme papa les aime...

Pascal rougit. Céline le regarde avec intensité. C'est une petite blonde au visage très fin, aux yeux noirs, ses cheveux sont courts à la mode américaine ; elle ressemble un peu à Mylène.

— Pascal travaille à la banque Permot, rectifie Micheline. Mais après son service militaire, qu'il s'obstine à vouloir faire, ton père a des projets pour lui. Il le faut bien, ton frère se dit un artiste !

— Un artiste qui va monter à Paris et enregistrer un disque ! Ouais, ma petite sœur, ça t'en bouche un coin !

Céline éclate de rire, incrédule, puis, s'adressant à Pascal :

— Si j'ai bien compris, rien n'a changé sur le Vieux Continent ! Ah, l'Amérique, je l'ai quittée voilà deux jours et je m'ennuie déjà.

Ils se dirigent vers la sortie. Un attroupement s'est formé autour de la petite voiture de sport de Philippe. Celui-ci dit à sa mère, avec cet aplomb qui étonne toujours Pascal :

— Tu as vu ? Le gars s'embête pas. Il bloque la circulation avec sa voiture de sport rouge. Bien, maman, tu rentres à la maison ? Tu me prends déjà ma petite sœur !

— Bon, fait Micheline en souriant à son fils, sûrement consciente de sa faiblesse, je vais tenter une nouvelle fois d'arranger les choses avec ton père, mais c'est la dernière. Venez donc dîner ce soir, tous les deux.

— Ma petite maman, tu es la meilleure ! À ce soir.

Philippe attend que les deux femmes soient montées dans leur voiture pour se diriger vers l'attroupement autour de son véhicule. Pascal n'est pas très rassuré. Philippe ne se démonte pas.

— Laissez-moi passer, je vais l'enlever.

— Vous êtes gonflé, dit un des automobilistes coincés.

— Pardonnez-moi, fait le jeune homme en lui adressant son plus beau sourire, mais mon vieux grand-père, unijambiste, grand blessé de la guerre de 14, devait prendre le train et, forcément, il marche difficilement...

L'autre n'ose rien ajouter. Philippe démarre et s'arrête un peu plus loin pour laisser monter son ami.

— Franchement, dit Pascal, tu manques pas de toupet !

— Si tout le monde était comme moi, la vie serait tellement plus belle ! Les gens sont d'une tristesse, d'un sérieux...

Ils se dirigent vers la place des Quinconces. Philippe conduit avec de brusques coups de volant et accumule les imprudences.

— Au fait, comment tu la trouves, ma petite sœur ?

— Très bien. Elle me rappelle une amie de Brive.

— Un conseil, ne compare jamais une femme à une autre si tu ne veux pas la vexer.

Il prend un air entendu.

— Moi, je suis certain que papa a une idée derrière la tête. Il voudrait te la refiler, la frangine, que ça m'étonnerait pas !

— Moi, ça m'étonnerait beaucoup. Je n'ai aucune fortune...

— Ce qui intéresse papa et tante Léontine, ce n'est pas la fortune. Ils veulent quelqu'un de confiance pour l'entreprise. Au fait, ce soir, je pense que les retrouvailles seront assez dures. Alors, divertis le *father*, parle-lui de ta chère banque, des affaires qui repartent, de tout ce que tu voudras, mais ne lui laisse pas le temps de me faire des reproches et oublie que j'ai acheté une voiture.

Le véhicule rouge s'immobilise au bas de l'immeuble de Pascal.

— Bon, j'ai deux ou trois petites choses à faire. Je te prends dans une heure, ça va ?

— Ça va.

En se dirigeant vers l'ascenseur, Pascal trouve dans sa boîte une lettre dont il reconnaît tout de suite la grosse écriture penchée de sa grand-mère chiffon. « Elle va encore me parler de ses rhumatismes et de son grand âge !» se dit Pascal en souriant.

Arrivé chez lui, il accroche son manteau, passe dans la salle de bains pour se rafraîchir le visage. Enfin, comme Philippe n'est toujours pas là, il déchire distraitement l'enveloppe.

Mon cher Pascal,
Je ne sais pas si le bon Dieu veut me garder encore longtemps sur cette Terre, mais il ne me ménage pas. Tu sais combien je suis malheureuse avec mes rhumatismes qui m'empêchent de marcher et me réveillent la nuit...

Pascal lève les yeux au plafond. «Ça commence bien ! Je parie qu'elle va me parler aussi de sa solitude !» Amusé, il poursuit sa lecture.

Je dois te dire que la nouvelle m'a tourneboulée. Le bon Dieu me disait depuis tout le temps qu'elle était vivante quelque part et qu'elle allait revenir, mais quand je l'ai vue devant moi, dans mon petit appartement, j'ai failli m'évanouir. J'ai cru que je rêvais et que j'allais me réveiller. Mais non, elle était là, avec son mari. Et moi, je tremblais comme une feuille...

Pascal fronce les sourcils. De qui veut parler sa grand-mère qui ne sait dire les choses qu'en tournant inlassablement autour ? Une sombre appréhension l'envahit soudain, son cœur se met à cogner dans sa poitrine.

De toute façon, je lui ai donné ton adresse et elle va t'écrire. Son histoire est incroyable, mais il s'est passé tant de choses durant cette période de folie. Comme on n'avait pas retrouvé son corps après sa condamnation, je l'ai fait chercher par les gendarmes, je suis allée voir ton oncle, Ernest, mais tout cela n'a rien donné.

Cette fois, Pascal a compris. La feuille tremble dans ses mains. Il est pâle, les yeux fixés sur le tableau acheté dans une boutique du vieux Bordeaux et qui représente une petite fille en train de lire. Il a froid, l'air racle sa gorge en un bruit de fer râpé.

Sa mère est donc vivante ! C'est en tout cas ce qu'il vient de comprendre. Où se trouve-t-elle ? Que fait-elle ? Et ce mari, dont il est question dans la lettre, qui est-il ? Cela ne changera pas grand-chose à la vie de Pascal, mais ne seront-ils pas des étrangers l'un pour l'autre ? Tout ce silence ne s'effacera pas en une embrassade.

Il regarde sa montre ; Philippe ne va pas tarder, mais Pascal n'ira pas dîner chez les Monnier. Ses doigts tremblent, son visage est blême, grave, mais ses pensées restent froides : il doit en savoir plus pour asséner le coup de grâce à ses hantises d'adolescent.

Des pas pressés résonnent dans l'escalier, Philippe entre. En voyant Pascal, il s'arrête net !

— Mais qu'est-ce qui te prend ? Tu es tout pâle ?

Pascal secoue la tête, puis, se tournant lentement vers son ami, montre la lettre de sa grand-mère.

— Voilà, je viens de recevoir une nouvelle importante. Je dois partir pour Brive tout de suite. Je ne viens pas dîner chez tes parents.

— Tu ne peux pas me faire ça ! s'exclame Philippe. Imagine ce que je vais prendre. Quand tu es là, mon père n'ose pas m'engueuler, mais seul, ça va tourner à la bastonnade !

— Écoute, pardonne-moi, mais c'est vraiment très important. Nous irons un autre soir, demain, si tu veux.

— C'est quoi, ta nouvelle ? Tu as hérité de ton oncle ruiné ?

— Je peux rien te dire, c'est trop difficile, mais tu seras vite au courant. Bon, je vais à la gare voir ce qu'il y a comme train. Il faut que je parte le plus vite possible.

— Tu veux que je t'emmène en voiture ?

— Non, je veux être seul.

Pascal s'étonne d'être aussi résolu, aussi déterminé. Une force nouvelle l'habite et lui donne la volonté d'affronter n'importe quelle tempête intérieure.

— Je vais manquer mon travail demain, mais je saurai expliquer à mon chef, qui comprendra. Il faut que je parte tout de suite.

Jacques ne supporte plus les pleurnicheries de Marie, qui lui reproche de n'avoir jamais de temps à lui consacrer. La jeune fille a bien compris que le grand amour cède peu à peu la place à l'indifférence.

— Tu n'es plus comme avant. Tu ne cesses de parler de tes avions, et quand on est ensemble tes pensées sont ailleurs.

— Mais cesse donc, tu sais bien que je t'aime !

Il a beau le répéter à tout instant, le ton n'y est pas. Les larmes de Marie redoublent.

— Moi, je ne suis qu'une ouvrière chez Singer, toi, tu es pilote ; maintenant, tu vas entrer à l'École de l'Air et tu en reviendras officier, couvert de décorations. Sûr que je suis pas assez bien pour toi.

Ce qu'il ne dit pas, c'est que Sylvie, élève pilote comme lui à Brive, accapare désormais toutes ses pensées. Il en parle un soir à Gaillard.

— Tu comprends, elle est blonde et tellement belle. Et puis elle est... Comment te dire ?

— Marie t'ennuie parce que c'est trop facile, constate Gaillard avec un petit sourire. L'autre, c'est l'inconnu, alors, bien sûr, le soldat conquérant se réveille en toi.

— Écoute, je vais écrire à Marie et lui dire la vérité.

— Certes, c'est plus facile d'écrire des choses désagréables que de les dire en face.

— Tu m'agaces avec ta morale !

Jacques passe presque tous ses dimanches à Brive, chez Francis Beaufils, dont les trois garçons ne veulent pas entendre parler d'avions. L'aîné, Jean-Marie, est étudiant en médecine à Bordeaux, le deuxième, Bernard, fait une licence de lettres classiques et le troisième, Hubert, prépare son deuxième bac et se destine au barreau. C'est l'ami de Jacques ; les deux jeunes gens multiplient les sorties communes dans les bistrots et les bals de la ville.

Jacques reçoit la lettre de sa grand-mère en début de semaine. Comme Pascal, il ne met aucune précipitation à la lire, car il sait à l'avance ce qu'elle contient. Elle reste ainsi plusieurs jours dans son cartable où il aurait pu l'oublier si le hasard ne l'avait fait glisser entre les pages de son cahier de textes. Il l'ouvre distraitement et lit à son tour :

Tu étais trop jeune pour comprendre la portée des événements de la guerre. Tu sais seulement que ton père et ton grand-père sont morts, tués sur le puy Blanc. Tu sais aussi que ta mère a disparu.

Jacques lève les yeux vers le surveillant. C'est la première fois que sa grand-mère évoque ouvertement ces événements. Il doit avoir un drôle d'air, mais personne ne s'en aperçoit. Il poursuit sa lecture, la gorge sèche, le cœur battant.

Je dois t'annoncer une nouvelle incroyable, qui m'a tourne-boulée pendant plusieurs jours avant que je finisse par la croire. Ta mère est vivante. Elle va bientôt t'écrire et viendra te voir. Je lui ai donné ton adresse. Je lui ai dit aussi que tu étais un très beau garçon et que tu pilotais un avion. Elle est très fière de toi.

Après tant d'années à l'école militaire, Jacques a appris à dissimuler, mais ce soir il a du mal à se contenir. Heureusement, c'est l'étude, et dans quelques instants il sera dans son lit. Comment croire ce que vient d'écrire la grand-mère chiffon ? A-t-elle perdu la raison ? Une question tracasse le jeune homme : si sa mère est vivante, pourquoi est-elle restée tant d'années sans donner de ses nouvelles ?

— Tu en fais une tronche, lui souffle Gaillard.

— Je voudrais t'y voir, toi !

Les jours suivants, Jacques attend avec impatience la distribution du courrier, et, comme rien n'arrive, il se renfrogne. Le dimanche, il pilote mal, sa distraction lui fait commettre plusieurs erreurs !

— C'est pas ton jour, dit Beaufils. Un vrai pilote doit savoir s'il est ou non en état de voler. L'expérience t'apprendra tout ça !

Enfin, en début de semaine, il reçoit une lettre qui, aussitôt, lui brûle les doigts. L'écriture qu'il ne connaît pas semble déterminée, droite, presque fière. Jacques va se cacher dans les toilettes pour lire.

Mon chéri,
Le bonheur que j'ai à écrire cette lettre ne peut pas s'exprimer. Je l'attends depuis si longtemps ! Tu me croyais morte, je suis vivante. Tu n'ignores rien de ce qu'on m'a fait subir, j'avais perdu la mémoire et ne me souvenais même plus de mon nom. Maintenant, le temps est venu de se retrouver...

Jacques repense à sa honte et à ses colères quand les enfants de Saint-Nicolas-sur-Brès lui disaient : « Ta mère, c'était une tondue, une putain remplie de merde. » L'école militaire l'a sauvé de cette honte. Ici, tout le monde se ressemble ; les différences, les déshonneurs familiaux se cachent sous l'habit militaire.

Mais, maintenant, quelle place va prendre cette mère qui lui tombe du ciel ?

10.

La rencontre de Virginie et de ses enfants se fait à Noël, chez la grand-mère chiffon, dix jours avant le départ de Pascal à l'armée. Il a plu une partie du mois de décembre, puis le temps tourne au froid et le soleil se met à briller sur les collines gelées.

— L'an prochain, je serai morte ! déclare Josette, qui ne manque aucune occasion de se faire plaindre, alors je veux réunir toute ma famille !

Avant ces retrouvailles, Pascal a écrit deux fois à sa mère. La première pour lui exprimer sa surprise.

Quand j'ai reçu la lettre de grand-mère m'annonçant que tu étais vivante, je n'y ai pas cru. Je devais aller dîner chez des gens importants pour moi puisque je vais travailler chez eux après mon service militaire, je n'ai pas pu. Il fallait que j'en parle à quelqu'un. Alors, j'ai pris le train à onze heures du soir. Je suis arrivé à Périgueux à minuit et demi et j'ai attendu le train de sept heures pour Brive dans le hall de la gare. J'étais comme sur un nuage, pas tout à fait moi-même, mais pas un autre non plus. J'avais, moi aussi, le sentiment de renaître, de retrouver une force qui me manquait...

La deuxième lettre, deux semaines plus tard, était beaucoup plus brève. Pascal annonçait sa joie de passer Noël avec sa mère et sa grand-mère.

Au fond, tu as eu une bonne idée d'attendre Noël pour revenir. C'est un très beau cadeau, maintenant que je me suis fait à la réalité. Marcel et Jeanine, avec qui je suis resté très lié, m'ont écrit l'autre jour que la Veyrière serait bientôt à vendre, mais la réhabilitation de la famille ne passe pas par le rachat de ce temple de la honte. Les maisons ne manquent pas en Corrèze.

Virginie comprend à ces phrases claires, à ces mots directs, sans ambiguïté, à cet orgueil à fleur de peau, que Pascal a bien le caractère des Massenet, et cela la conforte tout en l'inquiétant.

Curieusement, Jacques, que l'on dit insouciant, toujours joyeux, a été plus long à répondre à la première lettre de sa mère. Pendant plusieurs jours, il a été distrait, peu ponctuel et n'a dû qu'à la protection du commandant Vacherint de ne pas récolter une corvée. Et puis, progressivement, sa nature optimiste a pris le dessus : sa mère est vivante, soit ! Elle habite loin d'ici, au bord du Rhône ; la vie du jeune homme n'en sera pas changée. Il pourra continuer à voler et préparer l'École de l'Air, c'est ce qui compte. Il pourra même en tirer quelques avantages !

Sa réponse, d'une rigueur militaire, a tracassé Virginie pendant quelques jours.

Je suis bien heureux d'apprendre cette nouvelle que je n'attendais pas. Je me réjouis de te revoir. Pour moi, les choses sont simples : intégrer le plus vite possible un escadron d'avions de chasse. Ma vie est dans les airs. Je souhaite couper des liens qui m'ont pesé, la tutelle de l'oncle Ernest, et ne plus avoir à affronter les regards curieux des gens quand je monte à la Veyrière...

Virginie ne trouve pas dans ces mots la chaleur qu'elle espérait de ce fils dont elle ne garde que le souvenir d'un petit garçon aux joues rouges, très affectueux et boudeur. L'armée l'aurait-elle transformé à ce point ?

Quelque temps plus tard, quand Virginie lui écrit que toute la famille se retrouvera à Brive, chez la grand-mère chiffon, Jacques répond avec une brièveté plus déconcertante encore.

Chère maman,
Je serai avec vous. Mon train arrive à Brive le mardi à onze heures douze, mais je dois déjeuner chez le lieutenant Beaufils avant de faire un vol d'entraînement. Je lui demanderai de me ramener chez grand-mère vers dix-sept heures.

Ce peu d'empressement blesse Virginie, mais elle se fait une raison en se disant que Jacques avait ce rendez-vous depuis longtemps et qu'il est important pour son avenir...

Virginie et Aristide arrivent à Brive la veille de Noël. Aristide a apporté des vieilles bouteilles de vin de ses vignes et commande au pâtissier de la rue un énorme gâteau. Toute la journée, Virginie court les magasins pour chercher des cadeaux, mais comment trouver ceux qui feront plaisir quand elle ne connaît de ses enfants qu'une photo posée sur la commode de sa mère ?

Le lendemain, pour échapper à l'anxiété qui la rend nerveuse, elle emmène Aristide au marché de la Guierle. Ils achètent du foie gras, des truffes, un chapon et des tourtous, spécialité locale qu'Aristide ne connaît pas. Les heures ne passent pas. La matinée est interminable, malgré les corvées que Virginie s'invente pour oublier son impatience. Pascal doit arriver vers seize heures trente et il n'est pas encore midi !

En début d'après-midi, n'y tenant plus, Virginie entraîne Aristide au terrain d'aviation. À mesure que la voiture approche, elle se demande si c'est bien de faire ainsi irruption dans la vie de son fils. Aristide est plus confiant :

— Bah, qu'est-ce que ça peut faire ?

— Ça peut faire ! Nous resterons dans la voiture...

Le ciel est bleu, quelques nuages plats flottent sur le vent frais. Aristide gare sa voiture tout près des barrières. À côté, un groupe d'hommes, les mains dans les poches, observe les évolutions d'un biplan au-dessus de la piste. L'appareil monte en chandelle, se renverse sur le dos, se rétablit avant d'amorcer une série de vrilles. Virginie, les lèvres serrées, regarde l'avion enchaîner les figures et tremble chaque fois qu'il prend de la vitesse en piqué avant que le pilote ne le redresse au dernier moment.

— C'est vraiment un as ! dit un des hommes, vêtu d'un blouson de cuir. J'ai rarement vu un gars aussi jeune avec autant de maîtrise et de précision.

En entendant ces paroles, Virginie ne peut contenir son émotion, les larmes roulent sur ses joues. Là-haut, l'avion, sur le dos, s'éloigne dans cette position inconfortable, tourne vers la piste, et commence à descendre pour se rétablir à moins de cent mètres du sol, se poser et rouler jusqu'au groupe. Un jeune homme et une jeune fille blonde sautent de l'appareil. Le jeune homme est grand, svelte, très beau, blond lui aussi, un visage souriant. Vêtu d'un pantalon de velours et d'un blouson de tissu noir, il se dirige vers le groupe sans faire attention à la voiture. La jeune fille secoue la tête pour démêler son épaisse toison de cheveux.

— Je ne monterai plus jamais avec Jacques ! dit-elle. Il a tout fait pour me rendre malade.

— Mais non, dit le jeune homme. J'aurais pu te secouer beaucoup plus, n'est-ce pas, Francis, que c'était un vol de fillette ?

— C'est vrai, dit l'homme au blouson de cuir. Je t'ai trouvé particulièrement doux, cet après-midi. J'ai même pensé que tu n'étais pas en forme.

Ils rient. Jacques attire la jeune fille en retrait.

— Si tu avais une copine pour Hubert Beaufils, on pourrait sortir à quatre un de ces jours. Me dis pas que tu as un petit ami, sinon, au prochain vol, je m'écrase devant toi.

La jeune fille éclate d'un rire sonore et joyeux. Tout à coup, Jacques se tourne vers la voiture et aperçoit ses occupants. Il reste un moment incrédule, gratte ses cheveux courts tandis qu'il ne peut détacher les yeux de cette femme assise à côté du conducteur.

— Jacques, qu'est-ce qui te prend ? demande Sylvie.

— Laisse-moi.

Il se dirige vers la voiture. Virginie se tasse sur son siège et abaisse la vitre.

— Bonjour ! dit-il.

— Bonjour, Jacques, tu me reconnais ?

— Bien sûr, tu n'as pas changé.

— Je t'ai vu en vol. Je suis fière de toi ! dit Virginie d'une voix étranglée.

Visiblement, Jacques est embarrassé, en peine de lui-même. Il dit :

— Je suis en civil. Je me change chez les Beaufils. C'est mieux pour venir voler.

— Quel grand jeune homme tu fais !

— Je vais bientôt avoir fini. Je serai chez grand-mère chiffon dans une heure. Le lieutenant va me ramener.

— Eh bien, à tout à l'heure ! dit Virginie tandis qu'Aristide démarre.

Sylvie appelle :

— Alors, Jacques, tu viens ?

Il regarde la voiture s'éloigner avant de rejoindre la jeune fille. Il vient de revoir cette mère qui lui a tant manqué et ne l'a même pas embrassée, des retrouvailles dans une monstrueuse indifférence ! Dans la voiture, Virginie sanglote. Elle aussi avait rêvé d'embrassades chaleureuses et elle n'a pas bougé, coupable d'avoir fait irruption dans le quotidien de ce fils de dix-huit ans.

— Tu vois, j'avais raison, il ne fallait pas venir. On ne déterre pas les morts, ça dérange les vivants.

— Mais non, dit Aristide, tu vas voir, tout va s'arranger, il faut qu'il s'habitue. Quant à moi, il m'a totalement ignoré, mais je ne me fais pas de souci, j'aurai tôt fait de l'apprivoiser, les animaux sauvages, c'est ma spécialité !

La leçon a servi. Pascal doit arriver vers seize heures trente, mais Virginie ne veut pas aller à la gare. À mesure que les heures passent, elle redoute cette confrontation avec son fils aîné. Maintenant, elle voudrait pouvoir reculer ce qu'elle a attendu avec tant d'impatience.

Pascal est à l'heure. Virginie, qui ne quitte pas la fenêtre, l'aperçoit dans la rue éclairée et découvre sa haute silhouette aristocratique, son pas sûr. Grand-mère chiffon lui ouvre la porte avant qu'il ne frappe.

— Bonsoir ! dit-il d'une voix altérée qui se veut calme.

Il embrasse sa grand-mère puis lève enfin les yeux sur sa mère. Il la dévisage un instant, la serre dans ses bras sans un mot.

Il la garde ainsi un moment serrée contre lui, comme une petite fille, puis lève enfin les yeux vers Aristide et lui tend la main.

— Je vous remercie de nous l'avoir ramenée.

Aristide est impressionné par ce jeune homme à l'autorité naturelle, par cette voix ferme qui n'est pas faite pour les futilités.

— Jacques n'est pas encore arrivé ? demande Pascal.

— Non, dit Virginie, mais il ne va pas tarder.

En effet, une portière claque dans la rue et la grand-mère occupée à dresser la grande table, annonce l'« aviateur ». Celui-ci a la démarche moins sûre que son frère en se dirigeant vers l'entrée. Il arrive enfin sur le palier. La porte est restée ouverte et il entre, superbe dans son habit militaire. Son visage baigné de lumière blanche laisse ressortir la finesse de ses traits, ses yeux bleus avec cette expression de malice qui leur ajoute beaucoup de charme.

— Eh bien, bonsoir ! dit-il, embarrassé.

Cette fois, Virginie prend l'initiative de s'approcher, de lui tendre les bras. Elle pleure et rit à la fois. Jacques, à son tour, embrasse avec effusion cette petite femme qui est sa mère.

— Tout à l'heure, devant tout le monde...

— Je sais ! dit Virginie. Tu es un as en avion. Mais fais bien attention à toi.

Il éclate de rire, salue son frère, Aristide, puis sa grand-mère, qu'il aime taquiner.

— Où as-tu mal, ce soir ?

— Moque-toi ! dit la vieille, mais tu verras quand tu auras mon âge.

— Dans mon métier, on arrive rarement à ton âge ! dit-il, fanfaron.

La soirée est très joyeuse. Aristide a tôt fait de conquérir les deux jeunes gens avec son vin de Condrieu, ses histoires drôles, sa guitare et son violon. Il parle de Sophocle, et son visage s'assombrit...

— J'ose espérer qu'il est heureux avec son ourse ! Je lui avais promis d'aller le voir souvent, mais je n'irai pas. Ce serait trop difficile pour lui et pour moi !

11.

Des nuages rapides courent d'un coteau à l'autre, assombrissent l'eau du Rhône, qui prend alors une couleur grise de lave. Un bateau descend, porté par un courant assez fort. Sur les pentes, les vignerons ne prêtent aucune attention aux petites averses froides qui cinglent leurs visages. Le mois de mars est assez frais, cette année, Aristide s'en félicite.

— Il vaut mieux que la vigne débourre un peu plus tard, ça évite une gelée...

Virginie — mais ici on l'appelle toujours Anna — Aristide et Denis s'activent à la taille. Pendant l'hiver, Aristide a pu louer les parcelles voisines de ses Vignes blanches avec l'espoir de les acheter dans quelques années. Au chai, on a livré la machine à embouteiller le vin. Des étiquettes ont été imprimées au nom de la propriété qui, désormais, commercialisera ses propres crus, parmi les meilleurs condrieu blancs et saint-joseph rouges. Le téléphone a été installé au mois de janvier. Marthe assiste à ces transformations avec ravissement. Son visage a repris des couleurs.

— Virginie va devoir apprendre à conduire ! dit Aristide. Je ne peux pas être dans les vignes et chez les commerçants pour vendre mon vin !

Virginie travaille sans s'économiser. Chaque geste qu'elle fait entre ces ceps tordus est un geste d'amour, un hommage à l'homme qu'elle aime, à Dieu qui ne l'a pas oubliée.

Elle compte les jours. Pascal est parti au service militaire et fait ses classes à Agen dans l'armée de terre. À Pâques, il aura sa première permission avant de rejoindre son régiment à Diên Biên Phu. Jacques sera en vacances et les deux frères viendront passer une semaine entière à la Ribotte. Virginie et Aristide hâtent la taille pour leur consacrer entièrement ces quelques jours.

Le crachin rend la terre glissante sur ces pentes abruptes. Virginie se déplace avec prudence. Son travail lui laisse l'esprit libre et elle pense à la dernière lettre de Jacques qui lui racontait « cette trouille magistrale » qu'il avait eue en la reconnaissant à l'aérodrome de Brive.

Je ne savais plus ce que je devais faire, mes membres étaient pétrifiés et, comme Sylvie me regardait, je me sentais totalement idiot et incapable pourtant d'avoir une autre attitude.

Une nouvelle averse arrive, le vent frais s'est levé. Tout à coup, Aristide pousse un cri. Il vient de glisser sur un caillou et roule dans la pente sans réussir à saisir un piquet. Sa tête cogne contre le mur de soutènement avec un bruit de noix cassée et il tombe dans le ravin. Virginie et Denis se précipitent. Aristide est assis, trois mètres plus bas, sonné. Il porte la main à sa tête. Virginie le rejoint en contournant le mur.

— Comment ça va ?

Il reste un moment sans un mot puis dit :

— Quel coup j'ai ramassé sur la tronche ! Mais c'est rien, j'ai eu de la chance.

Il se tourne vers Virginie et sourit. D'une égratignure au front perle une goutte de sang. Virginie l'essuie avec son mouchoir.

— C'est rien, je t'assure, mais quelle chute ! On dit que la corde c'est pour les maladroits, mais tu vois, mon père avait raison : au lieu de faire les malins, on devrait s'attacher. J'ai un de ces mal de crâne !

— Tu veux rentrer ?

— Non, c'est rien. Je vais reprendre le travail.

Il veut se mettre sur ses jambes et chancelle.

— Reste assis un moment ! dit Virginie. D'ailleurs, nous allons rentrer, une autre averse arrive ; le travail se fera demain. Tu vas te reposer.

Elle remarque un filet de sang qui coule de son oreille droite.

— C'est rien ! dit de nouveau Aristide, qui tente de se remettre sur ses jambes, mais quel mal de tête !

— Allez, on rentre ! insiste Virginie.

Aristide veut faire un pas, chancelle. Il a du mal à se tenir debout ; Denis et Virginie doivent le soutenir. À la maison, ils l'allongent sur son lit.

— Je vais téléphoner au docteur ! dit Virginie d'un ton décidé.

Marthe, dans tous ses états, rouspète, s'en prend à Denis, qui bougonne, puis questionne Virginie.

— Je vous assure, répond celle-ci, qu'il n'a pas de jambe cassée !

Le docteur, un petit homme rond aux joues rouges et aux lunettes épaisses, arrive une heure plus tard et constate tout de suite le filet de sang qui coule de l'oreille d'Aristide.

— Faut vous conduire à l'hôpital. Fracture du crâne, c'est sérieux.

Il demande à Marthe, qui pleure en silence, son mouchoir blanc devant les yeux :

— Je peux me servir du téléphone ?

— Faites, docteur, mais dites-moi, vous allez me le guérir ?

— Bien sûr, madame...

L'ambulance arrive quelques minutes plus tard. Le blessé est chargé sur une civière et le véhicule démarre. Avant de partir, le docteur dit à Virginie :

— C'est vraiment très grave.

— Vous voulez dire que...

— Dans ce genre de blessure, on ne sait jamais...

Il monte dans sa voiture et s'en va.

— C'est votre faute ! dit Marthe à Virginie. S'il avait été dans son autocar à faire les foires avec ses chiens et son ours, il ne serait pas tombé !

Sans un mot, Virginie sort et va chercher son vélo dans la remise ; elle prendra le taxi à Condrieu : sa place est près d'Aristide. La nuit est tombée ; une poussière lumineuse fait scintiller le Rhône.

En arrivant à l'hôpital de Vienne, elle croise le docteur, qui baisse la tête en la voyant.

— Ça va mal. Ils sont en train de l'opérer en urgence.

— Et alors ?

— Faut attendre ; on en saura plus demain, mais tout devrait bien se passer.

Virginie respire. Un terrible pressentiment lui broyait l'estomac, mais tout va bien : Aristide va s'en tirer ! Elle saura lui faire supporter cette épreuve en partageant avec lui chaque minute, chaque seconde.

Une infirmière lui explique que l'opération s'est très bien passée, mais Aristide est encore en salle de réanimation.

— Vous ne pourrez pas le voir ce soir, revenez demain.

Virginie sort de nouveau dans la nuit. L'absence d'Aristide la brûle ; elle n'a pas envie de revenir à la Ribotte et d'entendre les jérémiades de Marthe, mais où passer cette nuit qui sera interminable ? Dans ce hall d'hôpital, sur ce banc, au pied du lampadaire, à marcher sur ce trottoir en surveillant les aiguilles de la grosse pendule du clocher ? Elle se sent tout à coup vulnérable, perdue dans cette ville qu'elle connaît.

Maintenant le froid est vif. Virginie se décide enfin à rentrer. Elle trouve un car pour Condrieu. La route, qui n'est pourtant pas très longue, lui semble interminable. Quand elle arrive dans la cour, les caniches viennent à sa rencontre en aboyant. La moto de Denis est posée contre le vieux noyer.

Dans la maison règne un silence de caveau. Marthe pleure en silence ; Denis est assis en face d'elle, ses grosses mains sur les genoux. Il questionne Virginie du regard.

— Ils l'ont opéré, dit-elle. Tout s'est bien passé. Demain, je pourrai le voir.

— Que vous a dit le médecin ? demande Marthe en tournant vers elle ses yeux d'aveugle.

— Ça va aller...

Un sourire anime le visage de la vieille femme.

— Dieu soit loué !

Denis se lève et prend sa casquette.

— Demain matin, je finirai la taille des Vignes blanches. Je passerai prendre des nouvelles vers midi.

Il sort ; le bruit de sa moto s'éloigne et le silence retombe sur la maison. Geneviève est revenue chez elle, comme chaque soir ; Marthe et Virginie se retrouvent seules dans cette immense bâtisse et se taisent, la tête pleine de sombres pensées.

Virginie met la soupe à chauffer, l'apporte sur la table Marthe mange en silence puis se lève.

— Je vais me coucher ! dit-elle. Le temps passera plus vite !

Ce soir, Virginie restera ici, dans son ancienne chambre ; la solitude sera moins dure à supporter. Les heures passent, vides, interminables. Jamais une nuit n'a été aussi longue. Les caniches qu'elle a enfermés dans le petit local près du chai ne cessent de gémir. Elle tente de lire mais ne réussit pas à fixer son attention.

Le lendemain, Marthe est levée bien avant le jour. Virginie la rejoint dans la cuisine et fait chauffer du café.

— Je vais aller aux nouvelles ! dit-elle. Mais il est bien tôt.

— Revenez avant midi. Je ne vivrai pas jusque-là.

— Je vous téléphonerai de l'hôpital.

Le jour se lève et blanchit le fleuve. La gelée poudre le pré en contrebas. Virginie prend son vélo et s'en va, insensible au froid qui lui pique les mains. Quand elle arrive à Condrieu, une douleur aiguë brûle ses doigts qu'elle enfouit sous son manteau. Le car pour Vienne n'est pas parti mais elle préfère le taxi qui la dépose devant l'hôpital. Elle entre dans le hall, où une infirmière l'accueille, la tête basse.

— Il est mort ! dit-elle.

Le monde s'écroule. Virginie tremble de tous ses membres. Elle regarde tour à tour l'infirmière et le soleil qui monte au-dessus des toits. Elle ne pense plus, l'encre coule de nouveau dans sa tête. Marthe a raison, c'est elle qui a tué Aristide en lui redonnant le goût d'un travail qu'il n'avait pas choisi.

Elle s'éloigne sans un mot. Personne ne fait attention à cette petite femme aux cheveux gris retenus par un foulard, qui marche à pas pressés. Elle ne pleure pas ; de nouveau, les larmes ont déserté son corps, comme au temps où Maria l'avait recueillie sur un banc près de la gare de Saint-Étienne.

Se noyer dans le Rhône et ne plus jamais revoir la lumière resplendissante d'un jour qui commence...

Quatrième partie

LE RETOUR DU LÉGIONNAIRE

1.

Virginie remonte le col de son manteau. Il fait frais à Brive en ce début de mois d'avril 1962. Depuis plusieurs jours, d'épais nuages viennent des plaines d'Aquitaine et vident leurs trombes d'eau sur les collines corréziennes. Les rivières débordent, la Corrèze roule un courant sombre, rugissant dans sa prison de hauts murs. Virginie arrive enfin chez elle, le petit appartement de sa mère morte en 1955. Pascal a bien insisté pour qu'elle s'installe dans un pavillon ou un appartement plus grand, elle a refusé. Il a aussi voulu s'opposer à ce qu'elle reprenne son métier de couturière, mais l'inactivité lui pèse. Et puis cela lui permet de voir des gens, les anciennes clientes de sa mère, et de bavarder... Pascal a finalement laissé faire : le patron de la Compagnie générale des transports maritimes Lemoine n'a pas de temps à perdre en futilités.

Il s'est passé tant de choses en neuf années, depuis la mort d'Aristide Maréchal à l'hôpital de Vienne. Marthe, désespérée, sombra dans une démence profonde qui eut tôt fait de l'emporter. Les gros propriétaires du coin n'attendaient que cette aubaine pour racheter les Vignes blanches et tout le domaine. Virginie, complètement désemparée, partit pour la Pologne où elle resta tout l'été 1953, puis se réfugia chez sa mère. Pour survivre, elle se remit à la couture. Un an plus tard, Pascal, de retour d'Indochine, entra aussitôt à la C.T.M.L., aux côté d'Alain Monnier. La guerre l'avait mûri et fait de lui cet homme énergique et froid qui ne mit pas longtemps à gagner la confiance de son patron.

Jacques, devenu pilote de chasse, a enchaîné les campagnes militaires à bord de son avion à réaction dans l'insouciance totale du danger. En janvier dernier, il a quitté l'Algérie pour la base militaire de Cambrai d'où il écrit de brèves lettres à sa mère : *Abattu deux fois, deux fois je m'en suis tiré au prix d'une seule fracture. Les avions sont désormais équipés de sièges éjectables, ce qui garantit la sécurité des pilotes. Nous aurons bientôt un nouveau bijou, le Mirage, et j'en rêve déjà.*

Alain Monnier mourut brutalement en septembre 1957. À vingt-sept ans, Pascal se retrouva du jour au lendemain directeur général de la Compagnie, nommé par Mme Lemoine, qui ne voulut pas entendre parler de quelqu'un d'autre. Elle avait eu raison, puisque le jeune homme sut en quelques années faire grossir l'affaire et assurer de confortables bénéfices en multipliant par deux le nombre des navires pétroliers.

Philippe Monnier ne trouva pas à Paris la gloire et la fortune dont il rêvait. Chanteur raté, il épousa la fille d'un producteur de cinéma puis divorça l'année suivante. Sa tentative de créer sa propre maison de disques pour se lancer lui-même fut un échec financier retentissant. La C.T.M.L. épongea les déficits avant la mort d'Alain Monnier. Celui-ci assura son rejeton que c'était la première et la dernière fois qu'il le sauvait de la faillite et de la prison pour dettes. Depuis la mort de son père, Philippe se croit tout autorisé et Pascal doit faire front, ce qui n'est pas facile.

Le jeune homme se rend souvent chez Mme Lemoine, que les années n'ont pas changée ; à peine quelques rides de plus marquent ses larges joues, mais son corps mal fait reste toujours aussi solide. Pascal a été sa « trouvaille » et elle lui voue une tendresse toute maternelle, souvent possessive.

— Si M. Lemoine vous avait connu, je suis certaine qu'il vous aurait mis à la place où vous êtes. Il n'était pas nécessaire d'être grand juge pour découvrir vos qualités. La première fois que vous êtes entré dans cette maison, je l'ai vu écrit sur votre front. J'ai compris que vous seriez un jour l'homme de la situation. Dans ma vie, j'ai toujours eu des intuitions. Lorsque nous avons acheté notre premier bateau, une vieille barcasse, je l'avais rêvé la nuit précédente.

Pascal est toujours confus de ces compliments ; il se plaît en compagnie de cette vieille dame, propriétaire de l'affaire et qui continue de jouer un rôle essentiel par ses conseils et ses prises de position.

— Alain était un excellent gestionnaire, de plus, mon neveu, donc l'héritier naturel ; il a eu de bonnes idées sauf celle de mourir prématurément.

Son souci permanent reste sa succession. Que deviendra la C.T.M.L. après elle ? Elle refuse la vente ou l'association avec une autre compagnie plus puissante : les transports Lemoine doivent lui survivre dans l'indépendance.

— Vous comprenez bien que l'affaire revenant à Philippe et à Céline sera dilapidée en peu de temps ! Philippe, un incapable, un alcoolique en plus... Quant à Céline et son cow-boy, il ne faut pas compter sur eux ! C'est vous qui devriez être mon neveu. Pourquoi n'avez-vous pas voulu épouser Céline ?

C'est le grand regret de Mme Lemoine, qui voyait dans cet arrangement le moyen de sauver la C.T.M.L., mais l'aventure tourna court. La jeune fille, que Mme Lemoine tentait désespérément de mettre dans les bras de Pascal avant son départ pour l'armée, était amoureuse d'un Américain qu'elle rejoignit quelques mois plus tard sans avertir personne. Alain Monnier fit une colère de plus, mais cela ne changea pas grand-chose.

— Dieu n'a pas écouté mes prières ! dit Mme Lemoine, fataliste.

— Nous n'étions pas faits l'un pour l'autre, répond Pascal. Et puis elle est heureuse avec son Américain.

— Heureuse si loin de son pays ? Voyons, Pascal, vous dites cela pour me consoler, mais vous savez bien que ce n'est pas vrai. Mais dites-moi, vous n'allez pas rester seul toute votre vie ?

Pascal évite une réponse brutale qui pourrait la vexer et précise :

— Mes responsabilités me laissent peu de temps à consacrer à ma vie personnelle.

— Certes, mais nous aviserons le moment venu ! affirme la vieille femme.

Depuis qu'elle est veuve, Micheline Monnier s'habille d'une manière extravagante, se farde abondamment, ce qui déplaît fort à Mme Lemoine. Le salaire que lui verse la C.T.M.L. lui suffit largement pour vivre et elle multiplie ce que dans son entourage on nomme pudiquement des « rencontres ». Elle a bien tenté de prendre Pascal dans son filet, mais celui-ci a su lui résister.

— C'est un impuissant ! a conclu Micheline en se tournant vers d'autres conquêtes.

Ce matin, Pascal se rend à la C.T.M.L. avec une certaine appréhension. Philippe lui a téléphoné de Paris voici deux jours et doit passer le voir dans la journée. Pascal sait ce que signifie la visite de celui qui fut, en un temps, son ami et dont il doit désormais se méfier.

Pascal a la surprise de le trouver dans son bureau, assis dans son fauteuil. Ici, personne n'oserait s'opposer aux allées et venues du fils de M. Monnier, même si son attitude souvent arrogante choque et révolte.

Le soi-disant artiste a beaucoup changé depuis l'époque où il chantait dans un cabaret de Bordeaux. À trente ans, son visage est vieilli avant l'âge, ridé. L'alcool qu'il boit en abondance a délavé ses prunelles, avachi ses joues. Il a perdu sa bonne humeur, sa fantaisie qui lui donnaient tant de charme et parle désormais en homme aigri.

— Te voilà enfin ! dit-il d'une voix sûre. Il faut qu'on parle, assieds-toi.

Pascal, qui n'est pas décidé à se laisser faire, attaque :

— Si tu veux bien me laisser ma place...

— Ta place ? Mais voyons, je suis à ma place partout dans cette maison qui m'appartient par héritage !

— Elle ne t'appartient pas par héritage. Ta tante peut la donner à l'État, aux bonnes œuvres, à la Ville de Bordeaux ou que sais-je encore ! Et puis tu as une sœur.

— Dans le « que sais-je encore », reprend Philippe, il y a toi, bien sûr. Mais cela n'a pas d'importance dans la mesure où tu accepteras de m'aider. Je serai même de ton côté, comme d'habitude. Voilà, j'ai monté une nouvelle boîte de disques...

Pascal pose son chapeau et son manteau. L'autre continue :

— Donc il faut que tu m'aides.

— Je ne peux rien faire tant que je ne suis pas à ma place de directeur général.

— Si ce n'est que ça ! réplique Philippe en se levant et en cédant le fauteuil à Pascal. Voilà, ajoute-t-il en marchant de long en large, j'ai créé il y a deux ans la société La Voix d'or, qui a lancé plusieurs artistes. J'ai fait à mon tour deux disques qui ont fort bien marché.

— Curieux, je n'en ai pas entendu parler.

— Sûrement, tu ne t'intéresses pas à la musique. Seulement, pour ne pas risquer ce qui m'est arrivé la première fois, il faut que je passe à la vitesse supérieure et que j'achète des vedettes connues. Ça coûte cher. Je voudrais faire en quelque sorte une augmentation de capital. La C.T.M.L. pourrait investir et, bien sûr, participerait aux bénéfices.

Pascal regarde un instant un document posé sur son bureau puis lève les yeux vers Philippe.

— Impossible ! dit-il d'une voix ferme.

— Pourquoi impossible ?

— Parce que la C.T.M.L. ne peut pas investir dans un secteur qu'elle ne connaît pas.

— Toi, tu ne le connais pas, mais moi, si...

— N'en parlons plus, ça ne se fera pas ! D'ailleurs, ta tante s'y opposera.

— Justement, je comptais sur toi et notre bonne vieille amitié pour la convaincre.

— Je ne réussirai pas, parce que je ne suis pas convaincu moi-même.

À ces mots, Philippe blêmit. Son regard devient froid. Il serre les poings, s'approche, menaçant, le menton tremblant de colère, et dit :

— Tu es un véritable salaud ! Tu fais tout ce que tu peux pour me déconsidérer aux yeux de ma famille. Tu veux vraiment prendre ma place ici !

Pascal a blêmi à son tour. Jusque-là Philippe se contentait de paroles vagues, cette fois, il va trop loin.

— Écoute, tu vas sortir d'ici. Je n'ai pas de temps à perdre et tu sais comme moi que ce que tu me proposes n'est pas réalisable.

Philippe reste un instant immobile, les dents serrées.

— Je vais te casser la gueule ! crie-t-il en se précipitant sur Pascal.

Le premier coup de poing atteint au visage Pascal, qui réussit à bloquer le second. Cédant à la colère, celui-ci prend Philippe par la veste et le traîne hors du bureau. Les employés voient alors leur patron, d'ordinaire si calme, pousser dehors le fils Monnier.

— Et surtout ne remets plus jamais les pieds ici ! crie Pascal, hors de lui.

— Tu auras de mes nouvelles ! Fils de tondue !

Cette injure blesse Pascal autrement que le coup de poing de tout à l'heure. En un bond, il est sur Philippe, qui lui crache à la figure.

— Tu ne t'en es pas vanté, des exploits de ta mère pendant la guerre ! Mais moi j'ai fait mon enquête, alors je te tiens. Tu acceptes de m'aider ou je répands la nouvelle...

— Jamais !

— Eh bien, compte sur moi pour le répéter dans le beau monde de Bordeaux.

Cette fois, Pascal frappe fort et juste. Philippe trébuche et tombe sur la pelouse. Il se redresse aussitôt et s'éloigne en criant des injures. Pascal fait demi-tour, rentre dans le bâtiment administratif et dit, avant de s'enfermer dans son bureau :

— L'incident est clos. Que tout le monde se remette au travail.

Non, l'incident n'est pas clos. Deux jours plus tard, Pascal reçoit un coup de téléphone de Mme Lemoine qui lui demande de passer la voir au plus vite. La vieille femme le reçoit comme d'habitude, au salon, assise dans un de ses vastes fauteuils en cuir. Elle a les traits tirés, les yeux rouges de quelqu'un qui manque de sommeil.

— Voilà, dit-elle après un moment de réflexion. Ce vaurien de Philippe détruit tout ce qu'il approche. Vous lui avez infligé une correction et vous avez bien fait, mais vous êtes au courant des bruits qu'il fait courir...

Pascal baisse la tête.

— Je vais vous parler franchement, continue Mme Lemoine. Je n'ignore rien de tout cela depuis longtemps, vous le savez, et cela ne m'empêche pas de vous faire confiance, cependant...

Pascal se cabre.

— Je ne peux pas tolérer que Philippe, qui vient une fois de plus extorquer de l'argent à la C.T.M.L., parle ainsi d'une femme qui a payé et qui paie encore une injustice !

Mme Lemoine tend la main vers le jeune homme dans un geste de conciliation.

— Ne vous énervez pas. Je voulais simplement vous mettre en garde contre un grand nombre de gens de notre entourage avec qui vous commercez. Il y a d'abord les francs-maçons, traqués par le régime de Vichy, mais ce ne sont pas les plus dangereux. Méfiez-vous surtout de ces résistants de la dernière heure qui ne manqueront pas de monter des cabales contre vous pour mieux se protéger de leurs insuffisances. Ça peut nuire à notre affaire.

Pascal comprend l'avertissement et la menace, qui blessent son orgueil.

— Il ne faut pas oublier que la C.T.M.L. n'est qu'une prestataire de services, poursuit la vieille femme. Nous transportons des marchandises dans le monde entier, mais pour le compte des autres. Et si les autres le décident, nos bateaux resteront vides.

Pascal sent la colère monter en lui. Il se rend compte, une fois de plus, combien sa puissance est fragile, combien elle dépend du bon vouloir de cette femme qui l'a élevé si vite au premier rang.

— Je peux vous remettre ma démission à l'instant ! dit-il d'une voix tremblante. Si ma présence et les crimes que n'a pas commis ma mère gênent le bon développement de l'entreprise, j'irai ailleurs. Les gens qui me font des appels du pied ne manquent pas !

— Idiot ! s'écrie Mme Lemoine. Vous mériteriez que je vous donne une fessée comme à un enfant ! Vous voilà piqué, eh bien, tant pis ! Je vous sais assez malin pour déjouer les pièges et surtout pour ramener Philippe à de meilleurs sentiments. Je l'ai déjà averti que si la moindre rumeur revenait à mes oreilles il n'aurait pas un franc de moi. Cela suffit à lui clouer le bec, mais j'aimerais que vous fassiez la paix.

— En lui accordant ce qu'il a demandé ?

— Sûrement pas, mais c'est quand même mon neveu et il a une petite dette. Il faut que vous voyiez ça avec lui.

— Le maître chanteur n'a pas fini d'en prendre à ses aises.

Ce soir-là, Pascal quitte Mme Lemoine en proie à une violente colère. Les faiblesses de la vieille femme pour sa famille le mettent hors de lui. Et Philippe n'est pas le seul à bénéficier des largesses de la tante Léontine :

— Cette pauvre Micheline, veuve si jeune ! Pascal, vous n'avez pas raison de la fuir. De temps en temps, faites l'effort de vous rendre aux cocktails où elle vous convie.

Pascal se dit que cela ne durera pas. Il n'est rien d'autre qu'un « maître valet » comme l'était Paul Vacquier à la Veyrière, et à la merci de sa patronne. L'heure est venue de tourner la page...

2

Ce matin de mai, le soleil illumine les bâtiments de la base militaire de Cambrai. Les lieutenants Massenet et Pelletier se préparent pour un vol d'entraînement supersonique à bord de leur Super-Mystère, un vol de routine d'une heure. Les deux hommes sont de bonne humeur. Jacques éprouve toujours autant de bonheur à voler, autant d'enthousiasme.

— Parfois, je me dis que Dieu me garde pour une mission supérieure ! dit-il à Pelletier. Imagine la chance que j'ai eue jusque-là. Deux fois abattu par la D.C.A., deux fois je m'en suis tiré, et, l'année dernière, blocage de la gouverne de profondeur et je me suis quand même posé, ou plutôt l'avion s'est posé seul dans un champ de blé...

— Oui, reprend le lieutenant Pelletier, mais tu t'es quand même cassé une jambe.

— Arrête ! L'infirmière... Tu sais, l'amour avec une jambe dans le plâtre, c'est pas mal du tout !

— Les femmes, toujours les femmes ! Tu les aimes autant que les avions.

— Non, cette fois, c'est sérieux, c'est la femme de ma vie !

En dix ans, Jacques n'a pas beaucoup changé. Son visage s'est un peu affermi, mais il est toujours aussi beau, aussi séduisant. Ses différentes campagnes en Indochine puis en Afrique lui ont appris la précarité de la vie et inculqué une intarissable soif de jouissance. Combien de ses camarades sont partis en mission en sifflant, l'esprit plein de projets, et ne sont jamais revenus ! Le plaisir de voler, cette sensation de liberté totale, de dominer le monde, s'accompagne de ce risque accepté. Les lettres de sa mère l'amusent : *Surtout fais bien attention à toi. Je ne vis pas de savoir que tu voles dans ces avions qui font le bruit du tonnerre et vont plus vite que le son. Quand te décideras-tu à arrêter de narguer la mort chaque jour ?* Pour Virginie, l'avion est resté un appareil mystérieux et surtout dangereux. Jacques a beau lui expliquer que les accidents sont rares, elle ne cesse de trembler quand il lui écrit que son Mystère IV vole à plus de mille cinq cents kilomètres à l'heure et met moins de dix minutes pour grimper à dix kilomètres d'altitude.

Jacques arrêtera peut-être, un jour. Pour l'heure, les premiers essais du Mirage III le tiennent en haleine et il ne veut pas quitter l'armée sans avoir piloté un de ces bolides révolutionnaires !

Les deux hommes enfilent leurs combinaisons, prennent leurs casques et sortent. Le soleil allume les murs blancs des hangars. Jacques sourit. Il ne regrette rien, pas même son enfance un peu dure, privée de sa mère, puis l'école militaire. La vie lui donne tout, du charme pour séduire ces femmes qui traversent sa vie, un métier qui le comble. À vingt-huit ans, son expérience lui permet de piloter les avions les plus rapides du monde et il en tire de la fierté. Tout cela, il le doit à plusieurs personnes qui sont devenues ses amis, d'abord le commandant Vacherint, qui l'a écouté, ensuite, le capitaine Beaufils, à qui il voue une affection toute filiale.

Les deux avions sont sortis et les pilotes prennent le temps d'en faire le tour, d'en vérifier chaque partie. L'un et l'autre savent bien que l'accident est souvent dû à un détail, à une infime négligence. Combien de fuites d'huile, de commandes à la limite de la rupture ont été ainsi découvertes, au dernier moment, avant de partir en mission ?

Cette visite minutieuse terminée, les deux hommes se font un salut de la main et montent à bord. Des aides déplacent les blocages de roue, Jacques ferme sa verrière. Cette mince cloche de Plexiglas l'isole du monde. Ce pincement au ventre qu'il a toujours ressenti avant de décoller lui procure un agréable frisson. Ce n'est pas de la peur, c'est ce sentiment de ne plus être un homme comme les autres, mais un animal du ciel, d'un élément qui n'est pas naturel, de devenir tout à coup un étranger à la Terre.

Une rapide check-list, et le lieutenant Massenet, chef de patrouille, prend contact avec la tour de contrôle. Les aides sont autorisés à démarrer les réacteurs. Les énormes rotors se mettent à tourner avec un bruit grave qui devient vite un sifflement aigu. Les avions roulent jusqu'au seuil de la piste. Jacques pousse enfin la manette des gaz et la force prodigieuse du moteur soude son corps à la machine, il n'est plus un homme sur ses deux jambes, mais l'avion lui-même qui va rejoindre son élément. Les deux appareils, dans une synchronisation parfaite, se lancent sur cette piste qu'ils semblent avaler. Une légère traction sur le manche et ils se libèrent du sol, grimpent à une vitesse vertigineuse vers le ciel. Déjà les bâtiments de la base ne sont plus que des petits cubes blancs que la brume dissout. La ville de Cambrai s'estompe à l'horizon. Du sol, Jacques ne voit qu'un vague gribouillis où vivent pourtant des hommes, mais sa vie à lui, elle est au-dessus des nuages, à une vitesse qui approche déjà celle du son. Il précise dans sa radio :

— Patrouille Lima, passage du son.

L'avion vibre de toutes ses tôles, comme s'il allait se désintégrer, les commandes dures ne répondent plus, le bruit est assourdissant ; Jacques ne peut déplacer ses membres lourds. Un voile rouge danse devant ses yeux. Enfin, le bruit cesse, les vibrations s'arrêtent, l'avion vient de franchir le mur du son et vole dans un air limpide, sans bruit, sans la moindre secousse. « Quand on a connu de telles sensations, se dit Jacques, il n'est plus possible de vivre comme les autres. »

Les deux Mystère volent à moins de vingt mètres l'un de l'autre.

— Au fait, demande Pelletier, elle s'appelle comment, ta petite infirmière ?

Jacques sourit.

— Stéphanie ? Je l'adore !

— Arrête tes conneries !

— Je te jure, j'en suis fou !

— Tu vas pas me faire croire que tu rêves de mariage ?

— On ne sait jamais. J'ai loué un petit appartement en ville, c'est là qu'on passe toutes nos permissions.

Une demi-heure après le décollage, ils se trouvent à trente mille pieds au-dessus de la Bretagne.

— Bon, on rentre au bercail, annonce Jacques. Ce genre de vol manque totalement d'intérêt !

Les deux avions effectuent un virage serré sur la tranche. Tout à coup, Jacques s'écrie :

— Merde, plus de pression d'huile.

— Bah, répond Pelletier, c'est l'aiguille qui déconne. Rappelle-toi, l'autre jour, tu as volé pendant trois quarts d'heure avec l'aiguille des températures dans le rouge.

C'est vrai. L'expérience a maintes fois prouvé à Jacques que les moteurs sont souvent plus fiables que les instruments qui permettent de les contrôler. Cependant, son avion, plus lourd, s'enfonce dans l'air et il doit ajouter des gaz pour suivre son camarade.

— Quelque chose déconne ! dit-il, je perds de la puissance...

— Arrête de jouer avec ça ! fait Pelletier. Un jour, ça t'arrivera pour de bon et tu ne feras plus le malin !

— Mais je fais pas le malin, je te dis.

Grippé, le réacteur vient de s'arrêter dans un ronflement sourd.

— Tu parles d'un vol de routine !

L'avion plonge vers le sol.

— Éjecte-toi, nom de Dieu !

Jacques a simulé des milliers de fois cette situation, aussi il ne panique pas. D'abord, il lance le message de détresse et dirige son avion vers une zone inhabitée, bloque les commandes et tire enfin sur le levier d'éjection. Une bombe éclate sous son siège, il traverse la verrière, mais déjà il a perdu connaissance...

Quand elle reçoit le télégramme de Cambrai, Virginie comprend tout de suite. Une tenaille lui broie la poitrine tandis qu'elle déchire le petit papier bleu. Elle lit : « Fils accidenté. Hospitalisé à Rennes. État grave. »

— Il n'est pas mort ! s'écrie-t-elle, comme soulagée.

Puis, relisant les deux derniers mots, elle se met à douter. Quand l'armée parle d'état grave, cela ne laisse pas beaucoup d'espoir. Jacques est peut-être mort à cette heure. Les malheurs continuent donc ! Les instants de répit sont toujours très courts. Après la mort d'Aristide et celle de sa mère, Virginie croyait enfin avoir tout eu, mais non, il manquait encore la perte d'un fils, et pourquoi pas des deux ?

Elle se décide. Son fils agonise quelque part dans un hôpital breton, sa place est près de lui pour l'encourager à se battre contre le néant.

Virginie entasse quelques affaires dans un sac et sort. Il fait chaud sur Brive, des nuages sombres dressent leur mur menaçant sur l'horizon, le temps est à l'orage. Sans réfléchir, elle court à la gare, prend un billet pour Rennes. L'agent lui explique qu'elle devra attendre quatre heures la correspondance à Paris et changer de gare, mais elle ne l'entend pas.

Le train pour Paris arrive de Cahors quelques instants plus tard, Virginie y monte, l'esprit absent. Le paysage qui défile la laisse indifférente. Au bout de ces rails, de ce voyage se trouve Jacques qui l'appelle. Elle entend son cri, strident, une protestation : on ne meurt pas à vingt-huit ans ! Mais pourquoi cette passion, pourquoi aller chercher le mal quand on peut l'éviter ?

Pendant la guerre d'Algérie, Virginie se rendait tous les jours à la petite chapelle en bas de sa rue et s'agenouillait au pied de l'autel pour demander à Dieu de lui accorder le seul bonheur qui lui restait, la vie sauve de son fils soldat. Et Dieu l'a écoutée pour mieux la punir maintenant, elle qui croyait la menace passée.

Le soir tombe, le soleil se couche entre des nuages rouges. Le train traverse des villes, des villages... Des cheminées fument ; des gens rentrent chez eux. La vie est derrière cette vitre, toute simple quand les drames en sont cachés.

Voici enfin la gare d'Austerlitz. Une fois sur le quai, Virginie se demande ce qu'elle fait là et se souvient qu'elle doit se rendre à la gare Montparnasse. Un taxi la conduit et l'attente recommence, infinie, avec cette pendule aux aiguilles immobiles dans l'immense hall sonore. Elle fait les cent pas. Un clochard dort sur un banc, un homme sans attaches, donc sans souffrances. Qu'en sait-elle ? À la suite de quels événements se retrouve-t-il dans ce lieu public, couché sous une couverture sale ?

Si la poste n'était pas fermée, elle aurait téléphoné pour prendre des nouvelles, mais elle doit se résigner au silence, à l'incertitude, à l'angoisse qui l'écrase.

Enfin, le train pour Rennes est annoncé. Elle y monte, s'assoit, se recroqueville sur cette énorme douleur qui lui mange le ventre. L'express traverse la nuit vers une région inconnue. Il est trois heures du matin, mais Virginie n'a pas sommeil. À Rennes, elle demande à un chauffeur de taxi de la conduire à l'hôpital. L'homme bâille, regarde sa montre.

— Moi, je veux bien vous y conduire, mais à cette heure personne ne vous ouvrira. Il faut attendre le jour, tenez, allez vous reposer un peu à l'hôtel de la Gare, le patron ne dort que d'un œil, comme les chats, il vous donnera une chambre. Dites que vous venez de la part de Dudule.

Virginie comprend l'incohérence de son acte qui l'a fait partir de Brive sans réfléchir, sans écouter seulement les conseils de l'employé, au guichet. C'est vrai qu'on ne la laissera pas entrer. Voilà déjà douze heures que l'accident est arrivé, douze longues heures, et elle n'a aucune nouvelle. La fatigue, l'angoisse sont si lourdes qu'elle éclate en sanglots.

Le chauffeur de taxi, un homme sanguin portant une grosse moustache noire qui lui barre le visage, lui dit :

— C'est quelqu'un de votre famille ?

— Mon fils qui s'est écrasé en avion. Je n'ai aucune nouvelle.

— C'est lui ? On en a parlé tout l'après-midi, de cet avion. Ma sœur l'a vu tomber.

L'homme déplace sa casquette, consulte de nouveau sa montre.

— Venez avec moi.

Il va à l'hôtel de la Gare et frappe

— Léon, c'est moi, Dudule.

Des pas dans l'escalier, une lumière dans le couloir, et la porte s'ouvre. Le patron de l'hôtel boutonne sa chemise et regarde Virginie puis Dudule.

— Qu'est-ce que tu veux ?

— Cette petite dame vient de très loin... C'est la mère du gars qui s'est écrasé en avion ce matin, tu sais... Laisse-moi utiliser ton téléphone et donne-lui une chambre pour qu'elle dorme un peu.

Dudule se dirige vers le téléphone comme s'il était chez lui.

— Oui, je voudrais l'hôpital, dit-il en élevant la voix.

Sa grosse tête rouge plaquée contre le combiné. il tourne ses yeux vers Virginie. Tout à coup son visage s'éclaire.

— Jacqueline ? Non ! Bon, j'attends.

Il regarde de nouveau Virginie.

— Vous avez du pot ! Jacqueline, c'est ma belle-sœur, et je sais qu'elle est de service cette nuit. Elle va vous parler.

Virginie a tellement mal au ventre qu'elle doit s'asseoir. Savoir la vérité risque de briser cet espoir qui lui donne la force de continuer à vivre.

— Jacqueline ? beugle Dudule. Excuse-moi de te déranger, mais j'ai une cliente qui voudrait avoir des nouvelles de son fils. C'est le militaire qui s'est cassé la figure en avion... Elle vient de très loin. Tiens, je te la passe.

Il tend le combiné à Virginie, qui le prend d'une main tremblante.

— Oui, dit la voix, vous voulez parler de...

— Le lieutenant Jacques Massenet, murmure Virginie.

Un silence pendant lequel le cœur de Virginie s'est arrêté.

— On nous l'a amené en milieu de matinée. Dans un sale état.

— Mais il est...

— Oui, sauf complications, sa vie n'est plus en danger, par contre, ses jambes sont brisées et il a été blessé au niveau du bassin.

Il vit. Virginie pose le combiné sans dire merci à Jacqueline. Il vit ! Le bonheur remplit sa poitrine, puis elle pense qu'il restera peut-être paralysé. Le chauffeur de taxi et le patron de l'hôtel la regardent.

— Mauvaise nouvelle ? demande Dudule.

— Je ne sais pas.

— Allez donc dormir un peu ! reprend le chauffeur de taxi. Dans la matinée, je vous emmènerai à l'hôpital. Je vous présenterai Jacqueline, elle est chouette !

Virginie entre dans la chambre que lui indique Léon, ferme la porte et regarde ce lit, cette fenêtre qui donne sur une ville inconnue, ce tableau affreux au mur. Ça sent le tabac froid. Elle pousse la couverture et s'assoit, puis pose la tête sur l'oreiller.

Quand elle ouvre les yeux, il fait jour. Elle a dû dormir, fuir malgré elle son incertitude et sa douleur. Le long voyage touche à son but, dans une heure ou deux, elle pourra enfin embrasser Jacques.

À la réception, Léon lui dit que Dudule est parti faire une course mais qu'il va revenir dans un instant.

— En attendant, si vous preniez un peu de café ?

Elle n'a pas mangé depuis hier matin et cette tasse de café lui redonne quelques forces. Dudule arrive un instant plus tard et lui tend le journal.

— Lisez l'article. On en parle. Mais dites, votre fils, c'est un as ! Faut quand même avoir du cran pour monter dans ces machines !

À l'hôpital, Jacqueline est partie, mais Dudule, qui connaît tout le monde dans cette ville, trouve vite quelqu'un d'autre.

— C'est la mère du pilote ! dit-il, et cela suffit à ouvrir toutes les portes.

Une infirmière conduit Virginie dans une chambre. Jacques, plâtré jusqu'au bassin, tourne la tête et marque sa surprise en voyant sa mère. Il lui sourit.

— Tu es venue jusque-là ?

— Comment vas-tu ? demande-t-elle en l'embrassant.

Il pousse un petit cri.

— Doucement, ça me fait mal partout. J'ai quand même fait un saut de quatre mille mètres et je m'en tire bien. Paraît que j'ai les jambes et le bassin en bouillie. À la fin de la semaine, on me transfère à Cambrai ; l'hôpital militaire a plus de moyens et moi j'ai hâte d'être guéri.

Virginie prend un air effaré.

— Mais tu ne veux pas...

— Bien sûr que si ! dit-il en riant. Dès que je peux, je remonte dans un avion, qu'est-ce que tu allais croire ?

3.

Pascal ne se fait pas d'illusions, la C.T.M.L. court à la catastrophe. Les largesses de Mme Lemoine pour ses neveux sont de plus en plus exorbitantes. Il a dû, contre son gré, éponger une nouvelle fois les dettes de la maison de disques La Voix d'or et acheter un château et les vignes qui l'entourent à Pommerol pour « cette pauvre Céline qui s'ennuie tant chez les Yankees ». Les besoins de Micheline Monnier ne cessent de croître. Mme Lemoine, pourtant si lucide, n'a pas compris qu'il était important d'investir la plus grande partie des bénéfices pour éviter de se faire dévorer par les concurrents plus puissants.

— Nous ne devons pas trop grossir ! dit-elle à Pascal, sinon, nous cesserons d'être une affaire familiale...

Pascal n'insiste pas. Sa décision de quitter la C.T.M.L. est prise. Il s'est constitué un petit capital et pense pouvoir armer son premier pétrolier à l'automne prochain.

Cela l'accapare tellement qu'il n'a pas trouvé le temps d'aller rendre visite à son frère, qui se remet lentement de son accident à l'hôpital militaire de Cambrai. Jacques va bien, mais il restera paralysé au niveau du bassin. La colonne vertébrale a été touchée et l'espoir que le jeune pilote marche de nouveau reste faible.

Tu comprends, écrivait-il récemment à Pascal, je ne supporterai pas de vivre dans ce maudit fauteuil. Il faut coûte que coûte que tout se remette à fonctionner. Si j'étais certain de ne plus jamais pouvoir monter dans un avion, je crois que je me laisserais mourir. Malgré cela, mon infirmière préférée, Stéphanie, qui avait été à mes

*côtés lors de mon dernier accident me procure beaucoup d'agréments.
C'est une superbe femme qui pousse mon fauteuil roulant avec grâce
et douceur. Elle est persuadée que je pourrai remarcher un jour, alors,
je la crois...*

Pascal sourit, même si les multiples aventures amoureuses de son frère ne rachètent pas sa solitude tenace.
Depuis bien des années il n'a pas approché une fille ; le
dégoût est toujours là et le confine dans une solitude qui lui
fait mal. Il a cessé toute correspondance avec Mylène Chaisot,
qui doit être mariée depuis longtemps.

Ce soir, il va dévoiler ses intentions à Mme Lemoine ; en
garant sa voiture dans la cour de l'hôtel particulier, il
imagine les cris de la vieille femme et en sourit. Celle-ci
commence par lui demander des nouvelles de l'« aviateur »
puis se lance, comme cela lui arrive de plus en plus souvent,
dans l'évocation de souvenirs.

— C'était la belle époque ! Mon époux venait d'acheter
sa première barcasse, un rafiot qui ne tenait pas la mer...

Pascal la laisse parler un moment puis se lève de son
fauteuil, marche vers la baie d'où vient une lumière intense
et se lance.

— Voilà, dit-il, je suis venu vous annoncer que je vais
quitter la C.T.M.L.

Mme Lemoine s'étrangle, tousse, se mouche bruyamment. Elle ouvre de grands yeux, porte une main à son cœur.

— Qu'est-ce que vous dites ?

— Je vais quitter la société avec l'intention de créer ma
propre affaire.

Un silence seulement ponctué par la pendule comtoise,
une des fiertés de la maîtresse des lieux : M. Lemoine l'avait
payée une fortune à un antiquaire grenoblois, mais il aimait
tant les belles choses !

— Vous voulez me faire mourir ? Dites-le ! Allez-y, assassinez-moi !

— Je n'ai pas du tout l'intention de vous assassiner.

— Vous n'êtes pas assez payé, c'est ça ? Vous voulez un
salaire plus élevé ?

— Il ne s'agit pas de salaire. Je veux créer mon affaire ;
les Massenet ont toujours été des patrons, pas des employés !

Mme Lemoine agite les bras. Sa grosse poitrine est soulevée par une respiration rapide. Cette éventualité, elle la redoute depuis longtemps et s'y est préparée, même si elle sait que la partie va être difficile avec ce garçon déterminé. Une chose est sûre : sans lui, la C.T.M.L. ne survivra pas longtemps, alors, autant sauver ce qui peut l'être. Elle décide d'abattre sa carte maîtresse.

— Je vous vends trente pour cent du capital ! Avec facilités de paiement, bien entendu.

Pascal répond du tac au tac :

— Trente pour cent, ce n'est pas la majorité. Je ne serai donc pas le patron, seulement un employé mieux traité que les autres.

— Vous voulez me tuer, ce matin ! s'écrie Mme Lemoine en levant les bras au ciel. Disons quarante pour cent !

Elle marche lourdement dans la pièce en agitant sa canne au pommeau d'argent, puis, vivement, se tourne vers Pascal, toujours debout près de la baie.

— Si vous aviez épousé Céline, comme nous le souhaitions tous, nous n'en serions pas là ! Mais vous n'avez voulu en faire qu'à votre tête !

— Céline ne voulait pas m'épouser.

— Ce n'est qu'un détail... Bon, maintenant, laissez-moi réfléchir. Revenez dîner ce soir, j'aurai une solution.

Pascal se rend à son bureau, où il trouve une lettre de sa mère qui préfère ce moyen de communication au téléphone.

Ton oncle Ernest est venu me rendre visite, écrit-elle, *comme il le fait de temps en temps. J'éprouve toujours autant de répulsion pour ce personnage, mais il s'est occupé de vous pendant mon absence, alors je m'efforce de lui faire bonne figure. Il m'a raconté que Paul Vacquier, tu sais, le maître valet de la Veyrière qui s'est engagé dans la Légion à la fin de la guerre, est revenu au pays. Il habite la maison de sa mère, vers Cornil. Il a pris des nouvelles de nous tous et a dit qu'il passerait me voir un jour, ce qui me fait un grand plaisir.*

Ernest a de grosses difficultés financières. Je crois qu'après avoir vendu la Veyrière, qui n'était pas à lui, il est en passe de vendre le bien de sa femme. Finalement, il est plus à plaindre qu'à blâmer. Camille est de plus en plus désagréable. Voilà ce que donnent les mariages arrangés pour des raisons d'argent : des gens qui se déchirent toute leur vie et ne peuvent pas divorcer parce qu'il faudrait couper en deux le gâteau...

Pascal range la lettre et se met au travail. Ce qui se passe à la minoterie de Laroche ne le concerne plus et son oncle n'a que ce qu'il mérite.

Le soir, il retourne chez Mme Lemoine, bien décidé à ne pas se laisser faire. Une surprise l'attend.

— Voilà, dit-elle, tandis que le jeune homme est encore dans l'entrée, j'ai tout arrangé.

Elle le regarde en souriant, lui n'est pas convaincu.

— Je vous aime comme le fils que je n'ai pas eu, dit-elle. Vous le savez, alors vous profitez de ma faiblesse.

Pascal sait bien que Mme Lemoine, bien que diminuée, a gardé sa roublardise et qu'il doit se méfier.

— Vous connaissez Joseph Pigrier, l'importateur de produits exotiques, tout le café qui transite à Bordeaux passe dans ses entrepôts, sans parler du cacao et bien d'autres choses. Une affaire solide.

— Oui, je le connais puisque c'est nous qui transportons ses marchandises.

— En effet. Vous allez épouser sa fille unique.

Pascal s'étrangle, tousse. La surprise est telle qu'il reste sans réponse.

— Oui, sa fille. Cela vous assurera une position de premier plan. Son père est d'accord, j'ai négocié la chose avec lui.

— Mais...

— Le « mais » est de trop. Par ce biais, vous serez patron et en cadeau de mariage j'ajouterai les quarante pour cent des parts de la C.T.M.L. que vous avez refusés cet après-midi. Je suis vieille et malade. Je vais bientôt mourir, mais je ne veux pas que cette affaire disparaisse et vous savez ce que valent mes neveux ! J'arrangerai par testament leur héritage pour qu'ils ne soient pas spoliés...

Pascal réfléchit rapidement, mais cette proposition est tellement inattendue qu'il ne trouve pas la moindre objection.

— Vous ne semblez pas très enthousiaste ? demande Mme Lemoine.

— C'est qu'un grand nombre d'inconnues subsistent et je n'aime pas m'aventurer sur un terrain que je ne connais pas, dit Pascal.

— Cessez de faire cette tête, je sais que vous êtes d'accord ! D'ailleurs, il n'y a pas d'autre solution. Les Pigrier ont bouleversé leur calendrier pour vous. Ils seront là d'un instant à l'autre. Brigitte sera avec eux.

— Brigitte ?

— Votre fiancée.

Elle tourne la tête vers le couloir et crie :

— Roseline, apporte-nous du champagne !

— L'inconvénient, continue Pascal, c'est qu'on ne marie plus les gens par simple intérêt.

Mme Lemoine fronce ses sourcils épais.

— Et comment les marie-t-on, alors ? Si vous pensez que M. Pigrier va laisser dilapider sa fortune pour une amourette de sa fille ! Soyons sérieux, et puis Brigitte vous aimera, j'en suis certaine.

Tandis que Roseline pose deux flûtes de champagne sur la petite table, la grosse femme regarde Pascal avec des yeux pleins de lumière.

— Vous voyez, tout s'arrange ! Votre maman sera fière de vous, mais votre deuxième maman, c'est moi, et je suis très contente. Brigitte et vous ferez un couple parfait.

Elle avale une gorgée de champagne puis ajoute :

— Et puis tout le monde sait que les Pigrier ont gagné énormément d'argent pendant la guerre, qu'un des frères de Joseph a été abattu dans le Médoc, mais personne ici n'oserait parler de ça. Vous comprenez ce que je veux dire...

S'il comprend ! Le fils de la tondue ne dépareillera pas dans cette famille !

Elle vide son verre et appelle Roseline pour qu'elle en apporte un second. La bonne a dressé la table dans la salle à manger. Mme Poillet, cuisinière en retraite, est venue préparer le repas comme chaque fois que Mme Lemoine reçoit des gens importants.

— Vous comprenez : le souvenir de M. Lemoine doit rester dans cette ville et me survivre. Je fais tout pour cela. M. Lemoine l'a tant mérité. C'était un enfant de la rue, un enfant trouvé, élevé dans les pires conditions, comme les enfants de l'Assistance à cette époque. Et voilà ce qu'il a fait...

Ses yeux se sont mouillés. Un gros soupir soulève sa poitrine d'homme. Elle essuie une larme.

— Nous étions si bien ensemble ! Alors, je ne peux pas laisser Philippe et Céline détruire cela...

On sonne. La vieille femme s'essuie le visage. Roseline va ouvrir et introduit dans le salon la famille Pigrier au complet. Mme Lemoine s'est levée pour les accueillir. Elle salue d'abord Joseph, petit, râblé, avec les épaules larges d'un docker, comme à l'étroit dans son veston, puis Annette, sa femme, au sourire engageant. Enfin, Brigitte, leur fille unique. Pascal salue tout le monde. Roseline prend les manteaux et va chercher du champagne. Mme Lemoine vide sa troisième coupe.

— Je connais ce jeune homme, dit Joseph en regardant Pascal. Et je dois vous assurer qu'il défend fort bien la cause de la C.T.M.L. ...

— C'est bien pour ça, mon cher, que nous n'allons pas le laisser filer !

Confus, Pascal reçoit les compliments et proteste pour la forme. Il observe à la dérobée la jeune fille que la machiavélique Mme Lemoine a décidé de lui faire épouser. Brigitte est très brune, les cheveux assez courts, comme le veut la mode du moment ; son visage ovale est bien fait, ses grands yeux sombres sont pleins de lumière.

— Nous avons assez bavardé, dit Mme Lemoine, passons à table, ce sera plus confortable. Pardonnez-moi de vous recevoir aussi simplement, mais j'ai conservé les habitudes de Georges. Pascal, je vous prie, asseyez-vous à côté de votre fiancée en bout de table, vous avez sûrement plein de choses à lui dire.

Pascal connaît le franc-parler de Mme Lemoine et son habitude de croire que tout ce qu'elle décide doit se réaliser, pourtant, cette manière de désigner Brigitte Pigrier, qu'il voit pour la première fois, le choque.

Le repas est joyeux. M. Pigrier parle beaucoup, raconte des histoires survenues à des Bordelais célèbres ; sa femme, par de brèves interventions, lui rafraîchit la mémoire. Brigitte suit la conversation, se contente de manger du bout des dents. Elle sourit à Pascal quand leurs regards se croisent. Pascal est enfin invité à parler de son frère, l'aviateur, de la Veyrière, « cette grande maison de famille », précise Mme Lemoine, de la Corrèze, « le pays tant aimé de Georges ».

Pas une seule fois le projet de mariage n'est évoqué, à tel point que Pascal se demande si ce n'est pas seulement un désir sans suite de la vieille femme. À la fin du repas, elle se lève et dit :

— Nous allons prendre le café dans le grand salon. Pascal, je vous en prie, retirez-vous avec votre fiancée dans le petit salon, vous serez plus tranquilles pour bavarder.

M. Pigrier sourit aux jeunes gens ; Annette dit un « sois sage » amusé à sa fille.

Pascal et Brigitte passent donc dans le petit salon. Roseline apporte du café et, en sortant, prend soin de fermer la porte. Pascal est gêné.

— Si nous nous asseyions ? propose la jeune fille en s'installant sur le canapé. Venez donc à côté de moi.

Pascal s'assoit. Brigitte s'amuse de sa gêne.

— Donc, nous sommes fiancés ! ajoute-t-elle sans la moindre hésitation. Je ne vous connais pas, vous ne me connaissez pas, cela n'a pas d'importance, puisque Mme Lemoine et mon père ont décidé de nous marier.

— Mme Lemoine a trouvé ce stratagème pour que je reste à la tête de la C.T.M.L. et que je ne crée pas ma propre entreprise concurrente...

— Elle vit dans le souvenir de son mari. Mon père dit qu'ils formaient un couple exemplaire. Cela ne vous gêne pas qu'on ait choisi pour vous la femme que vous allez épouser ?

Il boit une gorgée de café.

— Je n'ai pas encore donné mon consentement, et vous ?

— Moi non plus, mais cela n'a pas d'importance.

— Cette attitude soumise vous convient-elle ?

— Mon père ne fait jamais rien contre mon intérêt et puis...

— Et puis quoi ?

— Nous ne sommes pas encore mariés. Nous sommes simplement invités à nous voir régulièrement. Si nous nous entendons bien, le mariage se fera, sinon, nous partirons chacun de notre côté.

— Ce n'est pas ce qu'a décidé Mme Lemoine.

— Elle ne gagne pas toujours. Je crois savoir qu'elle vous a déjà fiancé à Céline Monnier...

— En effet, mais ça ne pouvait pas marcher.

Le silence retombe entre eux. Une pendule — encore une, il y en a dans toutes les pièces — sonne onze heures. Brigitte reprend :

— Cela veut-il dire que vous étiez amoureux d'une autre femme ? Mme Lemoine dit que vous êtes un solitaire, que vous fuyez les fêtes et les distractions, que vous travaillez tout le temps...

— C'est vrai. Je vais avoir trente-deux ans et je me sens parfois très vieux.

— À dix-sept ans, reprend la jeune fille, je suis tombée amoureuse pour la première fois. Mon père a arrêté tout ça. J'ai voulu fuir, il m'a rattrapée. Je me suis révoltée, je suis partie à vingt et un ans avec un Italien. J'ai bien vite compris que je faisais fausse route. J'ai vingt-cinq ans et après bien des aventures je n'ai pas trouvé mon prince charmant.

— Moi, j'ai tué ma jeunesse au travail, mais réussir était vital pour moi.

Mme Lemoine arrive dans le petit salon, les joues rouges, le regard ardent. Elle regarde Pascal en riant :

— Maintenant, venez donc avec nous, nous avons à parler.

4.

Virginie arrange ses cheveux gris devant la glace, replace le col de son corsage et sourit. Ses dents sont restées blanches, ses lèvres épaisses. Malgré quelques rides au coin des paupières, ses yeux noirs pailletés d'or ont gardé tout leur charme. Elle hausse les épaules : la voilà en train de jouer les coquettes comme une jeune fille qui irait à son premier rendez-vous ! Au fond, n'est-ce pas un peu cela ? Paul Vacquier doit venir la voir ; il lui a écrit et, depuis, Virginie n'attend que cet instant. Du fond de sa solitude, le moindre événement, la moindre rencontre prend une importance démesurée.

Le mois de mai se termine. Chaque après-midi, elle va se promener. Les chemins sentent bon l'herbe nouvelle, les fleurs épanouies. Cette vie qui pousse jusque dans le plus petit recoin communique une force nouvelle à son corps, une allégresse tonifiante, l'envie de sourire aux gens, de leur parler. Malgré les années, les pentes des Vignes blanches et l'amour d'un montreur d'ours lui manquent...

Jacques va mieux. Il n'a pas retrouvé l'usage de ses jambes mais les médecins parlent d'une opération qui pourrait améliorer son état.

Ne t'en fais pas, écrit-il, je vais très bien. Ce repos forcé n'est pas désagréable. Bien sûr, l'avion me manque, mais je ne perds pas espoir de piloter de nouveau. Mes jambes sont encore inertes, il m'arrive cependant d'y ressentir comme des frémissements, des fourmis, ce serait la preuve que les nerfs vont bientôt recommencer à fonctionner.

Virginie sait qu'il ment pour la rassurer. Ses jambes sont définitivement perdues, le docteur qui s'est occupé de lui après l'accident a été formel : Jacques ne pilotera plus jamais un avion et c'est bien ainsi, à force de défier la mort, il aurait fini par la trouver.

Pascal va probablement se marier. Il était temps puisqu'il aura trente-deux ans au mois de novembre. Un mariage dans un monde qui n'est pas celui de Virginie. Son fils est devenu un homme important et la modeste condition de sa mère ne le satisfait pas.

J'ai chargé M. Lecomte, qui habite place de la Guierle, de te trouver une maison, écrit-il. *L'appartement que tu occupes est trop petit, je ne peux pas emmener Brigitte dans un lieu aussi exigu. Ne t'occupe de rien, c'est moi qui réglerai M. Lecomte. Il va te contacter dès qu'il aura quelque chose de convenable.*

Cette manière de décider à sa place agace Virginie. L'appartement que sa mère a acheté alors qu'elle avait dix ans lui plaît et elle ne veut pas le laisser.

Achète ce que tu veux, a-t-elle répondu à son fils. *Nous y recevrons ta future épouse, mais une fois qu'elle sera partie je reviendrai dans mon petit trois-pièces qui est exactement à ma taille et me convient parfaitement.*

Virginie s'est postée derrière la fenêtre, Paul ne devrait pas tarder. Il fait très beau et les gens, vêtus légèrement, se promènent dans les rues. Une voiture noire arrive, se gare devant son entrée. Un homme petit et rond, portant d'épaisses lunettes, en sort.

— Qu'est-ce qu'il veut encore, celui-là ? dit Virginie, contrariée.

Le pas lourd de l'homme fait craquer l'escalier ; il arrive sur le palier, frappe à la porte de Virginie.

— Ernest ! dit-elle en feignant la surprise.

Elle embrasse son beau-frère sur ses deux joues molles.

— Je vous dérange, peut-être ?

— J'allais partir.

— J'en ai pas pour longtemps ! Je peux m'asseoir ?

— Faites vite, j'ai un rendez-vous...

Il baisse la tête. Une légère calvitie dénude le haut de son crâne.

— Voilà, les affaires ne sont plus ce qu'elles étaient. La minoterie... Comment dire ?

— Si j'ai bien compris, vous avez fait de nouvelles dettes.

— Si vous pouviez demander à Pascal, que j'ai élevé, de me dépanner momentanément, ça m'arrangerait bien.

Virginie éprouve toujours le même dégoût face à son beau-frère, mais cet après-midi elle est surtout pressée de le voir s'en aller.

— Demandez-lui vous-même.

— Si vous le faites, belle-sœur, je suis sûr qu'il ne refusera pas.

— Je lui en parlerai ! Maintenant il faut que je parte.

— Vous voulez que je vous dépose quelque part ?

— Ce n'est pas la peine.

Ernest repart, Virginie respire enfin. La voiture n'a pas tourné au coin de la rue que des pas font de nouveau craquer l'escalier. Elle s'approche de la porte, attend, le souffle suspendu. L'homme est derrière, elle entend sa respiration, peut-être cherche-t-il la sonnette ! Elle ouvre.

Elle reste un moment sans voix. Les cheveux de Paul sont entièrement blancs, la peau de son visage est tailladée de rides profondes, pourtant, les yeux restent bien ceux du maître valet, des yeux gris, volontaires sous un front large et haut.

— Madame Virginie...

— Bonjour, Paul, entrez.

Ils se regardent en silence, cherchent dans ces traits qui ont vieilli le visage dont ils ont gardé le souvenir.

— Vous n'avez pas changé ! dit-il enfin.

— Des cheveux blancs et des rides en plus ! soupire-t-elle.

Elle lui présente une chaise.

— J'ai préparé du café. Vous en prendrez bien une tasse ?

Ils ne savent pas par où commencer le récit de leur vie pendant ces dix-sept années. Le silence, qui remet à nu ses émotions anciennes, gêne Paul.

— Vous n'avez pas croisé Ernest ? demande Virginie. Il vient de sortir d'ici à l'instant.

— Il ose paraître devant vous ! Il a la mémoire bien courte !

— Je crois que les affaires de la minoterie ne vont pas au mieux. Il aurait besoin d'un peu d'argent frais, alors il pense à son cher neveu, Pascal...

— On se croise, parfois, mais je ne lui adresse pas la parole. De tous les Massenet, c'est lui le pire !

Ils boivent leur tasse de café et Virginie propose :

— Si nous allions faire un tour ? Il fait si beau !

Ils partent sur la route d'Ussac à flanc de colline entre les prés et les petites vignes. Le soleil est chaud, quelques nuages blancs traversent le ciel. Ils ont retrouvé cette complicité, ce plaisir d'être ensemble qu'ils éprouvaient autrefois à la Veyrière. Paul a des regrets.

— Tout ce qui est arrivé est ma faute. J'ai cédé devant ces bandits, j'ai cédé devant Ernest à qui j'aurais dû casser la figure, j'ai cédé devant tout le monde, probablement parce que j'avais peur.

— Vous n'avez rien à vous reprocher...

— Et cet ignoble Suquet qui vous faisait les yeux doux...

— Tout ça c'est du passé, n'en parlons plus. Racontez-moi plutôt votre vie depuis ce temps.

— Ce que j'ai fait ? J'ai essayé d'oublier tous ces malheurs. Je me sentais sali, éclaboussé par ces crimes inutiles, coupable surtout de les avoir laissés faire, comme complice, alors je me suis engagé dans la Légion avec l'espoir de m'y faire tuer...

— Et nous voici dix-sept ans plus tard, un mois de mai, sur une petite route qui ressemble à celle de la Veyrière. Comme s'il ne s'était rien passé.

— Il ne s'est rien passé, dit-il en la regardant intensément. Je n'ai pas changé, vous non plus. J'ai repris la petite ferme de ma mère. Ma pension me permet de vivre, je m'amuse à élever quelques poules, des lapins, une chèvre et cette année un cochon. Je ne suis pas malheureux. Mais la Veyrière, c'était ma famille et je suis seul.

— Moi, raconte Virginie en cueillant une marguerite, je fais de la couture pour des clientes qui sont toutes des amies, je vis avec mes souvenirs, les bons et les mauvais, et je me fais du souci pour mes enfants à qui j'écris souvent parce que c'est mon plus grand bonheur. Cet été, je les aurai tous les deux, à moins que Jacques ne se fasse opérer pour retrouver l'usage de ses jambes, mais ses chances sont très faibles...

L'après-midi passe très vite. Déjà le soleil descend derrière les collines, l'air est moins doux. Ils font demi-tour. Paul doit rentrer pour s'occuper de ses bêtes.

— Revenez souvent ! dit Virginie. Nous avons passé un bon moment ensemble.

— Je reviendrai.

Près de Paul, l'air est toujours aussi agréable à respirer. Virginie le regarde s'éloigner. Le souvenir d'Aristide brûle toujours son esprit ; après lui, son corps s'est éteint de nouveau, installé dans la vieillesse. Pourtant, ce soir, elle a l'impression que le bonheur est encore à sa portée, comme un fruit sur une branche basse...

Le lendemain, un jeune homme très élégant sonne à sa porte.

— Monsieur Lecomte, chargé d'affaires de M. Massenet.

Virginie le prie d'entrer. Il souhaite l'emmener voir la nouvelle demeure qu'il vient d'acquérir au nom de M. Massenet.

— Vous pouvez l'occuper, si vous le désirez. M. Massenet et sa fiancée viendront passer quelques jours pendant l'été ; ils recevront leurs amis.

— Eh bien, je vous suis ! dit Virginie, amusée par les manières de ce garçon d'une tenue impeccable.

Il passe devant elle, lui ouvre la portière de sa voiture. Ils quittent Brive par la route de Donzenac. Les paysans s'activent dans les prés, l'air sent bon le foin sec. M. Lecomte explique :

— Nous avons eu de la chance. Cette propriété convient parfaitement à ce que M. Massenet m'avait demandé.

À l'entrée d'un village, M. Lecomte tourne à droite, passe un immense portail en fer, roule le long d'une allée et s'arrête dans la cour d'une grande maison entourée d'énormes cyprès.

— C'est ici ! dit l'homme. Ça s'appelle les Rissins. Comme vous pouvez le constater, cette maison est en bon état extérieur. À l'intérieur, quelques travaux sont nécessaires, mais c'est peu de chose.

On se croirait à la Veyrière ; l'escalier de pierre est identique. Sur la façade, les mêmes fenêtres carrées s'alignent sur trois niveaux, le toit est haut et massif. L'homme prend une clef dans son trousseau et ouvre la large porte qui donne sur une immense entrée.

— Bien sûr, il faudra tout faire nettoyer. Les ouvriers vont devoir colmater quelques fissures, mais ce sera prêt pour le mois de juillet.

Virginie va de pièce en pièce avec l'impression de marcher dans un sanctuaire. Les cadres qui sont restés accrochés aux murs représentent les ancêtres d'une famille qui, comme les Massenet, a dû quitter son berceau. Ils sourient à leur déchéance ; bientôt, on les enlèvera, la place sera libre pour d'autres sourires, une nouvelle légende...

— C'est superbe, n'est-ce pas ?

— Mon fils ne pouvait pas trouver de demeure qui lui convienne mieux ! Mais a-t-il assez d'argent pour cette grosse dépense ?

L'homme sourit et dit d'un air condescendant :

— Voyons, madame, le futur gendre de Joseph Pigner n'a pas de gros soucis à se faire.

Le soir même, elle écrit à Pascal.

Cette propriété est très belle, mais je n'en comprends toujours pas l'utilité. Tu vas dépenser là beaucoup d'argent, te mettre peut-être sur la paille pour cette maison que tu habiteras moins d'un mois par an et qui garde jusque dans le moindre détail le souvenir de ses anciens propriétaires. Une maison, c'est plus que des murs et un toit, c'est le reflet de toute une famille.

Au fait, j'ai revu Paul, tu sais, le maître valet de ton grand-père. Il est rentré au pays après quinze années passées dans la Légion et s'est installé dans la petite maison que lui a laissée sa mère. Il n'a pas de rêves de grandeur, il ne veut dominer personne et c'est peut-être cela, la vraie sagesse.

La réponse de Pascal n'a pas tardé.

Cette maison m'est nécessaire pour recevoir des amis ou des gens qui me sont utiles dans les affaires. Je serais heureux que tu viennes à Bordeaux pour t'habiller chez les meilleurs couturiers de la ville. Il convient, en effet, que tu sois correctement vêtue aussi bien pour mon mariage que pour les réceptions que je donnerai. Ma mère doit être à la hauteur de la famille dans laquelle je vais entrer.

Virginie pose la lettre sur la table, écoute un moment les bruits de la rue. Même s'il ne le dit pas, Pascal a honte de cette mère restée une ouvrière, il redoute le mépris de ses invités. Elle prend une feuille de papier et écrit :

Sois sûr que je ne te gênerai en aucune manière. Je resterai dans mon petit appartement à continuer ma couture. Toi, tu fréquenteras tes personnalités dans ta belle maison. Tu ne leur parleras pas de moi et ce sera tout.

Elle se ravise. Non, Virginie ne va pas envoyer cette lettre et fera ce que Pascal lui demande. Elle veut assister à son mariage et espère pouvoir gâter bientôt ses petits-enfants, mais cette différence de milieu social qui la séparait déjà des gens de la Veyrière se dresse à nouveau entre elle et son fils aîné.

5.

Le lieutenant Massenet ne se fait pas d'illusions : pour lui, la carrière militaire est bien finie. Il ne pilotera plus jamais un Super-Mystère ni les fameux Mirage qui sont actuellement en essai à la base de Brétigny, il n'éprouvera plus cette merveilleuse sensation de puissance quand son appareil se lance sur la piste et plaque le pilote au siège, et cette douleur aux membres quand tout vibre et semble se disloquer au moment de franchir le mur du son, aussi dur que du béton. Sa vie est finie : le voilà retraité à vingt-huit ans. Tout ça pour une petite fuite d'huile...

— Il faudrait un miracle pour que je puisse de nouveau me servir de mes jambes.

Stéphanie s'essuie les yeux derrière ses lunettes. Lors de son premier séjour à l'hôpital militaire de Cambrai, Jacques avait une jambe cassée, ce n'était qu'un avertissement. Il était si beau ; sa voix avait la douceur du velours. Quand il a commencé à lui faire la cour, Stéphanie est entrée dans son jeu, et ce qui n'était qu'une aventure plaisante, une passade, est devenu une grande passion.

Désormais, le beau lieutenant est un handicapé à vie. Il ne veut pas être une charge, mais Stéphanie insiste, s'impose jour et nuit. Elle a obtenu de le soigner pendant sa convalescence dans leur petit appartement.

— Si je pouvais seulement piloter un petit avion civil...

Stéphanie l'entoure de sa tendresse un peu maternelle.

— T'en fais pas, tout se passera bien.

Elle pousse le fauteuil. Ils font ainsi de longues promenades le long de l'Escaut. Ici, tout est plat, gris, mais les caresses de la brise ont une douceur qu'on ne retrouve nulle part ailleurs. Ils se racontent leur vie, leurs errances.

— Avant toi j'avais un ami... Le docteur Claude Lepage... Nous nous sommes quittés un soir sur la place de la Poste. Il ne comprenait pas... Mes parents n'apprécient pas. Ils disent que vivre avec un handicapé reste la meilleure manière de gâcher ma vie.

— Ils ont raison ! Il y a neuf chances sur dix que je ne remarche jamais.

— Je suis sûre que l'opération réussira. Et puis, tant que tu n'as pas de jambes, tu ne risques pas de m'échapper !

Elle rit, pose un baiser sur le front de Jacques et pousse le fauteuil sur le quai.

— Quand je pense que je vais avoir le grade de capitaine non pas pour mes mérites, mais pour une fuite d'huile. . Que vais-je faire de toutes ces années vides ?

— L'amour, toujours l'amour ! dit-elle en riant.

— De toute façon, poursuit Jacques, j'ai le mal du pays. Je veux retourner en Corrèze. Sans avion, cette région devient triste et je m'ennuie.

— Et moi ?

— Toi, tu peux me suivre.

Il n'est pas toujours aimable. À mesure que les jours passent, identiques, Jacques s'aigrit. Il n'est plus qu'un poids que Stéphanie doit déplacer, du lit au fauteuil. Le moindre besoin de la vie quotidienne devient une corvée. Il s'emporte.

— Qu'est-ce que je suis ? Sans aide, je ne peux même pas pisser !

— Oui, mais cette aide, tu l'as, alors estime-toi heureux.

Il explose.

— Heureux ? À vingt-huit ans, je suis un paralysé, un de ceux qu'on plaint, mais sans en connaître le calvaire quotidien !

Jacques s'ennuie ; la présence toujours prévenante de Stéphanie ne comble pas son inaction. Elle le conduit souvent au terrain militaire où, pendant des heures, il regarde décoller et se poser les avions. Ses camarades l'entourent, eux aussi, mais cela ne remplace pas ses jambes molles et inertes. Parfois, il se dit qu'en se concentrant très fort il peut remuer l'orteil droit, mais, même si Stéphanie affirme qu'elle l'a vu bouger, ce n'est pas vrai. Alors il se laisse aller au désespoir.

— C'est foutu et bien foutu ! Je ne suis qu'un tronc. Il aurait mieux valu que je meure, tout serait fini et on n'en parlerait plus.

— Oui, mais tu n'es pas mort et il faut te battre.

Se battre ! Pourquoi ? Pour survivre ainsi, à la merci des autres, comme un meuble qu'on déplace, qu'on couche, qu'on lave ! Il a gardé ses bras et sa tête, c'est vrai, mais ses mains ouvertes devant lui sont des outils inutiles. Au début de sa convalescence, la présence de Stéphanie éclairait ses jours et ses nuits. Sa paralysie devenait un atout dans les jeux amoureux, mais très vite le handicap a supplanté les agréments.

— Tu n'as pas besoin de me pousser ! s'emporte-t-il. Je suis assez grand pour appuyer sur les roues avec mes mains qui fonctionnent, elles !

Elle ne répond pas, mais ces remarques plantent un clou dans sa chair à vif. Quoi qu'elle fasse, Jacques reste de mauvaise humeur et revient toujours au même constat :

— Nous nous sommes trompés ! dit-il. Tu n'as pas vocation à t'occuper d'un handicapé. Ramène-moi à l'hôpital et reprends ta vie d'avant.

Ses colères éclatent pour un rien, un mot de trop, une attention qu'il ne souhaite pas. Stéphanie n'entre pas dans son jeu, mais, chaque jour, la vie devient un peu plus difficile.

— Un handicapé, s'écrie-t-il, ça doit vivre avec des handicapés et non avec des gens normaux qui marchent sur leurs deux jambes.

Sa mère lui écrit souvent et tente de lui redonner le moral :

Tu sais, on croit toujours que le fond du puits est atteint, mais il y a plus malheureux que soi et la vie ne réserve pas que des mauvaises surprises. J'ai été plus que morte, au comble de l'humiliation et du désespoir, je suis restée trois années prostrée en vivant comme une larve à côté d'un chien et j'ai pourtant eu plus tard le grand bonheur de vous retrouver, toi et Pascal...

À ces lettres, Jacques répond crûment : *À chacun sa raison de vivre, moi, ce sont les avions et la joie de voler m'est désormais refusée.* Pascal aussi écrit de temps en temps à son frère, même si ses soucis de grand patron l'absorbent de plus en plus. *Tu*

as une passion, elle t'a conduit au sommet de ce que tu souhaitais.
Elle te le fait payer cher, mais sache qu'il n'est pas de situation
désespérée. Souviens-toi de ce héros de la dernière guerre amputé des
deux jambes et qui continuait de piloter avec des morceaux de bois à
la place des pieds. On dit ici, dans le Bordelais, que plus la vigne
souffre, meilleur est le vin. Serre les dents et fonce !

Ce genre de propos exaspère Jacques :

— Je voudrais bien le voir, à ma place ! Mon frère a
toujours été bon pour donner des leçons !

Au début du mois de juillet, Jacques se rend à Paris au
service de neurologie de la Salpêtrière où il doit subir une
suite d'examens afin de déterminer si une opération est envi-
sageable. Les examens durent trois longues journées au
terme desquelles le médecin est sceptique !

— Les fractures se sont bien réduites, les vertèbres ont
retrouvé leur place, mais je ne pense pas qu'une intervention
change grand-chose.

Jacques est déçu. Jusque-là, il espérait un miracle, un
retournement de situation ; le médecin vient de souffler cette
petite flamme qui restait encore en lui.

— Si j'ai bien compris, c'est foutu !

— Non, mais il est trop tôt pour prendre une décision.
Laissons passer l'été, nous nous reverrons en automne.

Jacques insiste. Il est bien décidé à tenter le tout pour le
tout, cette vie dans un fauteuil ne peut pas durer.

— Je ne vivrai pas longtemps ainsi, docteur. Je préfère
mourir. Alors, je vous en prie, même s'il n'existe qu'une
chance sur un million, il faut la tenter.

Le médecin le regarde par-dessus ses lunettes rondes. La
détermination de Jacques ne change rien à ses convictions.

— Je ne vous cache pas que si je tente l'opération tout
de suite ça ne marchera pas. Mieux, nous risquons de
compromettre les chances futures. Attendons l'automne.
Chez un jeune homme comme vous les choses vont très vite
et souvent dans le bon sens.

Attendre, encore attendre, des jours, des semaines, des
mois pour s'entendre dire qu'aucune intervention n'est possible ! Jacques repart pour Cambrai complètement désespéré. Sa
vie, commencée le jour où le lieutenant Beaufils lui a fait

prendre son baptême de l'air, s'est terminée au printemps dernier dans la campagne bretonne au cours d'un vol qui aurait dû être sans histoire. L'injustice de cet accident le révolte...

Stéphanie comprend à sa mine que l'examen s'est mal passé et ne lui pose aucune question.

— J'attends l'automne ! dit-il. Et si ça marche pas, je me flingue.

— Arrête de dire des bêtises. Il faut te changer les idées. Nous allons partir pour la Corrèze. Je rêve de découvrir ce département dont tu parles avec tant de chauvinisme. Je veux connaître ta mère, ton frère...

— C'est ça, tu promèneras ton morceau d'homme. Tu peux peut-être m'empaqueter et m'envoyer par la poste !

— Alors, je t'envoie en recommandé ! dit-elle en riant.

Même l'amour de Stéphanie lui fait mal. Jacques n'a connu que des amours faciles, des liaisons que la moindre contrariété suffisait à rompre. Jusque-là, sa boulimie de femmes n'a été rien d'autre qu'une fuite, une manière de profiter du charme que la nature lui a donné pour cacher son incapacité à se fixer, à poser enfin son sac de promeneur qui cherche inlassablement l'ombre promise. Parfois, il pense à son premier amour, la petite Marie. Il sourit au souvenir de ce beau visage souvent plein de larmes, aux promesses de mariage qu'il lui faisait. Qu'est-elle devenue, cette petite ouvrière de l'usine Singer ? Elle s'est sûrement mariée et élève ses enfants...

Avec Stéphanie, tout a été différent. Dès le premier jour, il a ressenti pour elle un sentiment si vif, si puissant qu'il ne pensait plus à jouer. Peut-être l'aurait-il épousée sans cet accident !

— On ne quitte pas un paralysé, dit-il, ça fait moche ! Mais c'est justement de cette pitié que je ne veux pas. Je t'en prie, reprends donc ta liberté.

Elle fait face, bien déterminée à tenir jusqu'à l'automne.

— Tu sais que tu m'agaces à vouloir toujours te faire plaindre ! Je n'ai pas besoin de toi pour savoir ce que j'ai à faire. Si je voulais partir, aucun scrupule ne me retiendrait. Si je reste, c'est parce que j'y trouve mon compte.

De telles rebuffades le laissent sans voix.

— Et maintenant je vais préparer les valises, nous partons en Corrèze.

6.

Brigitte Pigrier entre en coup de vent dans l'immense entrepôt où des ouvriers mettent en caisse des paquets de différentes marchandises. À quai, une grue décharge un bateau de la C.T.M.L. de retour de pays lointains, producteurs de café, de cacao, de tabac, d'arachide... Brigitte monte un escalier métallique et arrive à l'étage des bureaux. En passant devant le standard téléphonique, elle demande :

— Mon père est là ?

— Oui, je crois. Dans son bureau.

L'immense bureau de Joseph Pigrier est bien gardé par plusieurs secrétaires, dactylos et comptables. Tous saluent la jeune fille, qui leur répond par un sourire. Elle entre sans frapper.

— Ah, te voilà ! dit-elle à son père. J'ai besoin d'avoir une conversation sérieuse avec toi.

Joseph Pigrier ferme le livre de comptes qu'il était en train de parcourir, pose ses fines lunettes à monture d'or sur son bureau et lève les yeux. Il a l'habitude des entrées intempestives de sa fille, de ses décisions irréfutables qu'elle oublie aussitôt, de ses colères, de ses caprices.

— Qu'est-ce qui ne va pas encore ?

— Je refuse d'épouser Pascal Massenet.

— Ah bon ! Tu vas me dire que tu ne l'aimes pas, peut-être ?

Elle baisse les yeux, rosit, puis ajoute :

— Moi, je suis prête à l'aimer, il a du charme, de la prestance, il est très intelligent et cultivé, mais lui... Lui..

— Eh bien quoi, lui ?

— Il n'est pas normal ! Il me fuit, jamais un mot doux, jamais un câlin, il garde ses distances et si je m'approche de lui il se raidit... C'est de la glace, cet homme, alors j'ai décidé de ne pas l'épouser.

— Voilà que tu deviens romantique, maintenant ! Ce garçon a probablement des défauts, mais tu ne trouveras pas dans les affaires plus doué que lui. Sous cet aspect timide et peu bavard, j'avoue que son cynisme m'a parfois étonné. De plus, n'oublie pas qu'il est à quarante pour cent dans la C.T.M.L.

Il pointe l'index et sourit, malicieux.

— Et puis Mme Lemoine a sûrement prévu d'éviter la déconfiture de son affaire. Elle ne va pas laisser la majorité à ses neveux ! Tu vois, c'est le plus beau parti que je puisse te trouver.

— Je le sens sur ses gardes, comme s'il se défendait de moi !

— Ce garçon a eu une enfance difficile, chez les jésuites, avec cet oncle pour tuteur, sans sa mère...

— Justement, tu sais ce qu'on dit ? J'ai même reçu une lettre anonyme qui n'a pu être envoyée que par cet imbécile de Philippe Monnier qui me fait la cour.

Joseph Pigrier éclate d'un rire sonore.

— Celui-là, laisse-le aboyer. Ce qu'il peut dire n'a pas d'importance. Ce que les gens ont fait pendant la guerre n'est pas inscrit sur leur front. Et puis zut aux redresseurs de torts ! Vous partez toujours pour la Corrèze à la fin de la semaine ?

— En principe. C'est fou ce qu'on va s'amuser ! Brigitte sort du bureau de son père, apaisée une fois de plus.

Pendant toute la semaine, Pascal reste tard à son bureau. Il prépare son absence de quinze jours, les premières vacances qu'il prend depuis deux ans. Brigitte le rejoint et ils vont dîner dans un restaurant du vieux Bordeaux. Ils sont bien ensemble, même si Pascal reste replié sur lui-même et toujours sur la défensive.

— Normalement, dit Brigitte, des fiancés se disent des mots d'amour et s'embrassent...

Pascal a un léger sourire.

— Nous ne sommes pas des fiancés comme les autres. Nous devons d'abord faire connaissance.

Elle est gaie, enjouée, très coquette et sait mettre en valeur son teint mat.

— Avant toi, j'avais un petit ami. Un Sicilien qui chantait merveilleusement.

— Moi, je n'ai jamais eu de petite amie !

Elle ouvre de grands yeux. Cela lui semble tellement impossible qu'elle s'étrangle, tousse, sa fine main droite devant la bouche.

— Jamais ?

— Jamais ! Je n'ai pas eu le temps. J'avais trop de choses à apprendre. À l'âge où les autres ne pensent qu'à s'amuser, moi, j'étudiais. Mon envie de réussir était plus forte que tout le reste. Tu ne peux pas comprendre, puisque tu n'as jamais été pauvre. J'avais une revanche à prendre...

Il baisse la tête, puis continue d'une voix altérée :

— Ils ont tué mon grand-père et mon père, deux morts dans la même maison. J'avais quatorze ans. L'orphelin va revenir dans ce pays aussi droit et aussi fier que César devant ses légions. Je veux les mettre à genoux, tous, ceux qui regardaient de travers les fils de la tondue, mon oncle en premier...

En parlant ainsi, Pascal a le regard fixe d'un oiseau de proie. Brigitte lui prend la main. Ce contact éveille un frisson au creux des reins, mais il se domine, conscient que son destin passe par ce mariage. D'ailleurs, Brigitte lui plaît, même s'il n'arrive pas encore à maîtriser sa réaction de rejet. Les livres de psychanalyse ne lui ont rien appris qu'il ne savait déjà : ce dégoût est lié au souvenir du corps nu de sa mère que l'on salissait de purin, mais cette évidence ne suffit pas à le guérir. Ce combat, le seul qui lui fasse peur, Pascal a décidé de le mener avec Brigitte, qui est intelligente, douce, généreuse malgré ses emportements de théâtre destinés à faire fléchir son père. À elle, il se confie comme il ne l'a jamais fait.

— J'ai racheté la faute de mon père et de mon grand-père, si faute il y a eu, par deux années en Indochine qui n'ont pas été de tout repos. Mon frère ne remarchera probablement jamais. Il a donné ses jambes à la défense de la France, lui non plus n'a pas de leçon à recevoir. L'honneur de la famille est retrouvé !

— Qu'est-ce que tu t'embêtes avec ça ! Au fait, ton oncle te réclame toujours de l'argent ?

— Il m'en a réclamé par l'intermédiaire de ma mère.

— Je suppose que tu ne lui as rien donné ?

Il sourit devant la naïveté de Brigitte.

— Si, je le lui ai prêté, mais pas sans garantie. Nous le recevrons aux Rissins... Tu verras, ma tante est un modèle de laideur et lui d'hypocrisie. La minoterie m'intéresse...

Ils se rendent en Corrèze le 1ᵉʳ juillet pour deux semaines pendant lesquelles la C.T.M.L. sera fermée. Pascal est enfin heureux de découvrir sa nouvelle maison dont il n'a, jusque-là, vu que des photos. Brigitte a rempli deux grosses valises d'effets en disant qu'elle n'aura rien à se mettre. Pascal se fait une joie de retrouver enfin Brive et d'aller embrasser Marcel et Jeanine à la Veyrière.

Ils partent dans la matinée, déjeunent à Terrasson et arrivent en début d'après-midi. Le portail des Rissins est ouvert, M. Lecomte est là, en compagnie de Virginie. Pascal présente Brigitte à sa mère ; les deux femmes s'embrassent et se mettent à parler. M. Lecomte invite Pascal à une visite guidée. Un jardinier a été embauché pour entretenir le grand parc ; les pelouses ont été tondues. Il ne manque qu'une cuisinière pour les jours de réception.

— Je vous trouverai tout ce qu'il faut ! dit M. Lecomte. N'ayez crainte.

Virginie, qui n'a pas envie de rester, demande à M. Lecomte de la ramener chez elle.

— Je ne veux pas vous déranger ! dit-elle à Pascal. Et puis j'ai à faire à Brive. Je viendrai passer quelques jours quand ton frère sera là avec son infirmière.

Pascal n'insiste pas. Au fond, il est content de rester en tête à tête avec Brigitte dans cette immense maison.

— Je suppose qu'il y a deux ou trois fantômes ! dit la jeune femme en riant.

Le soir, après dîner, Pascal et Brigitte vont faire un tour dans le parc. Une nuit légère se pose sur les feuillages, comme un voile suspendu entre le ciel clair et la terre sombre. Des chauves-souris patrouillent, des martinets sifflent. Près de la mare, ils écoutent un instant les grenouilles qui se mettent à chanter toutes en même temps puis s'arrêtent aussi vite qu'elles ont commencé.

— Ici, dit Pascal, l'air est plus léger qu'ailleurs, plus parfumé aussi. L'air de la Corrèze est irremplaçable.

Elle rit en montrant ses dents blanches et se serre contre le jeune homme, qui se raidit. Alors, elle recule, plante ses yeux dans ceux de son fiancé.

— C'est chaque fois la même chose. J'ai l'impression que je te fais horreur !

Dans l'herbe, un crapaud pousse sa note régulière. Devant eux, un ver luisant a allumé sa petite lampe.

— Je suis un malade ! dit-il dans un soupir.

Le simple fait d'avoir prononcé ce mot le fait claquer des dents. Brigitte propose de rentrer.

— Il fait un peu frais. Nous allons visiter nos chambres, car, bien évidemment, nous faisons chambre à part !

— Je suis un malade ! répète-t-il tandis que des images tant de fois revues défilent dans sa tête. Il faut qu'on en parle.

— Eh bien, parlons-en.

— C'est difficile. Au fait, j'ai vu que tu t'entendais bien avec ma mère !

— Elle est très mignonne.

— Elle était couturière quand mon père, riche héritier de la Veyrière où je t'emmènerai demain, l'a rencontrée. Coup de foudre réciproque. Mon grand-père ne voulait surtout pas de ce mariage, mais il a été obligé de s'incliner et voilà comment la petite ouvrière de Brive s'est vu appeler « madame Virginie » du jour au lendemain. Et puis il y a eu les malheurs que tu sais...

— Non, je ne sais pas tout.

— Tu vas le savoir, j'ai décidé de tout te dire, ce soir.

Il ne reculera pas, même si ses membres sont déjà agités de tremblements. Brigitte est grave à son tour. La lune se lève, souveraine, sur les cyprès.

— Je t'aime ! dit-elle. Mme Lemoine et mon père ont eu une excellente idée de nous fiancer sans notre avis.

— Il est temps de partager ce secret que je porte depuis l'âge de quatorze ans, poursuit Pascal. Il ne se passe pas une journée sans que j'y pense.

Ils arrivent dans le hall qui donne sur un immense escalier. À droite se trouve la salle à manger, à gauche, un petit salon refait entièrement, qui sent encore le plâtre frais. Le silence de cette grosse bâtisse est apaisant. Pascal et Brigitte s'assoient sur le canapé.

— Voilà, commence Pascal, quand ma mère a été arrêtée, j'ai volé le vélo d'une jeune servante et je suis parti pour Vablanche où elle était jugée avec cinq autres femmes. Ça se passait dans une grande cour fermée, mais j'ai tout vu à travers les planches mal jointes de vieux volets. Ils ont forcé les condamnées à se mettre nues devant leurs juges et puis ils les ont rasées. Le sang coulait sur leurs joues, mais les hommes continuaient de couper les grands cheveux...

La sueur perle au front de Pascal. Brigitte attire sa tête sur son épaule, comme s'il était un tout petit garçon, et, du bout des doigts, caresse sa joue mouillée.

— J'ai vu l'homme vider du purin sur la poitrine de ma mère, sur son ventre, parce qu'il l'accusait d'avoir couché avec un milicien...

Il claque de nouveau des dents.

— Allonge-toi, dit Brigitte, je vais aller chercher une couverture.

Il s'allonge. Cet homme d'affaires, dont M. Pigrier vante l'audace et la malice, est là, tremblant, fiévreux, vaincu par un souvenir.

— Et puis ma mère a disparu. Tout le monde a cru qu'ils l'avaient fusillée. Elle était morte, en effet ; pendant plusieurs années, elle est restée sans le moindre souvenir, sans se rappeler seulement son nom. Il lui a fallu longtemps pour redevenir cette petite femme simple que tu as vue ce soir.

Brigitte va chercher une couverture, l'étale sur Pascal qui grelotte.

— Tu devrais te coucher.

Il essaie de se mettre sur ses jambes mais ne peut se tenir debout. Tout tourne autour de lui.

— Je vais rester là, dit-il. Monte chercher un édredon, je gèle.

— Tu m'inquiètes.

— T'en fais pas, ce n'est pas la première fois que ça m'arrive. Ça ira mieux demain.

La fièvre a dû encore monter puisqu'il commence à délirer. Il prononce des mots sans suite, s'agite, ouvre des yeux écarquillés d'effroi. Brigitte éponge la sueur sur son front. Par moments, le malade se calme, alors elle s'assoit dans le fauteuil et somnole jusqu'à ce que les cris la réveillent de nouveau.

Le matin, tandis que le jour blanchit déjà à travers la fenêtre, il s'endort enfin, plus calme. Brigitte peut se reposer. Quand elle se réveille, midi sonne à la pendule. Pascal ouvre les yeux, la fièvre est tombée.

— Tu m'as fait peur... Je t'aime ce matin plus encore qu'hier.

Elle se blottit contre lui, et cette fois il ne la repousse pas. Son cœur se met à battre très fort, tandis qu'une douce chaleur se répand dans son corps.

— Je crois dit-il, que ton père m'a fait le plus beau cadeau qui soit. Moi aussi, je t'aime.

Ils restent ainsi longtemps serrés l'un contre l'autre.

— Tu sais, continue Pascal, je ne sais rien de l'amour, rien des femmes, il faudra que tu m'apprennes tout. Je suis sûr qu'avec toi je redeviendrai normal. D'ailleurs, je vais déjà beaucoup mieux.

— Nous avons tout le temps ! dit Brigitte. Je te dois aussi une confidence. Je te connaissais un peu. Mon père s'était arrangé pour que je te voie et m'avait demandé mon avis. Mme Lemoine ne s'est pas décidée sur un coup de tête, elle y pensait depuis longtemps mais attendait le moment favorable pour t'en parler.

— Viens, nous allons faire un tour dans le parc.

— J'ai faim ! dit-elle.

7.

Le lieutenant Massenet et Stéphanie arrivent aux Rissins au début de la deuxième semaine de juillet. Pascal et Brigitte vont les attendre à la gare. Jacques n'a plus cette attitude souriante et désinvolte que lui connaissait son frère. Il ne plaisante plus, parle d'une voix rauque et s'irrite pour un rien. En le voyant cloué à son fauteuil, Virginie part se cacher pour pleurer. Brigitte l'embrasse sur les deux joues. Il dit à son frère :

— Vraiment charmante, ta future épouse.

Pascal sourit et retourne le compliment.

— La tienne aussi ! Enfin, je te réservais une surprise : ce soir, nous avons l'oncle Ernest à dîner !

Jacques sursaute.

— Tu as invité ce...

— Oui, mon cher. Il n'en peut plus, il a le couteau sous la gorge. D'autre part, tu sais que la Veyrière est de nouveau à vendre ?

Oui, Jacques le sait, Marcel le lui a téléphoné récemment, mais, pour l'instant, il ne se préoccupe pas de récupérer sa maison de famille, ses jambes ont plus d'importance.

— Il ne faut pas dramatiser ! dit Brigitte. Vous allez voir qu'à l'automne tout ira bien. On va vous opérer et ensuite vous trotterez comme un lapin.

— Ce que je sais, précise Jacques, c'est que l'aviation, c'est bien fini pour moi...

Virginie est sombre. Pourquoi le bonheur ne peut-il jamais être total ? Elle a près d'elle ses deux fils dans cette superbe maison ; ils pourraient tous ensemble profiter de l'été, mais le handicap de Jacques pèse sur eux de son poids de fatalité.

L'oncle Ernest et Camille arrivent vers sept heures à bord de leur vieille voiture. Ils embrassent tout le monde, Ernest jette un regard circulaire, siffle entre ses dents.

— Mon neveu, on ne se refuse rien ! Voilà une superbe maison.

— J'ai dû emprunter ! précise Pascal, qui fait un clin d'œil à Brigitte.

Camille se tourne vers Virginie :

— Vos enfants réussissent vraiment très bien. Mais attention, ce que la chance donne d'un côté, le malheur le prend de l'autre.

— J'ai peut-être réussi, moi ? fait Jacques sur un ton de reproche.

Une peau flasque pend sous le menton de Camille. Ses yeux globuleux semblent avoir grossi, et ses dents, qui ont jauni, sont toujours aussi larges. Elle est bossue et marche en allongeant le cou comme une oie. Brigitte et Stéphanie découvrent cette tante à la voix criarde et la trouvent vraiment aussi laide que ses neveux l'avaient dépeinte. Ernest n'a pas beaucoup changé. Ses yeux ronds ont toujours cette fixité de reptile derrière les loupes de ses lunettes. Jacques pense qu'il est plus à plaindre qu'à blâmer ; Pascal, qui n'a rien oublié, lui fait bonne mine, mais il sait bien qu'une fois la nasse refermée il n'aura aucune pitié.

— Je crois que ça me guérira définitivement de mon enfance ! dit-il à Brigitte.

Avant l'apéritif, Ernest entraîne Pascal à l'écart sous le prétexte d'examiner un chêne qu'il dit plus que bicentenaire.

— Je te remercie de m'avoir aidé ! En ce moment, les affaires ne vont plus du tout. Je vais avoir encore besoin de toi.

Pascal gratte l'écorce du chêne, arrache un lichen blanc.

— C'est que dans le transport maritime aussi, c'est difficile. Je ne peux pas disposer ainsi de sommes d'argent...

— Si tu ne m'aides pas, c'est la catastrophe. Je vais être obligé de vendre.

— Je ne vous promets rien. Et puis je dois rendre des comptes, moi aussi. Je ne suis pas majoritaire. Si je peux faire quelque chose par l'intermédiaire de mon ami Permot, le banquier, je veux bien, mais je suis certain qu'il refusera de marcher au tarif de la dernière fois.

Pascal s'amuse follement à retourner son oncle sur le gril, un jeu cruel qui lui va bien. Il conclut :

— Vous me téléphonerez la troisième semaine de juillet. Dès mon retour à Bordeaux, je verrai...

— De toute façon, la minoterie sera pour toi, tu le sais bien...

— Non, il n'y aura pas d'héritage. Tout est hypothéqué. Et l'argent que je vous ai prêté est garanti par ma société !

— Ta société, c'est bien toi !

— Certainement pas. Mme Lemoine détient la majorité du capital qui revient à ses neveux... Mais que ne ferais-je pas pour vous, mon cher oncle !

Ils retournent sous la charmille où Brigitte sert le champagne. Camille s'en prend aux instituteurs laïques qui n'enseignent pas le respect de la religion à leurs élèves. Jacques montre son agacement et, pour irriter sa bigote de tante, affirme qu'il est monté très haut dans le ciel et qu'il n'a jamais rencontré le bon Dieu.

— Au fait, mon oncle, demande Jacques, pourquoi ne rachetez-vous pas la Veyrière ? J'ai appris par Marcel qu'elle allait de nouveau être vendue puisque l'ancien propriétaire est mort et qu'aucun de ses enfants ne veut la garder.

— Pourquoi ne l'achètes-tu pas, toi ? C'est la maison de famille des Massenet et tu n'as aucun point de chute dans le département.

— Si vous l'achetiez, dit Jacques en riant, vous m'en feriez l'héritier !

Camille a un regard froid vers son mari.

— Ce n'est pas sûr du tout qu'il t'en fasse l'héritier !

Tout le monde a compris l'allusion de Camille à Lucie Reguet, la maîtresse d'Ernest. Jacques, un peu éméché, parle de ses avions, de son premier accident au Maroc, puis du deuxième et enfin du troisième.

— Celui-là, c'est le plus stupide de tous. Et le plus grave.

Camille explique que les voies du Seigneur sont impénétrables, Jacques rétorque qu'il n'aura pas le courage de vivre toute une vie assis.

— Il faut toujours garder espoir ! conclut Camille de sa voix chevrotante. Ce qui n'est pas possible aujourd'hui le sera demain. Tu dois avoir confiance !

— N'empêche qu'elle a raison ! souffle Stéphanie à l'oreille de Jacques.

À la fin du dîner, avant de partir, Ernest dit à Pascal, en l'embrassant :

— Surtout n'oublie pas notre conversation.

— Je n'oublierai rien, mon oncle, soyez tranquille.

Pascal passe désormais ses nuits près de Brigitte. La répulsion est vaincue, mais il n'a pas pour cela retrouvé la virilité de son âge. Brigitte est patiente.

— Tout redeviendra normal avec le temps et surtout avec l'amour que j'ai à te donner.

Virginie a accepté de rester toute la semaine aux Rissins, même si cette grande maison, par sa ressemblance avec la Veyrière, lui rappelle de mauvais souvenirs. Pascal lui interdit d'aider à la cuisine ou à la vaisselle et elle s'ennuie. Paul lui manque ; heureusement, il le retrouvera lundi, ils ont décidé d'aller passer la journée à Cahors...

Mercredi, vers dix heures, le facteur arrête sa Mobylette devant le portail de la maison. Il salue en soulevant sa casquette.

— Monsieur Massenet Pascal ? demande-t-il.

— C'est moi.

L'homme tend un télégramme au jeune homme. Brigitte le regarde, flairant tout de suite un malheur. Grave, Pascal ouvre le pli et lit à haute voix :

Madame Lemoine décédée cette nuit. Venez vite. Nous vous attendons. Joseph Pigrier.

Pascal est sonné. Il reste un moment sans bouger, le papier au bout des doigts. Il comprend tout à coup la place que cette femme avait prise dans sa vie. Sans elle, que serait-il ?

La nuit dernière, un orage a éclaté au-dessus des collines, des nuages courent encore dans le ciel. Le soleil pompe l'eau en colonnes de brume qui ondulent lentement.

— Bon, dit Pascal en soupirant, on s'en va.

Il explique à son frère :

— C'est... Comment te dire ? Ma patronne et quelqu'un de proche... Nous reviendrons sûrement, si les affaires le permettent, avant la fin de la semaine. Toi et Stéphanie êtes ici chez vous. Faites-moi le plaisir d'occuper cette maison le plus longtemps possible, au moins jusqu'à l'automne. L'air de la Corrèze est bon pour tout, même pour les jambes.

Quelques minutes plus tard, Brigitte et Pascal sont partis. Pascal, malgré son réel chagrin, sait qu'il va devoir se battre contre Philippe et sa sœur, désormais ses patrons.

— Il faut que tu voies papa avant tout le monde ! conseille Brigitte.

Ils arrivent à Bordeaux en fin d'après-midi et passent d'abord au bureau de M. Pigrier.

— Vous avez une mine superbe ! dit-il.

Puis, fermant la porte de son bureau, il se tourne vers Pascal :

— Le notaire, maître Leblanc, a immédiatement fait savoir que Mme Lemoine avait un testament et que jusqu'à l'ouverture de celui-ci il était le seul habilité à prendre des décisions. Les requins sont déjà sur place en train de se disputer l'argenterie, les tableaux de maître et autres valeurs. Maître Leblanc, que je connais bien, m'a dit que tout ceci était répertorié et estimé.

Quand Brigitte et Pascal arrivent à l'hôtel particulier, ils sont reçus par un Philippe en larmes. Micheline est là aussi et quelques autres personnes que Pascal connaît, des collaborateurs, des amis de la défunte.

Cinq minutes plus tard, Philippe a séché ses larmes et regarde Pascal de haut.

— Les vacances ont-elles été bonnes ?

— Très bonnes ! répond Brigitte en prenant la main de son fiancé.

— Pascal, il faudra que nous voyions certaines choses ensemble. Maintenant que ma pauvre tante n'est plus là, je vais m'intéresser d'un peu plus près à cette affaire.

— Et ta maison de disques ?

— Elle tourne toute seule. J'ai un directeur général en qui j'ai grande confiance.

— Rien ne peut être fait avant l'ouverture du testament. Ta tante a nommé maître Leblanc pour expédier les affaires jusque-là. Après, nous ferons selon les volontés de la chère disparue.

Philippe passe la main dans ses cheveux. Son visage long, précocement ridé par l'abus d'alcool, est déplaisant. Il se tourne vers Brigitte, un mauvais sourire aux lèvres.

— Dis donc, tu as vu comme il me parle, ton fiancé ? Il oublie que c'est moi son patron.

— Jusqu'à l'ouverture du testament, c'est maître Leblanc, précise Brigitte. Nous verrons par la suite.

Dans la soirée, tandis que Pascal est descendu reconduire un visiteur, Philippe s'approche de la jeune femme.

— Tu sais que je deviens un parti intéressant. Je vais en parler à ton père.

Brigitte a un sourire méprisant.

— Mon père ne change pas d'avis comme de chemise. Je vais épouser Pascal et j'en suis très heureuse.

— Heureuse avec cet impuissant ?

— Si nous n'étions pas dans la maison d'un mort, je t'aurais déjà donné une paire de gifles.

Céline arrive dans la nuit, accompagnée de son mari qui ne parle pas un seul mot de français. Elle verse d'abondantes larmes pendant quelques minutes, puis, parcourant le salon d'un regard circulaire, s'étonne :

— Et le tableau qui était là ? Qu'est-il devenu ?

Philippe hausse les épaules.

— Je ne sais pas. Notre tante a dû le vendre ou l'accrocher ailleurs.

Prise d'un soupçon, la jeune femme fait le tour de la maison et revient vers son frère.

— Si j'ai bien compris, tu t'es occupé du déménagement ! Il n'y a plus un seul tableau, à part quelques croûtes sans valeur, plus d'argenterie... Tu aurais pu emporter les pendules, aussi. Rien ne t'arrête, pas même la mort. Mais ça ne se passera pas comme ça ! Nous irons au tribunal s'il le faut !

Philippe se tourne vers Pascal, comme pour demander de l'aide, puis fait face à sa sœur.

— Tante Léontine m'avait donné les tableaux... C'est maman qui a pris l'argenterie.

Micheline, mise en cause, a l'aplomb de répondre :

— Je l'ai mise de côté pour toi, ma chérie.

Tony, le mari de Céline, assiste à cette scène dans la plus grande indifférence. Pascal se recueille longuement devant le corps de Mme Lemoine puis se rend à son bureau pour mettre quelques affaires en ordre. Les entrepôts de la C.T.M.L. sont déserts. Les peintres s'activent sur les flancs de deux bateaux en cale sèche.

L'enterrement rassemble beaucoup de monde. La famille Monnier pleure abondamment en suivant le cercueil de cette tante à héritage. Brigitte donne la main à Pascal, qui sait bien qu'une nouvelle page de sa vie vient de se tourner, mais il reste confiant. Joseph Pigrier est près de lui et puis il y a cette petite main blottie dans la sienne. Désormais, Pascal n'est plus seul ; les terreurs de son adolescence sont vaincues.

À la fin de la cérémonie, tout le monde rentre chez soi. Les Monnier s'essuient une dernière fois les yeux et partent faire du rangement dans l'hôtel de la chère tante. En fait, ils veulent le fouiller jusque dans ses recoins car ils soupçonnent la vieille Léontine d'avoir beaucoup d'argent liquide. Et s'il restait un diamant, quelques louis d'or oubliés dans une boîte, ce serait dommage de les laisser aux futurs acquéreurs de l'immeuble qui va être vendu !

Vers sept heures du soir, tandis que Pascal vérifie les comptes de la société, Philippe fait irruption dans son bureau, le visage animé de tics.

— Dis donc, ma tante possédait un superbe collier de perles fines dont elle ne se séparait jamais. Or, quand la bonne l'a trouvée morte, l'autre matin, le collier n'était plus à son cou. Tu ne saurais pas où il est ?

Pascal comprend tout de suite que Philippe cherche un sujet de discorde. Il laisse faire et entre dans son jeu.

— Non. Comment l'aurais-je pris puisque je n'étais pas là ? Interroge plutôt la bonne.

— La bonne m'a dit que cela faisait plusieurs jours que Léontine ne portait plus ce collier, ce qui est bizarre. À moins qu'elle ne te l'ait donné.

Pascal sursaute et se redresse.

— Elle ne m'a rien donné. Et puis j'ai autre chose à faire qu'à écouter tes reproches. Alors je crois que je vais te mettre dehors.

Philippe se dresse sur ses ergots.

— Tu oublies que tu es chez moi ? Mon premier travail, en tant que directeur général, va consister à te virer.

— Nous verrons ça demain matin, chez maître Leblanc. Pour l'instant, tu ne peux rien, alors tu sors !

Philippe veut vider son sac. Il est bien loin, le temps de leur complicité où la fantaisie et l'insouciance de ce garçon plaisaient tant au sombre Pascal !

— Tu t'es pas mal débrouillé, quand même ! Entré dans la maison comme simple employé de direction, tu es désormais le seul maître, mais ça ne durera pas. Tu as profité d'une faible femme pour asseoir ta réussite. Tu me dégoûtes !

Pascal éclate de rire.

— Ta tante, une faible femme ?

— Ce que je veux, c'est te casser la gueule, espèce de profiteur. J'ai pas oublié le jour où tu m'as foutu dehors devant les employés !

Il se précipite sur Pascal, qui le repousse. Brigitte qui entre à cet instant, crie :

— Mais qu'est-ce qui vous prend ?

— Laisse ! dit Pascal, décidé à en découdre une bonne fois pour toutes. Il faut en finir avec ses accusations, ses insinuations !

Brigitte se poste devant son fiancé.

— Arrête, il ne mérite même pas que tu te salisses les mains.

Philippe frotte sa tempe droite qui a cogné un bras du portemanteau.

— Vous ne perdez rien pour attendre, enfants de collabos !

Il s'éloigne. Brigitte se blottit dans les bras de Pascal.

— Vivement la lecture de ce testament demain matin !

8.

Comme convenu, le lendemain matin, Pascal se rend à l'étude de maître Leblanc, place des Grands-Hommes. Il arrive à neuf heures précises ; une employée le fait entrer dans la salle d'attente, où se trouve déjà la famille Monnier. Micheline a revêtu un ensemble noir moulant. Céline porte un pantalon rouge, une veste verte et un chapeau noir. Philippe ne lève pas les yeux d'une revue qu'il feuillette. Pascal salue les deux femmes et s'assoit. Quelques instants plus tard, maître Leblanc arrive. C'est un petit homme sec, vêtu avec beaucoup de soin. Entièrement chauve, son crâne luit comme un galet parfaitement lisse. Il invite tout le monde à prendre place sur les sièges disposés dans son bureau.

— Nous allons pouvoir commencer, dit-il en ouvrant un dossier devant lui.

Il prend une enveloppe scellée.

— Mme Léontine Lemoine a donc déposé son premier testament en mon étude, le 30 avril 1959, puis ce document a été modifié par l'intéressée le 18 mai 1962, il y a donc à peine deux mois.

Philippe ouvre de grands yeux étonnés, regarde sa mère, et dit enfin :

— Maître, je voudrais contester la présence de M. Massenet, étranger à la famille.

— Je regrette, monsieur Monnier, mais M. Massenet doit assister à l'ouverture et à la lecture de ce testament, comme l'a demandé Mme Lemoine.

— Avait-elle toute sa raison ?

— Certes, elle a pris la précaution de faire établir une attestation par un expert psychiatre.

Philippe envoie un regard méchant à Pascal, qui, pendant tous ces palabres, pense à Brigitte, à son corps chaud et nu blotti contre le sien, à sa peau si douce, et à ces mots d'amour qu'elle ne cesse de lui souffler au creux de l'oreille et qui réveillent enfin son désir. Pour protéger ce bonheur si nouveau, il se sait la force de renverser des montagnes.

— Je vais donc procéder à la lecture du document, précise le notaire en prenant ses lunettes.

Il descelle l'enveloppe, sort une double feuille écrite de la main même de Mme Lemoine et commence la lecture :

— « Moi, Pierrard Léontine, épouse Lemoine, saine d'esprit (certificat du docteur psychiatre Arrigon, ci-joint), exprime ici mes dernières volontés.

« Mes biens immobiliers, acquis du vivant de feu mon époux dont la liste figure à la fin de ce document, seront partagés entre mes deux petits-neveux, Philippe et Céline. »

Philippe a un sourire. Micheline fait la moue : voilà que sa tante l'a oubliée ! Le notaire poursuit :

— « À l'exception de l'hôtel particulier que j'occupe actuellement, qui reviendra à Micheline Leroy, épouse Monnier, avec ce qui se trouve à l'intérieur. »

Micheline sourit et pense déjà à se faire restituer les tableaux que Philippe a emportés.

— « La liste des tableaux et objets de valeur a été établie par maître Leblanc, qui la tiendra à sa disposition. »

Philippe et sa sœur font la grimace. Le notaire tourne la page et poursuit.

— « Concernant la Compagnie des transports maritimes Lemoine, je tiens à éviter à tout prix qu'elle soit rachetée par un concurrent afin que le nom de mon époux, fondateur de la Compagnie, reste à jamais attaché à cette affaire. J'ai vendu quarante pour cent des parts à l'actuel directeur général et gérant, M. Massenet Pascal. Considérant que lui seul, ayant été formé par mon regretté neveu, Monnier Alain, lui-même ancien collaborateur de mon époux, peut poursuivre l'œuvre commencée, par le présent testament, je vends au dit Massenet Pascal les onze pour cent de parts qui manquent pour lui assurer une majorité absolue. Ces onze pour cent seront payés à mes neveux Céline et Philippe au prix déterminé par l'expertise réalisée en avril 1962 sur la valeur de l'affaire et majoré de l'indice officiel de l'inflation. Ce paiement sera étalé sur cinq années et se fera par l'intermédiaire de maître Leblanc au taux d'intérêt officiel de la Banque de France. »

— Je conteste, c'est illégal ! fait Philippe. Voilà qu'elle donne une affaire familiale florissante à un étranger ! Nous ne voulons pas vendre...

Le notaire regarde Philippe par-dessus ses lunettes.

— L'acte est déjà signé par la défunte. Je poursuis : « Les quarante-neuf parts restantes seront réparties comme suit, vingt à chacun de mes petits-neveux, neuf à ma nièce par alliance, Micheline. »

— Merci quand même ! fait l'intéressée. La tante Léontine paie chichement les années que j'ai sacrifiées à cette société, on se demande à quoi sert le dévouement !

— Je dois préciser, dit le notaire, que les actions qui restent en votre possession vous permettront à tous de vivre largement et qu'il est dans votre intérêt que la C.T.M.L. continue de faire des bénéfices.

Maître Leblanc lit encore quelques dispositions puis demande à chacun de signer. Pascal signe en premier. Philippe se place devant sa sœur et sa mère.

— Nous ne signons pas ! dit-il. Nous contestons ce testament. M. Massenet l'a extorqué à notre tante. Nous irons au tribunal.

— Non, dit le notaire. M. Massenet n'a rien extorqué. Ce testament a été écrit devant moi, dans cette pièce. Le tribunal ne pourra que l'approuver.

— C'est bien ce que nous verrons ! dit Philippe, en sortant, suivi de sa mère et de sa sœur.

— Ce document est inattaquable ! reprend le notaire en s'adressant à Pascal. Mme Lemoine avait justement prévu cette réaction et pris ses précautions. Ils ne comprennent pas que tout ceci a été fait dans leur intérêt. Imaginez Philippe Monnier à la tête de la C.T.M.L. ! Elle ne durerait pas bien longtemps et la famille entière serait vite ruinée. C'était une grande dame, cette Léontine Lemoine !

Pascal ne se fait pas de souci. Il passe chercher Brigitte et ils repartent l'après-midi même pour la Corrèze, où ils restent jusqu'à la fin de la semaine. Ils vont plusieurs fois voir Marcel et Jeanine à la Veyrière, toujours à vendre.

— C'est vrai qu'elle n'est pas habitée depuis de nombreuses années et qu'il y a quelques travaux à l'intérieur, dit Marcel, mais c'est quand même votre maison.

Pascal sait cela, mais le rachat de la Veyrière ne l'intéresse pas. Il a les Rissins, cette maison revient plutôt à son frère.

— Je veux bien, moi, dit Jacques, mais je n'ai que ma solde...

— Et ce que tu vas avoir pour ton accident.

Jacques rougit puis baisse la tête.

— Mes jambes contre une maison ! Je préférerais mes jambes.

— Écoute, dit Pascal, si ça t'intéresse, je peux t'obtenir par ma banque un prêt très avantageux. Mais avant tout il faut effectivement t'occuper de tes jambes, tu as raison.

Le lundi suivant, Pascal et Brigitte rentrent à Bordeaux à regret. Ils se plaisent beaucoup aux Rissins et projettent d'y revenir souvent. Le soir, ils dînent chez les parents de Brigitte. Joseph Pigrier leur apprend que Philippe ne baisse pas les bras et qu'il va intenter une action en justice.

— Il remue ciel et terre ! C'est toujours embêtant. Il faudrait trouver un terrain d'entente avec lui.

— Impossible. Il est buté comme une mule.

Le lendemain, quand Pascal arrive à son bureau, Philippe est là, qui l'attend. Désinvolte comme à son habitude, il est à la porte du bureau que Pascal avait fermée à clef. Son visage est toujours animé de tics.

— Vous vous êtes tous ligués contre nous ! dit-il, les poings serrés. Mais ça ne se passera pas comme ça.

— Écoute, Philippe, reprend Pascal, c'est dans ton intérêt que ces dispositions ont été prises. Ce n'est pas enlever quoi que ce soit à ton talent d'artiste que de dire que tu n'es pas fait pour diriger cette boîte. Il faut être dans ce milieu depuis longtemps, il faut connaître plein de choses qui ne s'apprennent qu'avec le temps. Quand ton père était là, tu ne voulais pas en entendre parler. C'est à cette époque qu'il aurait fallu t'en préoccuper. Maintenant, c'est trop tard.

— Je ne céderai pas ! dit Philippe en marchant de long en large dans le couloir. C'est une question de principe.

— Réfléchis quand même. Une action en justice va te coûter de l'argent et tu ne gagneras pas ! Par contre, je suis prêt à un arrangement...

Philippe s'arrête, se tourne vivement vers Pascal.

— Tu sais, je n'ai pas oublié tes débuts au cabaret, quand nous logions dans l'appartement que j'avais loué à ta tante... Ta fantaisie, ta drôlerie mettaient du soleil dans ma vie bien terne.

Philippe ne s'attendait pas à une telle parole. Son visage s'illumine d'un sourire qui retrouve tout à coup sa grâce d'antan.

— Je ne suis pas fait pour la vie sérieuse ! dit-il en baissant les épaules. Je suis un éternel adolescent qui ne s'habitue pas à sa peau d'adulte.

— Justement. Où en est ta maison de disques ?

Il s'approche de la fenêtre et regarde deux moineaux se disputer un morceau de pain.

— Ma maison de disques... Comment te dire ? Elle est en sommeil. Je n'ai jamais su faire les comptes, alors, forcément...

— Voici ce que je te propose : toi tu t'occupes de la partie artistique et moi de la partie financière. Je préfère ton amitié à ta haine.

Philippe, qui flaire un piège, hésite.

— Tu n'as pas voulu m'aider quand c'était le moment et maintenant...

— Maintenant, ce n'est plus pareil. D'ailleurs, ta tante se serait opposée au projet.

Philippe tend la main à Pascal avec ce sourire qui va encore si bien à son visage d'alcoolique.

— Je savais bien que notre brouille n'était qu'un malentendu.

9.

Été 1963. Virginie reprend espoir, Jacques va beaucoup mieux. L'opération tentée l'automne dernier n'a été qu'une demi-réussite, mais il a retrouvé l'usage de son bassin. Ses jambes ne sont pas encore assez fortes pour le porter, mais le médecin qui le suit note ses progrès et commence à croire au miracle.

— Tout est une question de volonté, dit-il. La première opération n'a pas suffi, nous en ferons une deuxième, et si vous vous obstinez à marcher tous les jours, à vaincre la douleur de vos membres qui n'ont pas encore retrouvé toute leur mobilité, je suis certain que vous pourrez marcher de nouveau.

Un seul but justifie les efforts que Jacques fait quotidiennement : pouvoir remonter en avion.

— Mais quand même, s'emporte sa mère, tu as failli mourir et tu veux recommencer ?

Stéphanie sourit. Jacques ne vit que pour ça ; privé d'avion, il vit au ralenti.

— Je ne comprendrai jamais ce garçon.

Jacques a acheté la Veyrière au printemps dernier. Il disposait d'une somme d'argent et a obtenu un emprunt dans la banque de son frère. Il se trouve ainsi propriétaire de la maison de famille. Ce rachat a été diversement commenté dans la commune, où personne n'a oublié les événements passés, mais la personnalité de Jacques est mieux acceptée que celle de son grand-père ou même de son frère, qu'on dit fier et distant. Jacques se traîne au bistrot où il ne manque pas de payer sa tournée et d'évoquer ses campagnes, qui forcent l'admiration.

— Celui-là, disent les gens, n'a de Massenet que le nom. Il a dû tirer du côté de sa mère.

Virginie n'aime pas beaucoup revenir à la Veyrière et préfère rester dans son petit appartement de Brive. Paul lui rend visite presque tous les après-midi. Ils partent se promener et, ensemble, ne voient pas le temps passer.

La dette d'Ernest est énorme, et Pascal décide d'y mettre un terme. Depuis qu'il dirige seul la C.T.M.L. et qu'il a épousé Brigitte, le jeune patron, à qui rien ni personne ne résiste, veut régler au plus vite cette affaire qui n'a que trop duré.

— Laisse-moi trois mois, j'attends une grosse rentrée d'argent ! supplie l'oncle.

— Impossible, tranche Pascal. Votre dette représente deux fois la valeur de votre affaire. Il faut que nous y mettions bon ordre et je dois des comptes à mes pairs.

Ce moment que Pascal attendait depuis si longtemps ne lui procure pourtant aucune joie. Lui, qui croyait savourer ainsi sa vengeance et ressortir ses griefs, éprouve au contraire de la pitié pour cet homme marié à une femme qu'il n'avait pas choisie. En d'autres circonstances, Ernest aurait pu suivre un chemin plus glorieux. Pour l'instant, il pleurniche.

— Quelle honte ! Me mettre à la porte ainsi, moi qui ai été ton tuteur. Tu ne respectes donc rien.

Camille vient à la rescousse.

— De toute façon, nous ne partirons pas ! Laroche appartient à ma famille depuis des siècles...

— Il le faudra, ma tante ! réplique Pascal sans se démonter.

La loi est pour lui et il n'a pas l'intention de reculer. Quelques jours plus tard, un huissier de justice se présente à la minoterie de Laroche pour faire appliquer le jugement du tribunal de commerce de Tulle.

— Il a osé ! dit Ernest, suffoqué par la méthode.

L'homme, retranché dans sa rigueur administrative, lit l'arrêté d'expulsion.

— Vous pouvez au moins nous laisser habiter dans la maison, demande Ernest. On paiera un loyer, ça n'empêchera pas les machines de tourner.

— Je n'ai pas d'ordre dans ce sens. Vous devez quitter les lieux dans les huit jours. Si ce n'est pas fait, la force interviendra.

Comme il ne sait plus à qui demander du secours, Ernest part pour Brive voir sa belle-sœur. Il pleure à chaudes larmes.

— Votre fils est d'une dureté... Bien sûr qu'il m'a prêté plus d'argent que n'en vaut la minoterie et je ne peux pas le rembourser, mais j'ai pas tous les torts...

Virginie regarde ce gros homme s'essuyer les yeux. Sans ses lunettes, son visage paraît plus rond ; avec ses yeux rouges exorbités, il ressemble à un têtard.

— Je ne peux rien ! dit Virginie. Pascal est en effet sans pitié pour personne. C'est, semble-t-il, une qualité dans les affaires. Les bons, les doux se font manger.

— Vous pouvez quand même essayer de lui écrire, lui téléphoner, lui dire qu'on ne fait pas ça à son vieil oncle, que nous allons vendre la propriété de Mauchamp...

Virginie n'éprouve aucune compassion pour cet homme lâche et vil. Il est là, debout près de la porte, le col de sa chemise froissé, ses mains potelées pendent, des fruits mous. Elle lève sur lui un regard méprisant.

— Les temps ont bien changé, voilà tout ! Vous vous souvenez, beau-frère, lorsque les maquis m'avaient enfermée dans le vieux moulin de la Brès et que vous êtes venu me voir pour me proposer un marché...

— Ce n'était pas un marché, j'étais sincère. Je vous aimais et je vous aime encore. Je n'ai pas eu que du bonheur dans ma vie !

Alors, d'un geste brusque, Virginie ouvre son corsage et montre le tatouage à la naissance de ses seins.

— C'est à vous que je dois ça, parce que vous n'avez pas voulu l'empêcher !

— Je ne le pouvais pas.

— Si, vous le pouviez, il suffisait de racheter ma liberté, mais, moi, je n'ai pas voulu vous céder. Et comme je gênais tout le monde à la Veyrière, que je n'étais pas de votre monde, vous m'avez laissée subir la pire des tortures ! Voilà la vérité !

Ernest n'en peut plus. Ces souvenirs lui remettent en mémoire sa lâcheté, mais aussi sa vie gâchée. Il pleure à gros sanglots, ses petites mains devant la figure.

— Arrêtez de me faire souffrir, Virginie. Je vous ai aimée depuis le jour où je vous ai vue au bras de mon frère et je vous aime encore. Ainsi, vous ne voulez pas m'aider ?

— Si, je vais essayer de vous aider. La vengeance avilit et je crois en Dieu. Je vais donc demander à Pascal de vous accorder encore quelques mois, mais je ne suis pas certaine qu'il m'écoutera.

Alors Ernest se lève, veut prendre les mains de Virginie et les porter à ses lèvres, mais elle les retire vivement.

Pascal accepte une nouvelle fois de reporter l'échéance en précisant bien que c'est la dernière. Ernest remercie, et la vie reprend son cours à Laroche jusqu'à ce que Camille tombe malade. Les soucis n'y sont pas étrangers : une vie de rancœur l'a précocement usée. Elle est hospitalisée à Brive, où les médecins diagnostiquent un cancer du pancréas bien avancé. Virginie lui fait de fréquentes visites. Les deux femmes n'ont jamais eu l'occasion de beaucoup se parler en tête à tête, et Virginie découvre la terrible vie que Camille, née riche mais peu gâtée par la nature, a dû supporter : un mariage forcé alors qu'elle souhaitait entrer au couvent, un mari qui la trompait ouvertement et les créances de plus en plus nombreuses.

— On finit par ne plus avoir envie de sortir de chez soi par peur de tomber sur quelqu'un à qui on doit de l'argent !

Elle a aussi conscience de ses manquements.

— Ernest n'est pas totalement coupable. J'ai mes torts aussi. La vie n'est pas simple !

La maladie emporte Camille en quelques semaines. Alors, Pascal change de ton.

— Maintenant, dit-il, il n'y aura pas de report de la dette.

Ernest n'en demande plus. La mort de sa femme le rend libre et il décide de s'installer chez Lucie Reguet, sa maîtresse, mais celle-ci n'est pas d'accord.

— Et avec quoi on vivra ? Sans la minoterie, qu'est-ce que tu feras ? Moi, j'ai pas besoin d'un fainéant à la maison.

— Mais il reste la maison de Camille, tu sais, la petite maison de Mauchamp.

— Eh bien, va t'y installer ou vends-la, mais je te préviens, si tu n'apportes pas d'argent, je te mets à la porte.

Après ce refus, il monte à la Veyrière.

— C'est ma maison natale ! dit-il à Jacques. Tu ne peux pas me refuser de m'héberger ici, de me louer une pièce dans un coin, une chambre de domestique. Je suis un Massenet, après tout !

Stéphanie n'est pas d'accord. Ernest insiste, Jacques le laisse parler.

— Je tondrai les pelouses, j'entretiendrai le parc...

— Marcel le fait très bien ! dit enfin Jacques.

— Mais Marcel est très vieux. Il faut qu'il se repose.

— Il va très bien. Et puis vous n'êtes pas à la porte, que je sache, votre maison de Mauchamp est libre.

— Elle va être vendue !

— Débrouillez-vous, mon oncle, ici, ce n'est pas un hospice.

Ainsi rejeté, Ernest va de nouveau frapper à la porte de Virginie.

— Vos enfants n'ont pas de cœur ! Me voilà sans toit !

— C'est peut-être parce qu'ils gardent de trop bons souvenirs de vous à l'époque où vous étiez leur tuteur.

— S'ils sont devenus ce qu'ils sont, c'est grâce à moi, qui les ai fait instruire !

— En effet, Pascal était au lycée, vous l'avez mis chez les jésuites parce que c'était gratuit, et Jacques aux enfants de troupe parce que c'était gratuit aussi. Dans les deux cas, la discipline était plutôt rude.

— La discipline n'a jamais fait de mal à personne.

Il pleure encore. Cet homme a la larme facile quand il s'agit de s'apitoyer sur son sort.

— Je suis seul, et ceux que j'ai considérés comme mes propres enfants ne veulent plus de moi.

Il lève ses yeux rougis sur Virginie.

— Et vous me considérez comme un étranger, c'est ce qui me fait le plus mal. Si vous vouliez, Virginie...

— Mais je ne veux pas ! tranche-t-elle.

— Si vous apprenez un matin que je me suis pendu...

Non, il ne se pend pas. La maison de sa belle-mère, seul bien rescapé de Laroche, est bradée pour colmater une dernière dette, puis la chance lui sourit. Il trouve un emploi de gardien et de jardinier dans une propriété proche de Vablanche.

— Voilà où conduit une vie de travail et de dévouement ! dit-il. Et un Massenet, en plus !

Au mois de septembre, Jacques retourne à l'hôpital pour une nouvelle opération qui pourrait bien être la dernière. Le chirurgien lui a dit qu'avec un peu de chance il pourrait enfin remarcher normalement.

— Vous revenez de loin ! a-t-il précisé. Deux ans après votre accident, vous allez peut-être pouvoir poser les béquilles. Bien sûr, vous ne danserez pas le twist dès le premier jour, il va falloir quelques mois de rééducation, mais je suis assez optimiste.

Jacques insiste sur ce qui seul à ses yeux a de l'importance.

— Tout ce que je veux, c'est pouvoir remonter dans un avion !

Il reste quinze jours hospitalisé puis peut retourner à la Veyrière, où il recommence ses promenades acharnées qui n'ont d'autre but que de renforcer ses muscles. Stéphanie constate les progrès qu'il fait chaque jour. Maintenant, il peut aller jusqu'au village en ne s'aidant que d'une canne.

— Je vais pouvoir bientôt courir le marathon ! constate-t-il en riant.

L'été suivant, la canne est définitivement abandonnée et il peut de nouveau conduire sa voiture. Un dimanche après-midi, tandis que toute la famille a déjeuné aux Rissins, Jacques propose une promenade au terrain d'aviation. Tout le monde accepte avec enthousiasme, sauf Virginie, qui flaire là un mauvais coup monté par Jacques.

Elle ne s'est pas trompée. Au terrain, Jacques retrouve Francis Beaufils. L'avion est prêt. Le ciel est d'un bleu profond. Les yeux de Jacques pétillent de plaisir.

— Bon, pour ce premier tour, tu vas venir avec moi. Faut que je m'assure que tout fonctionne.

Jacques pose un baiser sur le front de Stéphanie et se fait aider par Beaufils pour monter à bord. Un sourire radieux illumine son visage quand sa main se pose sur le manche.

Enfin, la machine roule et décolle. Effarée, Virginie voit alors l'avion exécuter des cabrioles, tomber en feuille morte, se redresser au dernier moment, monter en flèche, se renverser sur le dos, tourner en une vrille qui n'en finit pas... Pascal et Brigitte admirent cette acrobatie aérienne. Virginie rouspète :

— Il ne sera content qu'après un nouvel accident !

Au bout d'une demi-heure de voltige, l'avion se pose, roule sur le gazon et s'arrête à quelques mètres du groupe. Jacques descend lentement, aidé par Beaufils.

— Je sais, maintenant, que la partie est gagnée ! dit-il.

Il prend Francis Beaufils dans ses bras.

— Je suis plus heureux et plus ému que le premier jour où je suis venu ici habillé en enfant de troupe.

10.

L'automne allume la colline d'ors chatoyants, de rouges ardents. Une lumière épaisse coule sur les pentes. L'après-midi, le soleil chauffe agréablement ; Virginie et Paul en profitent pour faire de longues promenades dans la campagne briviste. À cette heure, le temps semble s'être arrêté, pas un nuage dans le ciel, pas un souffle de vent.

— Finalement, dit Virginie, après tant de malheurs, je vieillis dans le calme...

— Vous ne vieillissez pas, votre visage n'a pas une ride.

Elle sourit à cette flatterie de son ami et poursuit :

— Regardez, j'ai mes deux enfants. L'un est si pressé qu'on ne le voit pas souvent, mais il est heureux comme ça ! L'autre retrouve enfin l'usage de ses jambes. Stéphanie attend un bébé. La vie continue, c'est ce qui me rassure. J'espère que ce bébé retiendra Jacques et l'empêchera de commettre ses folies !

Paul sourit. Il ne croit pas que Jacques renoncera un jour à l'aviation.

— Et puis, continue Virginie en se tournant vers Paul, je vous ai, vous, si présent !

Il la regarde bien en face.

— Vous savez, Virginie, sans vous je ne serais pas resté dans cette région qui me rappelle trop de mauvais souvenirs.

— Mais dites-moi, Paul, pourquoi ne vous êtes-vous jamais marié ?

Il hésite un moment. Une vache meugle dans un pré voisin. Virginie suit des yeux un vol pressé de pigeons.

— Parce que, répond-il, la femme que j'aurais voulu épouser était déjà mariée. Je me suis engagé dans la Légion parce que je n'ai pas su la défendre. Je ne mérite pas le bonheur que j'ai maintenant de la voir tous les jours.

Elle lui sourit.

— Nous aurions sûrement été heureux tous les deux, mais on ne refait pas le passé.

Puis, ramenant son gilet sur sa poitrine, elle ajoute :

— La fraîcheur tombe vite en cette saison... Si nous rentrions ?

TABLE

Achevé d'imprimer en octobre 1998
sur presse Cameron
*par **Bussière Camedan Imprimeries***
à Saint-Amand-Montrond (Cher)

Edition exclusivement réservée aux adhérents du Club
Le Grand Livre du Mois
15 rue des Sablons
75116 Paris
réalisée avec l'aimable autorisation des éditions Laffont

ISBN : 2-7028-2165-0

N° d'édition : 39527/62. N° d'impression : 985051/4.
Dépôt légal : septembre 1998.

Imprimé en France